STULECIE WINNYCH

CI, KTÓRZY WIERZYLI

zwierciadło

ALBENA GRABOWSKA

STULECIE WINNYCH

CI, KTÓRZY WIERZYLI

tom 3 sagi

Pamięci moich dziadków
oraz ojca – Zofii, Stefana
i Janusza Grabowskich.

1971 ROK

Jak wiele zależy od jednego, pozornie mało znaczącego wydarzenia, przekonał się doktor Julian Czerwiec na sobotnim dyżurze 26 czerwca 1971 roku. Z samego rana zadzwonił do niego kolega, informując, że niestety utknął na działce na Zegrzu i nie przyjedzie zmienić Juliana na dyżurze w szpitalu na Wrzesinku w Pruszkowie. Prawdę mówiąc, doktor Czerwiec nie był zdziwiony tym telefonem, bo kolega słynął z lenistwa, a na dodatek był szwagrem ordynatora oddziału ginekologii i położnictwa, na którym Julian pracował. Bywało więc, że pozwalał sobie na niekoleżeńskie poczynania wobec innych lekarzy. Pogoda była przepiękna, zalew, nad którym kolega miał domek, aż się prosił, żeby spędzić tam całą sobotę i niedzielę.

Julian poniekąd rozumiał więc kolegę, ale nie chciał się poddać bez walki. To byłaby jego druga doba w szpitalu, a noc miał ciężką i marzył o tym, żeby wrócić do domu i położyć się do łóżka. Sarknął zatem ze zniecierpliwieniem i powiedział do słuchawki, że zaraz wychodzi ze szpitala i lepiej by było, żeby doktor Marek Taneczny jednak się pofatygował i wypełnił swój obowiązek. Kolega mu przerwał, mówiąc, że nawet gdyby chciał, to niestety nie może, gdyż jego samochód rozkraczył się i właśnie to jest powodem owego „utknięcia".

– Przykro mi, stary – rzucił jeszcze, zanim odłożył słuchawkę i wrócił na plażę.

– Akurat ci przykro, chamie jeden...– mruknął do siebie Julian. Potem ze złością przekręcił gałkę radia tranzystorowego, w którym Wojciech Młynarski właśnie śpiewał *...jesteśmy na wczasach w tych góralskich lasach...* Westchnąwszy ciężko, otworzył szafkę i przeklął pod nosem, gdyż nie znalazł niczego do jedzenia, a ze szpitalnego śniadania właśnie lekkomyślnie zrezygnował, zakładając, że zaraz znajdzie się w domu i zje przygotowane przez mamusię parówki i lekko ściętą jajecznicę.

– No nic... – powiedział i postanowił przespacerować się do małego sklepu spożywczego na rogu ulicy i tam zakupić kefir i bułkę.

W chwili kiedy ruszył ku drzwiom, zadzwoniła jego matka i oznajmiła, iż upadła tak nieszczęśliwie, że chyba złamała nogę, a na pewno skręciła. Po wygłoszeniu tej hiobowej wieści płynnie przeszła do pytania, czy Julian nie mógłby wcześniej wrócić do domu i zająć się nią. Na pytanie syna, skąd dzwoni, odpowiedziała z oburzeniem, że skąd mogłaby dzwonić w sobotni poranek, jeśli nie od sąsiadki. Sąsiadka, która użyczała matce telefonu, mieszkała piętro wyżej, więc informacja, że matka tam dotarła, uspokoiła Juliana. Noga nie mogła być złamana, skoro matka mogła pokonać dwadzieścia schodków, by skorzystać z jedynego telefonu w całym bloku. Mówienie, że nic jej nie jest, było jednak równie bezpieczne jak włożenie głowy do paszczy krokodyla, więc Julian z dobrze udawanym przejęciem powiedział rodzicielce, że przyjedzie niestety dopiero jutro, ponieważ kolega wywinął mu numer, wskutek którego musi tkwić w pracy kolejną dobę. Wysłuchał pełnych oburzenia argumentów, że „tak nie można" i rad „żeby coś zrobił", a potem kazał matce się położyć z uniesioną wyżej nogą i odpoczywać. Na koniec dodał, że bardzo się o nią martwi, matka zdecydowanie się przepracowuje, myśli o wszystkich innych, tylko nie o sobie i bardzo proszę, takie są skutki. Odłożył słuchawkę, kiedy upewnił się, że rodzicielka nie będzie mu jutro ciosać kołków na głowie.

– I to by było na tyle w kwestii spokoju – mruknął, kiedy wrócił z kefirem i bułką paryską na oddział, a jedna z pielęgniarek zawiadomiła go, że dwie położnice jednocześnie zaczynają rodzić. I że drze się tylko jedna, ale za to za dwie.

– Zaraz idę – ziewnął i zjadł spokojnie bułkę, popijając kefirem, a potem nastawił radio i wysłuchał wiadomości o dziewiątej. Potem westchnął i już miał wstać i pójść na porodówkę, kiedy drzwi pokoju lekarza dyżurnego otworzyły się z hukiem i w progu stanęła kobieta z rozwianymi czerwonymi włosami.

– Niech pan się ruszy i pomoże mojej siostrze! – wrzasnęła bez żadnych wstępów, wymachując rękoma.

Julian zdziwił się nieco, czemu ktoś wpuścił na oddział kobietę, która nie rodziła i nawet nie była w widocznej ciąży. Nie zamierzał także wypełniać poleceń zdenerwowanych kobiet, choćby bardzo pięknych. Ostatecznie to on był tutaj panem i władcą i to jego poleceń słuchano. Za wrzeszczącą nieznajomą stanęła siostra Kalina, która była co prawda niemal dwa razy mniejsza od kobiety, ale za to miała wielką wprawę w wyprowadzaniu z oddziału nieproszonych gości, zwłaszcza tatusiów, którzy usiłowali wtargnąć na niedostępne piętro i zobaczyć swoje dziecko. Teraz też stanęła za „furią" i stanowczym gestem złapała ją za łokieć, mówiąc niepasującym do drobnej sylwetki niskim głosem:

– Proszę pani, proszę natychmiast stąd wyjść! Tu nie wolno przebywać rodzinie!

– Niech się pan ruszy, mówię! – wrzasnęła tamta, strącając rękę Kalinki jak uprzykrzoną muchę. – Nasza babcia umarła przy porodzie!

– Proszę pani! – Niezrażona Kalinka pociągnęła tamtą mocniej, a Julian wstał i powiedział pojednawczym tonem, że już idzie i wszystko będzie dobrze. Naprawdę nie miał ochoty na słuchanie wrzasków, nawet z ust tak pięknych jak te należące do krzyczącej. Na szczęście zdążył zjeść, bo najwyraźniej na porodówce działo się coś, co mogło zająć mu ładnych parę godzin. Podniósł ręce w uspokajającym geście i przeklinając w duchu wyż demograficzny, skierował kroki ku sali porodowej, dając znak siostrze, żeby wyprowadziła nieproszonego gościa. Kalinka próbowała przynajmniej usunąć dziewczynę z drogi doktora, ale ta stała jak wbita w podłogę. Siostra pociągnęła ją jeszcze raz, gniewnie przypominając, że tym razem to ona utrudnia pracę doktorowi i położnym, którzy zamiast zająć się pacjentkami, poświęcają czas na przepychanki z rodzinami. Dziewczyna odwróciła się i ponownie odsunęła gniewnie Kalinkę od siebie, ale tym razem położna stanęła jak wryta i zagapiła się pełnym uwielbienia wzrokiem na rudą.

– To pani? Naprawdę pani? – wykrztusiła.

– Owszem, ja! – wrzasnęła tamta i wysunęła palec wskazujący w kierunku Juliana. – Ruszy się pan czy nie?! Konował cholerny!

Julian miał dość. Wyminął szybko Kalinkę i kobietę, w którą położna się wpatrywała z mieszanką strachu, oburzenia i uwielbienia, a następnie poszedł szybkim krokiem na porodówkę. Z miejsca powitał go krzyk. Krzyczała gruba, spocona dziewczyna, która leżała pod oknem z podwiniętą koszulą i owłosionymi nogami, grubymi jak pieńki. Druga dyżurująca położna, Anielka, spojrzała na nią z niechęcią, a potem przeniosła wzrok na Juliana i powiedziała:

– Rozwarcie ledwie kilka centymetrów...

– Niech pani tak nie krzyczy. – Lekarz podszedł do grubej. – Bo dziecku zabraknie powietrza. Poza tym to dopiero początek.

Anielka pokiwała głową.

– Mówiłam tej pani, że początek, ale ona nie słucha, tylko krzyczy i prze. Będzie przedgłowie...

– A tu co? – Julian wskazał pacjentkę, która leżała na drugim łóżku i płytko oddychała.

Kalinka, która weszła na salę, złapała go za ramię.

– Widziałeś, kto to był? – spytała.

– Co my tu mamy? – Julian zignorował Kalinkę, bo po pierwsze, nie miał pojęcia, kim była zdenerwowana kobieta, a po drugie, doskonale wiedział, że Kalinka z najdrobniejszymi szczegółami mu o tym opowie. Wpatrzył się w czarnowłosą położnicę, która leżała wyczerpana na leżance, i coś mu się w niej stanowczo nie spodobało.

– Nie chodziło o to, że nie krzyczała – opowiadał potem matce. – Chociaż o to też. Tylko miała zupełnie niebieskie wargi. Jak ja się wkurzyłem...

– Dlaczego mnie nie zawołałaś wcześniej? – rzucił wściekle w stronę Anielki, która nie widziała wcześniej u misiowatego doktora podobnej furii. – Czy ty nie widzisz, kretynko, że ona nam tu zejdzie?

– Proszę pani – powiedział do kobiety, która łapała powietrze jak ryba – jak często są skurcze?

– Co dwie minuty – szepnęła położnica. – Niech mnie pan zoperuje... Jestem lekarzem, proszę... Ja już nie mam siły...

Nie musiała prosić. Julian zmełł przekleństwo w ustach, przysięgając sobie, że doprowadzi do zwolnienia Kalinki i Anielki, bo o niczym innym nie myślały, tylko o lakierach do pazurów i pończochach. Błyskawicznie zawiadomił, kogo trzeba, że będzie cięcie „na jodynę" i jak tylko mógł najszybciej, zaczął operować. Pół godziny później Julian wyjął pierwszą dziewczynkę, która była w nie najgorszym stanie i dostała osiem punktów w skali Apgar na dzień dobry, a po minucie już dziesięć. Druga dziewczynka ledwie oddychała, była okręcona pępowiną i szara na całym ciele. Jak na złość dyżur pediatryczny miała Grażynka Szczęsna, którą Julian w myślach przezywał „nieszczęsną Grażyną", taka była niemrawa. Szczęście w nieszczęściu, że po pierwsze, podkochiwała się w nim, odkąd zaczęła pracować na Wrzesinku, a drugi fart stanowiła dyżurująca z nią siostra Michalina, która była brzydka jak noc, nie podkochiwała się w nikim, ale za to bardzo dobrze pracowała. Mrugnął do niej i powierzył jej mniejszą, słabszą dziewczynkę, a potem zaszył kobiecie macicę, brzuch i kazał przewieźć na salę pooperacyjną. Sam wyszedł prędko z bloku operacyjnego i zaczął oglądać się za rudą, piękną „furią", ponieważ słusznie podejrzewał, że ktoś taki jak ona nie da się tak łatwo wyrzucić z oddziału.

Siedziała na podłodze, wprost pod gabinetem lekarskim, i wyłamywała palce. Na jego widok zerwała się i posłała mu niespokojne spojrzenie, a Julian zakochał się w jednej chwili. Niepotrzebna mu była wiedza, że ma przed sobą znaną aktorkę Katarzynę Borkowską. Owszem, oglądał „Przygody pana Michała" i jeszcze kilka innych znanych filmów, ale nawet jej nie poznał. Tego, w jakim filmie piękność występowała, dowiedział się potem od Kalinki. Natomiast w tej chwili widział tylko wielkie zielone oczy, miedziane długie włosy i figurę pełną gracji.

– Co z nią? – spytała, chwytając go za rękę, co spowodowało, że Julianowi zrobiło się gorąco. – Wszystko w porządku?

– O tak… – wybąkał. A po chwili spytał dla porządku: – A kim pani jest dla pacjentki?

– To moja siostra bliźniaczka – wyjaśniła krótko. A potem zaczęła tłumaczyć zdenerwowana: – Zaczęło się wczoraj wieczorem i od razu było za szybko… Miała jechać na Starynkiewicza, bo tam pracuje, ale powiedziała, że nie zdąży i przyszliśmy tutaj. Piechotą, bo oni niedaleko mieszkają. To znaczy siostra z mężem… Ale męża, to znaczy szwagra teraz nie ma, więc ja z nią mieszkałam…

– No tak… – powiedział jeszcze bardziej bez sensu, bo dziewczyna trzymała go wciąż za rękę.

– O przepraszam – zmitygowała się i cofnęła dłoń, a on poczuł wielki żal. – Co z nią, co z dzieckiem?

– Siostra jest na sali pooperacyjnej. A dzieci…

– Dzieci? – zdumiała się. – To jest więcej niż jedno? Miała taki duży brzuch, ale nie mówili, że dwoje. Oni oboje są lekarzami, siostra i szwagier.

– Właściwie dwie – sprostował Julian Czerwiec. – Dwie dziewczynki.

Kobieta zasłoniła usta dłonią.

– Mój Boże – powiedziała. – Jak mama i ciocia, jak ja i Baśka... Teraz też. Ale nasza babcia umarła przy porodzie, więc musi mi pan pokazać moje siostrzenice. I chcę wejść do siostry. Babcia zmarła, bo coś było nie tak. Ja, wie pan, panie doktorze, czułam od samego początku, że jest źle, bo ona naszego Karola urodziła tak szast-prast, a tu takie kłopoty...

Julian, owszem, był pod wrażeniem, ale nie mógł pozwolić na to, żeby obca osoba pogwałciła prawa panujące w latach 60. i 70. na oddziałach położniczych. A pierwsza i główna zasada brzmiała: żadnych odwiedzin. Nie było od niej najmniejszych wyjątków. Ani tatuś, ani mamusia, ani siostra, żeby nie wiem jak piękna, nie mieli wstępu. Istniały jeszcze inne zasady. Na przykład że rządzi lekarz dyżurny i to on decyduje o wszystkim. Były jeszcze prawa pomniejsze, czyli te egzekwowane przez położne, szare eminencje dzierżące berło władzy nad samotną, bezbronną rodzącą kobietą. I zasady zupełnie małe, które zabierały dla siebie salowe, bez których położnice zarosłyby brudem, a ich dzieci zapłakały się na śmierć. Było to w istocie nieludzkie i wiele lat później zmieniło się, ale wówczas taka była rzeczywistość i nie przewidywano od tego wyjątków.

– Co to, to nie – powiedział Julian z całą stanowczością. – Proszę powiedzieć rodzinie, że wszystko jest w porządku. Pierwsza dziewczynka jest większa i silniejsza, a druga... Chwilowo w inkubatorze. Może pani jutro zadzwoni albo kto inny z rodziny, to powiem co i jak. Albo ktoś inny pani powie.

Odetchnęła z ulgą.

– Wie pan, że moja babcia i babunia też się urodziły 26 czerwca? To znaczy babcia tego dnia, a babunia dzień później, chociaż są bliźniaczkami, jak my z siostrą. A dlaczego nie było wiadomo, że siostra będzie miała bliźniaki? – spytała. – To jest możliwe? Ona przecież jest lekarzem, a szwagier... Ma teściów lekarzy. W ciąży opiekował się nią profesor...

– Bardzo panią przepraszam – przerwał wywody Julian. – Ale muszę zająć się pacjentkami, a pani... A pani mi przeszkadza.

Wyglądała na urażoną, ale kiwnęła głową, mając na twarzy trochę zrozumienia przemieszanego ze szczyptą podejrzliwości.

– Ja tu przyjdę jutro rano. Do pana. – Wycelowała w niego palec. – Niech pan powie siostrze, że wszystko będzie dobrze.

A potem wymaszerowała z oddziału, pozostawiając po sobie delikatną woń wody toaletowej, chyba zagranicznej, a w myślach Juliana nadzieję, że dotrzyma słowa i naprawdę wróci.

Tego dnia na oddziale szpitala na Wrzesinku trójka aniołów stróży uwijała się jak w ukropie. Najmniej roboty miał pierwszy anioł, który jak tylko doprowadził do operacji i szczęśliwego rozwiązania, chuchnął na malutką dziewczynkę, starszą córkę Basi z Winnych, i odszedł spokojny, że dziecku nic nie będzie. Drugi już nie był tak beztroski. Dziecko ciężko oddychało, więc anioł usiadł przy nim i oddechem ogrzewał wnętrze inkubatora, który niestety się psuł i co chwila wyłączał, czego nikt nie zauważył po wyjściu uważnej siostry Michaliny do domu. Anioł pracował ciężko, ciągnął dziecko w stronę życia sekunda po sekundzie, minuta po minucie, szepcząc, że ma ono w życiu do spełnienia bardzo ważną misję i dlatego bezwzględnie musi przeżyć. Pod koniec dnia dziewczynka zaczęła wreszcie wierzyć swojemu aniołowi i odważyła się wziąć głębszy oddech. To nie było bolesne, a nawet przyjemne, więc spróbowała raz jeszcze. Drugi oddech smakował czymś słodkim i dziecko się uspokoiło. Zaraz też przyszły jakieś osoby i po kilku krótkich, nerwowych okrzykach naciskając na guziki, sprawiły, że dziewczynce zaczęło być bardzo ciepło. Już nie żałowała, że zamiast odejść w stronę światła i miłych, melodyjnych śpiewów, jakie ją wabiły z oddali, posłuchała łagodnego głosu i uwierzyła aniołowi, że na tym świecie będzie jej dobrze i miło. A kiedy jeszcze nakarmiono ją słodkim mlekiem, zupełnie się uspokoiła i zasnęła, a anioł mógł na chwilę się oddalić, by odpocząć.

Trzeci anioł popatrzył za odlatującymi kolegami z mieszaniną zazdrości i żalu, ale został i skupił się na swoim podopiecznym, który przyszedł na świat na tej samej sali porodowej. Jeremi Wiśniewski urodził się w tej samej chwili, w której Julian wyjął z rozciętego brzucha Basi drugą, maleńką dziewczynkę. Tyle że nad nim nikt się nie roztkliwiał, ani doktor Czerwiec, który nie mógł być w dwóch miejscach naraz, ani położne, chociaż on wyskoczył z wrzeszczącej matki także ledwie żywy, w czepku owodniowym na głowie, szary jak popiół i ledwo oddychający.

– W czepku urodzony – powiedziała Anielka, przyglądając się brzydkiemu chłopcu z niechęcią, a jego matce z wyraźnym obrzydzeniem. Po czym dodała wbrew sobie: – Piękny chłopak. Pani zobaczy synusia...

– Nie chcę – burknęła skrzywiona z bólu matka i odwróciła głowę.

Z krocza kobiety ściekała krew, ona sama wydzielała woń potu i strachu, a samo dziecko pachniało czymś przypadkowym i niechcianym. Anielkę zdjęło współczucie, wzruszyła ramionami i zaniosła dziecko na salę dla noworodków. Mały Jeremi Wiśniewski wcale nie chciał walczyć o życie i oddech. Na początek zwymiotował wodami płodowymi, ale anioł stróż jednym dmuchnięciem przewrócił dziecko na bok, żeby się nie zachłysnęło. Potem kazał mu się rozwrzeszczeć. Nie było to zbyt mądre, ponieważ krzyk jednego dziecka spowodował, że dziesięć noworodków z sali jak na komendę zaczęło sekundować prowodyrowi w nieszczęściu. Dwie niechętne i skrajnie leniwe siostry oraz dwie położne wpadły na salę zobaczyć, co się dzieje, ale zobaczyły tylko tyle, że dzieci płaczą, co nie było niczym dziwnym w tym miejscu. Wykazały się jednak inicjatywą i w trosce o własny spokój dały każdemu z wrzeszczących dodatkową porcję jedzenia. Dla Jeremiego była to pierwsza porcja mleka, bo wcześniej nikt nie pomyślał, żeby dziecko nakarmić, skoro własna matka nie chciała mu dać piersi. Anioł tym razem doglądał, żeby mleko trafiło do przełyku, bo siostra, która latała po sali ze strzykawką, tego nie pilnowała i dzieci zachłystywały się na potęgę. Jeremi chciał zasnąć, ale trząsł się z zimna, niedokładnie przykryty przez siostrę. Anioł westchnął i wywalił korki na całym piętrze, w związku z czym aparatury zaczęły pikać, a niektóre nawet wyć przeraźliwie, więc siostry, a nawet ten miły młody doktor, wpadli do sali. Lekarz zaczął krzyczeć na te durne kobiety i one niechętnie, ale skutecznie poprzykrywały, kogo trzeba. Kiedy Jeremi w końcu zasnął, anioł poszedł już tylko na chwilę do jego matki, ale wycofał się, widząc, że kobieta leży na wznak i chrapie głośno. Spojrzał jeszcze na dwie małe dziewczynki, z których jedna spała w inkubatorze, a druga patrzyła szeroko otwartymi oczami wprost przed siebie, jakby jej szkoda było każdej minuty na spanie. Uspokojony, że wszystko poszło w miarę dobrze, odleciał w przestworza.

Niedaleko pruszkowskiego szpitala, w Brwinowie, Ania Winna-Śniegocka siedząc na swoim ulubionym fotelu i patrząc w dal, drgnęła lekko i powiedziała do swojego męża Michała:

– Już dobrze... Już wszystko dobrze.

Michał podszedł do żony, położył jej rękę na ramieniu i popatrzył głęboko w oczy.

– No pewnie, że wszystko będzie dobrze. – Uśmiechnął się. – Ja nie wątpiłem, że wszystko dobrze się skończy...

Ania chciała powiedzieć, że nic się nie skończyło, a zaledwie zaczęło, bo zawsze się zaczyna z chwilą, kiedy nowe dzieci przychodzą na świat, ale tylko spojrzała w szczere i kochające oczy męża. Dostrzegła w nich miłość i ból, więc nic nie powiedziała, tylko wzięła jego rękę w swoją, pocałowała jej wnętrze i uśmiechnęła się.

Do czasu wydarzeń marca 1968 roku Michał nie wiedział o jej darze. Pewnie dlatego, że kiedy się poznali, dar ów nie był jej tak bardzo potrzebny i Ania już nie „widziała" obrazów z przyszłości i przeszłości tak wyraźnie jak w dzieciństwie. Był głęboko uśpiony, pojawiał się w chwilowych przebłyskach. Na przykład wówczas, kiedy Ania poczuła, że kamienica, w której miała zamieszkać, nie wytrzyma bombardowania, albo kiedy zrozumiała, że losy jej i Róży Freilich na zawsze będą połączone. I tamtej marcowej nocy trzy lata wcześniej, która zmieniła w ich życiu właściwie wszystko. Rozmawiali potem o tym, co się wówczas stało, wielokrotnie, nie zawsze spokojnie, bo tamte wydarzenia położyły się głębokim cieniem na ich życiu.

Ania wstała wtedy nad ranem i zbudziła Michała, dygocąc na całym ciele, skrajnie przerażona. Początkowo nie zrozumiał, kiedy przekonywała go, że natychmiast muszą jechać do Warszawy, bo Ewa jest w niebezpieczeństwie. Próbował ją uspokoić, myśląc, że coś jej się śniło, ale ona zaczęła płakać, upierając się przy swoim. Przeraził się nie na żarty, kiedy zaczęła krzyczeć, że ich córka umiera i że właśnie umarło jej dziecko, a ona nigdy mu nie wybaczy, jeśli natychmiast nie pojadą ratować Ewy. Daremnie Michał pytał, skąd takie myśli, takie przypuszczenia, Ania trzęsła się jak w febrze, płakała i poganiała go. Starym trabantem pojechali do szpitala na Lindleya, mijając po drodze marcowe grudy śniegu zalegające na ulicach. Zatrzymała ich milicja, ale Michał wyjaśnił, że jedzie z bardzo chorą żoną do szpitala. Puścili ich, pewnie dlatego, że nie wyglądali na studentów. Nie zdążył zatrzymać samochodu, kiedy Ania wyskoczyła prawie w biegu, pobiegła w stronę szpitala i w mgnieniu oka zniknęła mu z oczu. Na szczęście znalazł ją po kilku chwilach w towarzystwie Basi, która, blada jak ściana, mówiła coś w uniesieniu, a po policzkach ciekły jej łzy.

– Nie wiem, gdzie jest... – Usłyszał, kiedy podszedł do żony i siostrzenicy. – Wybiegła ze szpitala, przed odprawą, grozi jej za to zwolnienie...

– Ale co się stało? – spytał zdumiony, zupełnie nie rozumiejąc sceny, jaka się przed nim rozgrywała.

– Dowiedziała się – powiedziała Ania krótko.

Zasłonił usta dłonią.

– Jakim cudem? – spytał.

Basia podała ciotce kartkę i zdjęcie. Ania wyglądała, jakby miała zemdleć.

– Pacjent, który nam umarł na stole, miał to w portfelu – powiedziała cicho Basia. – Wcześniej majaczył coś o Żydach, śmierci i getcie. A ona już dawno podejrzewała, że z nią coś nie tak. Tyle że myślała do tej pory, że jej ojciec to pierwszy cioci mąż, a nie wujek, tymczasem się okazało…

– Gdzie ona teraz jest? – przerwał jej Michał.

– Nie wiem. Pobiegła do domu, żeby ciocia jej jeszcze przed pracą wyjaśniła. Może się minęliście…

Ania uspokoiła się nieco. Zaczerpnęła głęboko powietrza i powiedziała do zdenerwowanej siostrzenicy:

– Wracaj do siebie i nie denerwuj się. W twoim stanie to niewskazane.

– Skąd ciocia? – spytała zdumiona, ale Ania objęła ją, pocałowała, a potem zostawiła w zadziwieniu.

Wyszli przed szpital. Michał też był zdenerwowany, ale starał się myśleć racjonalnie.

– Wracajmy do domu – poprosił żonę. – Nie mamy pojęcia, gdzie jej szukać…

– Ona jest gdzieś przetrzymywana, w jakimś więzieniu… – powiedziała Ania z przekonaniem, a on był coraz bardziej zdumiony tym, co się dzieje.

– Muszę zadzwonić do pracy, że nie przyjadę. Ty też może zawiadom szkołę – powiedział nieśmiało. – Musimy znaleźć pocztę…

Machnęła ręką nieuważnie. Potem poszła przed siebie jak somnambuliczka, a on za nią, aż do aresztu śledczego na Rakowieckiej, gdzie dowiedzieli się, że Ewa Gamelli została aresztowana za udział w rozruchach studenckich. Nie chcieli ich wpuścić do środka ani udzielić więcej informacji. Cudem ich nie aresztowano. Ania miotała przekleństwa i groźby, Michał zasłaniał ją własnym ciałem i próbował tłumaczyć milicjantowi, że ma do czynienia ze zdenerwowaną matką.

– Ona była w ciąży, rozumiesz?! – krzyczała Ania do funkcjonariusza. – Co jej zrobiliście, że teraz umiera?! Co?! To jakaś pomyłka, ona nie jest żadną studentką!

– Proszę się uspokoić, bo panią też zamkniemy – milicjanci przemawiali do niej i spokojnie, i z krzykiem, ale nie odpuściła, póki nie dowiedziała się, że Ewę przewieziono w końcu do szpitala wojskowego na Szaserów.

Na korytarzu Ania i Michał spędzili kilka godzin, podczas których Michał z jednej strony usiłował się dowiedzieć, skąd Ania wiedziała, gdzie szukać Ewy, z drugiej – każdego przechodzącego lekarza pytał o stan córki. Patrzył na rozczochraną, patrzącą przed siebie nieobecnym spojrzeniem kobietę siedzącą koło niego i zastanawiał się, jak to się mogło stać, że „wyczuła" niebezpieczeństwo grożące córce i wreszcie – skąd wiedziała o ciąży zarówno Ewy, jak i Basi. Na koniec zapytał, kim był tajemniczy człowiek ze zdjęciem w portfelu. Ania nie odpowiadała na żadne pytania, tylko kiwała się do przodu i do tyłu jak dotknięta chorobą sierocą.

Ewa odzyskała przytomność po operacji, ale rodziców nie wpuszczono do niej. Lekarz zawiadomił ich jedynie lakonicznie, że operacja się udała i córka teraz odpoczywa. A Michał i Ania zrobią najlepiej, jeśli wrócą do domu. Michał siłą zabrał żonę do Brwinowa, załatwił sobie i jej lewe zwolnienie, bo Ania była w tragicznym stanie. Nie jadła, nie spała, tylko nadal kiwając się w przód i w tył, mamrotała pod nosem, że babcia mówiła, żeby Ewie powiedzieć prawdę, ale ona jej nie słuchała i teraz takie nieszczęście. Michał sprowadził Manię, ale obecność bliźniaczki niewiele Ani pomogła.

– Ona mi tego nigdy nie wybaczy – powtarzała w kółko Ania.

– Oczywiście, że wybaczy – denerwowała się Mania. – Nie ma zresztą czego wybaczać. Co ma ci wybaczyć? Że wyniosłaś ją z piekła i kochałaś jak córkę?

– Ona mi tego nigdy nie wybaczy – powtarzała Ania i wodziła tępym wzrokiem dokoła.

– Bzdury jakieś – denerwował się Michał, sam przerażony wypadkiem Ewy, zwłaszcza kiedy poznał szczegóły całego zajścia. Mania powiedziała mu o darze Ani i Michał uspokoił się nieco, bo nie mógł spać – z jednej strony targany niepokojem o córkę, z drugiej strony obawiając się własnej żony.

– Jutro pojedziemy do szpitala, weźmiemy ją do domu i wszystko się ułoży.

Pod szpitalem spotkali Benka, który oznajmił stanowczo, że zabiera żonę do domu. Oczywiście wtedy, kiedy będzie można ją zabrać ze szpitala.

– Nie wiem, czemu wy sądzicie, że pozwolę wam zabrać moją żonę do Brwinowa? – spytał zdumiony.

– Beneczku – zaczęła Mania, która także przyjechała z Ryszardem do szpitala. – Ty chodzisz do pracy, a my z mamą zajmiemy się Ewunią. Będzie potrzebowała...

– Będzie potrzebowała mnie – przerwał Mani Benek i dodał, nie patrząc na teściów: – Ja nie wiem, o co chodzi, ale musimy wszyscy się uspokoić.

Michał już się odwracał, żeby pójść do domu, bo uważał, że pośpiech jest złym doradcą, ale Ania wyrwała się i pobiegła schodami w górę do pokoju, w którym była Ewa. Michał słyszał tylko, jak Ewa krzyczy, żeby ją zostawić w spokoju, że nie chce widzieć nikogo prócz Benka.

– Wynoście się wszyscy, do diabła! – krzyczała, a Ania kuliła się przy każdym słowie, jakby dostawała cios.

W końcu zwrócono im uwagę, że tu jest szpital, chorzy ludzie i zdecydowanie wyproszono, a Ewę zabrano na badania. Michał nakłonił Anię do wyjścia i wrócili do domu. Kolejne dni były jednym wielkim koszmarem i Michał dałby wszystko, żeby je wymazać z pamięci. Ania próbowała dostać się do Ewy, żeby z nią porozmawiać, ale córka nie chciała jej widzieć. W końcu, kiedy mogła już wyjść ze szpitala, przywieziono ją do Pruszkowa, do domu. Jednak dostęp do Ewy nie był wcale łatwiejszy niż w szpitalu, bo Benek, który nie znał całej sytuacji, całą swoją niepewność i strach o Ewę zamienił w złość i pretensje do jej rodziców, a potem do całej rodziny. Złość i ból Ewy rozlewały się za to swobodnie po wszystkich Winnych, a rozpacz z powodu utraty dziecka sprawiała, że ciskała okrucieństwem z precyzją godną mistrzyni. Wszyscy Winni byli winni. Nie chciała rozmawiać nie tylko ze swoim ojcem, matką, ale także z Manią, kuzynkami, a nawet własnym bratem. Basia, która przecież mieszkała obok, kilka razy próbowała wejść do Gamellich i przemówić do kuzynki, ale szwagier nie chciał jej wpuścić. Kasia przyjechała, licząc na to, że jeśli Ewa nie będzie chciała rozmawiać, to przynajmniej pomilczą razem, Benek stanowił jednak zaporę nie do przejścia. Kasia nie dała za wygraną i próbowała rozmawiać ze szwagrem, ale ten zachowywał się jak zaczarowany i nie słuchał żadnych argumentów.

– Ona nie chce was widzieć, rozumiesz? – spytał ze złością i kazał jej się wynosić.

„Wynoś się" powiedział nawet do Mani, która rozpłakała się na tę obelgę i zaczęła im zarzucać niewdzięczność, a potem przypomniała Benkowi, że on także jest z Winnych.

– Nigdy – wycedził zimno i zatrzasnął przed Manią drzwi. – Po tym, co zrobiliście Ewie, nie jestem jednym z was. Ona też już nie.

Mały Michał przyglądał się temu wszystkiemu z rosnącym zdumieniem. W końcu zażądał wyjaśnień. Ojciec poinformował go o wszystkim, co powinien wiedzieć i wyjaśnił, że Ewa przeżywa szok i dlatego nie chce nikogo widzieć.

– Zawsze była inna niż my – powiedział mały Michał w zamyśleniu. – Wiedziała o tym i ciągle szukała. Powinniście byli jej powiedzieć...

– Babcia Bronka też tak mówiła. – Michał pomasował skronie. – Ale my z mamą doszliśmy do wniosku, że tak jest lepiej.

Chłopak uśmiechnął się smutno.

– Ja czegoś takiego swoim dzieciom nie zrobię... – powiedział. – Jak mogliście nas tak oszukać?

Ojciec rozzłościł się.

– A ty co? – warknął. – Też oszukany i zawiedziony?

– Mnie też skrzywdziliście. Moja siostra nie chce mnie widzieć, jakbym jej co złego zrobił. Nawet podobno powiedziała, że już nie jestem jej bratem.

– Jest zdenerwowana, mówi takie rzeczy, żeby sprawić wszystkim ból. Chce nas ukarać... Ale wierzę, że wszystko się ułoży. – Michał nie wierzył w to, co mówił. Głowa go bolała. Mijał już prawie miesiąc, a on nie przespał porządnie nawet jednej nocy. Teraz też czuł się, jakby był pijany.

– Nic się nie ułoży – powiedział jego syn. – Mama nie chce wyjść z pokoju, a ja potrzebuję wyjaśnień. Od niej, nie od ciebie. W pewnym sensie oszukaliście też i mnie! A Ewka... Ona może wam tego nigdy nie darować.

– Czy ty wiesz, jakim piekłem była wojna? – Michał starał się powstrzymać wybuch złości. – Czy ty wiesz, że cała jej rodzina zginęła? Twoja matka uciekała z nią tuż przed powstaniem w getcie, pod gradem kul. Jej pierwszy mąż zginął na ich oczach...

– Skąd mam wiedzieć, jakim piekłem była wojna, skoro żadne z was nigdy mi tego nie wyjaśniło? Wojnę znam z akademii ku czci, bo wy opowiadaliście nam tylko bajki. Czasami jakiś znajomy coś opowie albo w kinie obejrzę. Wy zawsze mówicie to samo.

Że to takie straszne było, że ja nie rozumiem niczego – nie dawał za wygraną Michał, a jego ojciec zdumiał się wielce, bo nie pamiętał, żeby jego syn wypowiedział tyle słów naraz. Zwykle wyrażał siebie, grając na skrzypcach, ale tym razem nie schował się w pokoju i nie wziął instrumentu do ręki. – Wiem, nie przeżyłem wojny, nie walczyłem w powstaniu, nie widziałem, jak moi bliscy umierają…

– Właśnie – przerwał mu Michał, z niepokojem patrząc na zamknięte drzwi pokoju, w którym siedziała Ania. – Nie przeżyłeś niczego takiego, więc się z łaski swojej nie wypowiadaj.

– Nie przeżyłem, pewnie. Wszystko dostałem na srebrnej tacy, na nic nie zasłużyłem. Odkąd pamiętam, musiałem słuchać o powstaniu, o tym, jak wuja Ignacego odkopałeś w zakrystii kościoła…

– Nie musiałeś słuchać – Michał był zdumiony. – Prosiliście o te opowieści…

– Ja nie prosiłem. – Pokręcił głową syn. – A Ewka też nie prosiła o kłamstwa. Jeśli pytała, to dlatego, że coś jej się nie zgadzało. Ale mama opowiadała o porodzie, ty o tym, jaka była śliczna i czerwony płaszczyk miała. Zresztą ty więcej mówiłeś o jej dzieciństwie niż matka. Ciekawe dlaczego…

– To były wspomnienia dotyczące mojej córki Oli – powiedział spokojnie Michał, chociaż wszystko się w nim gotowało. – Miałem przed mamą żonę i córeczkę. Obie zginęły. Ola miała niespełna rok, kiedy wybuchła wojna. Łatwiej mi było, synu, opowiadać Ewie o… Oli.

Jeśli na Michale ta opowieść zrobiła wrażenie, to nie dał tego po sobie poznać.

– Miałeś kiedyś żonę i córkę, mama miała męża. A my jak te barany łykaliśmy wasze łgarstwa. Nie mogę…

– Chcieliśmy was chronić… – Próbował przekonać syna Michał, ale już sam powoli przestawał wierzyć w swoje słowa.

– I niczego się nie nauczyliście – dodał gorzko syn. – Może mi powiesz, gdzie mama jeździła? Na czyj pogrzeb?

Michał milczał. Domyślał się, kim był mężczyzna, którego Ania poszła pochować, ale nie chciał z nią o tym rozmawiać. Jeśli miał rację i jakimś cudem Ewa spotkała we własnym szpitalu pierwszego męża swojej matki, to on absolutnie nie chciał pytać, jak to się mogło stać. Wolał nie znać szczegółów, udawał przed sobą i Anią, że Ewa sama przypomniała sobie swoje najmłodsze lata, stąd wszystkie nieszczęścia. Obawiał się, że jego serce nie wytrzymałoby całej prawdy.

– Porozmawiaj proszę z Ewą – poprosił cicho, łapiąc syna za ramię. – Mama strasznie to przeżywa. Ewa nie chce jej widzieć, nie chce słuchać nikogo. Może ciebie zechce zobaczyć...

Michał poszedł, siostra go wpuściła, ale chyba tylko po to, żeby mu powiedzieć, że ich matka nie jest jej matką, ciotka ciotką, nawet kuzynki nie są jej rodziną. Słowem, wszyscy są obcy i winni tego stanu rzeczy. Na koniec dodała, że niestety Michał też nie jest jej bratem i najbardziej jest jej z tego powodu przykro.

– Powiedziałem – poinformował ojca po powrocie. – Ale ona jak zaczarowana. Nic nie dociera...

Stanisław podjął się mediacji w obawie, że jego ukochana córka Ania coś sobie zrobi. Pojechał z Andzią do Pruszkowa, ale i on nic nie wskórał. Ewa wpuściła go do domu, owszem, ale uparcie kręciła głową, twierdząc, że została oszukana, skrzywdzona i pozbawiona tożsamości.

Andzia z kolei próbowała przemówić do rozsądku swojemu synowi Benkowi. W końcu wiele lat funkcjonowała jako włoska mamma i teraz przypomniała sobie wszystkie z tym związane przywileje. Pokrzykując na syna, kazała mu wziąć się w garść, ustawić żonę do pionu, bo takim zachowaniem tylko rodzinę dręczy. Benek wysłuchał matki spokojnie, nawet słów o czarnej niewdzięczności Ewy w stosunku do Ani nie skomentował, ale pozostał niewzruszony.

– To są sprawy mojej żony i moje – oznajmił. – A mamie nic do tego.

Andzia miała ochotę sprać synowi tyłek, jak to robiła w dzieciństwie, albo wybuchnąć płaczem i dostać ataku duszności, ale sytuacja była na tyle napięta, że nie zrobiła ani jednego, ani drugiego. Powiedziała tylko synowi, żeby pamiętał, że rodzina jest najważniejsza. Krew wprawdzie nie woda, ale w obliczu wojny wszystko zostało rozcieńczone przez wodę taką czy inną, w jego przypadku na przykład o wodę, w której utopiono jego własnego ojca. Benek i tego argumentu wysłuchał z kamienną twarzą, jak i ostatniego, który Andzia miała w zanadrzu, że gdyby nie tragiczne okoliczności, on i Ewa nie spotkaliby się w ogóle.

Tymczasem Stasieczek wyszedł z pokoju Ewy załamany złością, jaką mu okazała, jakby nie był jej dziadkiem, tylko kimś obcym. Nie mówił już nic Benkowi, tylko wziął Andzię i wrócili do domu. Po drodze Andzi usta się nie zamykały, podobnie jak tego dnia, kiedy sprawa się wydała i Winni musieli zmierzyć się z trupem w szafie, który w tak tragiczny sposób ujrzał światło dzienne.

– To ty mnie, żonie swojej, nic nie powiedziałeś? – krzyczała na Stanisława Andzia, zamiast żałować Ewy, że dziecko straciła, albo współczuć Stanisławowi, który kiedy się dowiedział, co się stało, prawie umarł z żalu. Wymachiwała przy tym umączonymi rękoma, a mąż jej usiłował wytłumaczyć, że kwestia wyciągnięcia Ewy z getta przez Anię to nie jakieś zabawy, plotki czy insza inszość, żeby o tym przy makaronie rozprawiać. Przecież kiedy się ponownie spotkali ze Stanisławem i pokochali, to już od dawna wszystko się ułożyło i nie trzeba było wiele tłumaczyć.

– Poza tym Ewa jest, była i będzie córką Ani, moją wnuczką i szlus. – Uderzył pięścią w stół, ale Andzia się tym nie przejęła zupełnie, tylko pogroziła mu umączonym palcem.

– Ty mi tu Stasieczku z czymś takim nie wyjeżdżaj! – krzyknęła. – Trza mi było powiedzieć, jak Benitek się w niej zakochał.

Mnie mówiliście, żebym mu imię zmieniła, że niby się kojarzy i żonie i dzieciom będzie trudno żyć. A tymczasem jakoś nie powiedzieliście, skąd jest Ewa…

– Z przykrością, moja kochana, muszę powiedzieć, że ty nijak nic nie rozumiesz… – uciął dyskusję Staszek, a Andzia się wreszcie zamknęła, ponieważ jej ukochany mąż zrobił się czerwony na twarzy, co znaczyło, że skoczyło mu ciśnienie i może dostać apopleksji. Andzia najbardziej się tego bała, bo chociaż nie wiedziała, czym ta „apopleksja" właściwie jest, to sama nazwa budziła grozę i ucieleśniała zło, przed którym instynktownie chciała męża ochronić. Poza tym Stasieczek i synowie byli jej całym światem. Kochała ich bardzo i naprawdę serce jej się krajało, kiedy widziała cierpienie któregoś z nich.

Nie odpuściła jednak i poszła znowu porozmawiać z Benkiem, tym razem pewna, że syn posłucha jej, przyzna rację, znajdzie w sobie Włocha, tupnie nogą i wszystko się w końcu jakoś ułoży.

– Niech się mama nie wtrąca – powiedział ponownie jej syn i wytrzymał najpierw oburzone spojrzenie, potem łzy w oczach, a na końcu wyrzuty, w których najczęściej pojawiały się słowa „starość" oraz „śmierć".

– Jak ja mam się nie wtrącać? – spróbowała jeszcze. – Jak to moje poniekąd też dziecko jest, i ty Benitku też i oczywiście Stasieczek, który przecież pogodzić się nie może…

Po powrocie rozpłakała się w ramionach męża, bo dotarło do niej, że problem nie jest urojony, tylko głęboki jak studnia i prędzej wszyscy się utopią, niż wydostaną z niej na powierzchnię.

– Ja wychowałam Anię i Manieczkę… – z braku słuchaczy tłumaczyła Stasiowi, chociaż akurat on wiedział to bardzo dobrze. – Nie byłam przy tym, jak urodziły się dziewczynki, ale przecież teraz one wiedzą, że ja je kocham. I Ewunia to synowa, przy tym jak córka przecież albo wnuczka, bo Ania jak córka…

Jerzyk początkowo nie zaangażował się w całą historię, uważając, że kogo jak kogo, ale jego nie dotyczy na tyle, żeby się wtrącał. Ponieważ jednak chwytano się brzytwy, przypomniano sobie o nim i przekonano, żeby pojechał do Pruszkowa, gdzie miał w imieniu Andzi rozmówić się z bratem. Jerzyk sprawę popchnął do przodu o tyle, że udało mu się przegadać z Benkiem pół nocy i dowiedzieć istotnych informacji na temat stanu zdrowia szwagierki. Kiedy wrócił, mógł powiedzieć wszystkim zainteresowanym, że Ewa zaczęła rehabilitację, strzaskany krąg goi się ładnie i chyba nie będzie żadnych problemów z chodzeniem, bo Ewa wszystko czuje, rusza nogami, rękami i tu przynajmniej nie ma powodu do paniki.

– Gorzej z psychiką, bo ona strasznie przeżywa, że straciła dziecko... – relacjonował matce wyniki swoich mediacji.

– To straszne. – Kiwała głową Andzia. – Ale przecież będzie mogła mieć dzieci...

– Tyle że ona rozpacza tu i teraz. Dowiedziała się o czymś, co nią wstrząsnęło, a kiedy biegła, żeby wyjaśnić sprawę, złapano ją i nieludzko pobito. Niech mama to zrozumie. Benito nie wiedział, że ona się spodziewa dziecka, miała mu dopiero powiedzieć. A tu takie coś...

Andzia była pod wrażeniem, że jej dorosły syn tak dobrze zna tajniki kobiecej psychiki, ale chciała działać, a nie czekać na nie wiadomo co.

– A może ja coś im ugotuję, co? – spytała z nadzieją. – Przecież ona nie może, Benitek nie umie, a Basi i dziewczynek nie wpuszczają...

– Niech mama zostawi ich w spokoju – uciął dyskusję Jerzyk. – Im więcej ludzi chce tam wejść i rozmawiać, tym gorzej. Oni się zacinają i... nie ma rozmowy.

– Ale Ania taka biedna i nieszczęśliwa... – westchnęła Andzia.

– Niech to mama zostawi czasowi – powtórzył jeszcze raz. – Tu nie ma mądrych, a pokrzywdzeni są wszyscy. Można tylko się licytować, kto bardziej...

Ania zacięła się w sobie, siedziała w domu i płakała, ale już nie próbowała siłą wejść do domu Ewy, żeby z nią porozmawiać. Z czasem wróciła nawet do pracy. Mogiła Kazimierza vel Andrzeja Wolskiego zarastała trawą, bo po pogrzebie, na którym byli obecni Ania oraz Ludwiczek – wykidajło oraz królowa Izabelka, nikt nawet nie przystanął, żeby zadumać się nad losem opuszczonego grobu.

Miesiąc po całym zdarzeniu do Pruszkowa przyjechał Ignacy i używając autorytetu w postaci sutanny, wszedł, nie dając się zbyć zmęczeniem Ewy po ćwiczeniach czy nawet prawem do prywatności. W końcu przyjęła go, leżąc na specjalnym łóżku sprowadzonym z Warszawy, z kliniki ortopedii. Nie powiedziała nawet „dzień dobry" i uparcie patrzyła w drugą stronę.

– Mnie też każesz wyjść? – spytał, przysiadając na krześle przy jej łóżku.

– A posłuchasz mojej prośby? – spytała cicho i zwróciła wzrok w jego stronę.

Spojrzenie miała poważne i pełne żalu.

– Nie posłucham, bo przyszedłem tu wyjaśnić ci wszystko i powiedzieć o tamtych dniach…

– Tak, wiem. – Spojrzała z ironią. – Wszyscy chcieli dobrze. Były straszne czasy. Ludzie się zabijali, zabijali dzieci, a zwłaszcza… – tu głos jej się lekko załamał – Żydów. A mnie mama uratowała życie.

– To akurat prawda. – Pokiwał głową z powagą. – Gdyby cię wtedy nie wyniosła stamtąd, wszyscy by zginęli. Twoja biologiczna matka, Kazimierz, Ania…

– A czemu nie powiedziała mi prawdy? – To jedno wydawało jej się najważniejsze.

– Nie pamiętałaś… – powiedział. – Ania i Michał uznali, że tak będzie lepiej. Nie chcieli, żebyś się czuła inna czy gorsza. Babcia Bronia mówiła, żeby ci powiedzieć, ale Ania się bała.

– Czego się bała? – Najeżyła się Ewa.

– Tego samego, co dzieje się teraz. Pierwsze, co zrobiłaś, kiedy dowiedziałaś się prawdy, to odepchnęłaś nas wszystkich. Nie znasz szczegółów, ale to cię zupełnie nie interesuje. Ty masz swoją prawdę i wszystkich już osądziłaś.

– Chcę odnaleźć swoją rodzinę – powiedziała twardo.

– Możesz pójść wyłącznie na ich groby – powiedział z okrucieństwem tak niepasującym do jego posługi, ale zmusił się do tych słów. – Wszyscy zginęli. Twoja ciotka z dziećmi i mężem zostali rozstrzelani w getcie. Pozostali zginęli w Treblince. A, jeszcze twój brat – umarł na tyfus. Mogiły zbiorowe, miejsca pamięci narodowej, to ci zostało. Bo żadne z nich nie ma grobu...

Płakała cicho, wycierając rękoma oczy.

– Jak ja teraz będę żyła? – szlochała. – Co ja teraz zrobię?

Wziął ją za rękę, którą wyrwała natychmiast, ale nie poddał się i wziął ją ponownie, zatrzymując mocno w obu swoich dłoniach.

– Będziesz żyła dalej, bo tak po prostu musi być.

– Jakiego ja Boga będę miała? – spytała, wbijając w niego ciężkie spojrzenie. Na palcach poczuł jej paznokcie kaleczące mu skórę.

Odpowiedział instynktownie, że Boga mamy jednego, miłosiernego. Nie pozwolił jej zaprzeczyć, powiedzieć, że Bóg, gdyby istniał, nie pozwoliłby na taką niesprawiedliwość, taki rozlew krwi, tyle bólu i cierpienia. Kiedy uznał, że już czas, opowiedział, jak ją ochrzcił, jak sfałszował księgi kościelne, żeby Ania mogła z nią wrócić do domu jako ze swoją córką. Nie przestawała płakać.

– Ty mnie ochrzciłeś, nie licząc się z tym, kim jestem! – rzuciła mu w twarz. – Jak mogłeś?

Pokręcił z niedowierzaniem głową.

– Sądzisz, że to była kwestia wiary? Że ja chciałem zasilić szeregi katolików? Albo Ania chciała cię pozbawić tradycji? Chodziło o to, żebyś miała papiery. Świadectwo chrztu...

– Spowiadałeś się kiedyś z tego?

– Nie – powiedział zgodnie z prawdą. – Ale to nie najcięższy z grzechów, który dźwigam.

– A jaki jest najcięższy? – spytała, dając do zrozumienia, że od tej odpowiedzi bardzo dużo zależy, żeby miarkował słowa i spróbował wrócić ją do rodziny, dać na nowo nadzieję. Roześmiał się, bo przez chwilę zastanowił się, co wybrać, tak wiele tajemnic się uzbierało, tak duży ciężar dźwigał w sobie.

– Kiedy wybuchło powstanie – zaczął, ale widząc, że krzywi się z niesmakiem, dodał szybko: – Wiem, że znasz tę opowieść, jak twój ojciec wykopał mnie spod gruzów, ale ja nie chciałem o tym rozmawiać…

Poprosiła o szklankę wody, tak jak chciałaby go powstrzymać przed opowieściami z czasów wojny, zatkać tę czarną dziurę i nigdy więcej jej nie otworzyć. Dawała mu szansę, ale on z niej nie skorzystał.

– Myśleliśmy, że to wszystko potrwa dwa dni, alianci nas uzbroją i wesprą, a siedzący z drugiej strony Warszawy Rosjanie pomogą. Tyle że tak się nie stało. Sama wiesz z historii. Codziennie się modliłem za dzieci, które posyłano na śmierć. Te wszystkie rozkazy, często bezsensowne, kosztujące życie tych chłopców i dziewczyn, takich młodych. Widziałem takie straszne rzeczy, Ewo…

– Ojciec też widział… – przerwała mu.

– Modliłem się, coraz bardziej tracąc wiarę, bo jak można takie rzeczy na ludzkość zsyłać, tak okrutnie doświadczać, a przecież…

– Bóg jest miłością i trzeba szukać w tym sensu… – Ewa pokiwała głową. – Myślałam, że stać cię na coś lepszego.

Nie słuchał siostrzenicy. Przywołał w pamięci tamte dni i obrazy.

– Była taka jedna łączniczka, Krysia Żelazkiewicz, pseudonim miała „Mewa", bo umiała naśladować… – głos mu się załamał. – Taka radosna dziewczyna, taka…

Stanęła mu przed oczami, jakby to było dziś, zaśmiała się jak wtedy, kiedy zostawała po mszy w zakrystii i zasypywała go pytaniami o sens życia, istnienia i Boga, a on wierzył, że odpowiada miłemu dziecku, a nie kobiecie, która zaczęła przesłaniać mu obraz Jezusa.

– Znałem ją wcześniej i bardzo... lubiłem. Bałem się, że zginie jak jej brat gdzieś na froncie. W tych dzieciakach było dużo zapału, ale przecież większość z nich nie umiała walczyć. Jak się okazało, nie byliśmy zupełnie przygotowani do ataku na Niemców... Najlepsza łączniczka w całej Warszawie, najlepsza...

– Ale zginęła? – spytała Ewa z rezygnacją. – A ja nie zginęłam, bo mama mnie wcześniej z Warszawy wyniosła...

Nie o tym chciał opowiedzieć. Krysia wtedy przyszła do niego, bo ojciec próbował ją zatrzymać, płacząc, że już stracił syna i nie chce jeszcze stracić córki. A ona przecież miała rozkaz i musiała go wykonać. To było po tym, jak poznał Michała i po bombardowaniu kościoła. Zaprowadził ją na plebanię, próbował uspokoić, zastanawiał się, co ma zrobić, żeby nie poszła pomagać w ewakuacji powstańców. Płakała strasznie, bo jej brat przecież zginął i ojciec rozpaczał. Na domiar wszystkiego pod mur poszła jej najlepsza koleżanka, a małą Zośkę, sąsiadkę, wesołą kilkulatkę z warkoczykami, Niemcy zastrzelili w biały dzień, kiedy przedzierała się do studni po odrobinę wody dla swojej matki i braciszka. Powstanie padało, kościół był zbombardowany, z Warszawy nie zostało prawie nic. Nie wiedział, jak ją zatrzymać, a nie chciał powiedzieć, że nie przeżyje jej śmierci.

– Mam tylko księdza, tylko ksiądz mnie może zrozumieć, bo... Bo ja cię kocham! – krzyknęła wtedy.

Jeszcze próbował tłumaczyć Krysi, że on nie może, że nigdy nie zazna ziemskiej miłości, ale ona go nie słuchała, tylko pokrywała pocałunkami jego dłonie, potem twarz, aż w końcu powiedział jej słowa, które wcześniej tylko matce, a potem Jezusowi mówił.

– To najcięższy grzech, jaki dźwigam. Byłem z kobietą...

– Co się z nią stało? – spytała, patrząc na swojego wuja, jakby go widziała po raz pierwszy w życiu.

– Zginęła przeze mnie... – wyznał. – Wymogłem na niej obietnicę, że już nie wróci do walki, pójdzie do domu, do schronu i tam już zostanie.

– Skąd wiesz, że zginęła? – rzuciła Ewa. – Przepraszam, to chyba głupie pytanie.

– Snajper... Prosto między oczy... Nie strzelił we mnie, tylko w nią, a szliśmy razem. Niepojęte dlaczego... Trzymałem jej ciało w ramionach i kołysałem, modląc się do Boga, od którego wcześniej się odwróciłem, żeby do mnie też strzelił. Ale Bóg się nie ulitował. Zaczęły spadać bomby, snajperzy strzelali, ja kopałem grób gołymi rękoma, a nie miałem nawet draśnięcia. To była kara za ten grzech. Ona zginęła, a ja zostałem...

Długo milczeli. Nie naciskał, nie próbował nic mówić. Widział, że była wstrząśnięta samą opowieścią. Porównywała jego historię do swojego zwątpienia i zastanawiała się, co tak naprawdę chciał jej powiedzieć. Wreszcie się odezwała.

– To przecież nie twoja wina...

– Nie moja. – Pokiwał siwą głową. – Pewnie Boga wina, bo zesłał wojnę. Jej, bo mnie kochała. Moja, bo kochałem ją...

– Jak zginęła moja matka? – Nadal na niego nie patrzyła. – Ta żydowska matka?

– Spytaj swojej mamy... Zginęła na jej oczach. Tyle wiem.

Wstał z krzesła, uznawszy, że jego wizyta jest już zakończona. Musiał zresztą wracać do Warszawy, do kościoła świętego Aleksandra, w którym wciąż był proboszczem. Wychodząc, kiwnął głową Benkowi, który czekał w napięciu na wynik wizyty wuja. Pokręcił przecząco głową, kiedy ten pytał, czy zostanie na kolacji. Podszedł do automatu telefonicznego pod kolejką EKD i porozmawiał chwilę z Michałem.

– Będzie dobrze – powiedział. – Ona najbardziej przeżywa utratę dziecka.

Chwilę słuchał szwagra, a potem dodał:

– Nie, już do was nie dojadę... Nie, nie, wybacz, nie mogę. Muszę wracać do siebie, ale w sobotę zajadę. Tak, tak... Pozdrów ją i powiedz, że... To wciąż jej córka.

Wsiadł do kolejki i pojechał do Warszawy, ale nie wrócił na plac Trzech Krzyży, tylko długo krążył po warszawskich ulicach, odwiedzając miejsca, w których zostawił cząstkę swojej duszy z każdym zabitych spośród bliskich.

Ewa najpierw dopuściła do siebie Basię, która zapewniła ją, że nie gniewa się za tamte słowa, wszystko rozumie i to ona prosi o przebaczenie, że nie chciała Ewy słuchać, zrozumieć i pomóc. O straconym dziecku nie rozmawiały, a Basia czuła się winna, że jej kruszynka ku radości całej rodziny rosła zdrowo, podczas kiedy dziecko Ewy bestialsko zabito. Popłakały sobie obie, potem przyszła Kasia i dołączyła do chóru płaczek. Następnie przyjechała Mania głównie po to, żeby zbadać grunt i powiedzieć siostrzenicy, że ma nie krzywdzić swojej matki, która już w życiu tyle wycierpiała. Wreszcie pojawili się Ania z Michałem. Michałowi serce się krajało, kiedy oglądał córkę bladą, wychudzoną, leżącą w gorsecie w białej pościeli.

– Andzia ci pierogów przysłała z kapustą i grzybami, córeńko – powiedział. – Przecież lubisz.

– Dziękuję, tato – odrzekła jakby nigdy nic. – Tuczycie mnie tu jak gęś. Co chwila ktoś coś przysyła, ciasto, naleśniki...

– Mama nic nie przywiozła. – Uśmiechnął się. Wziął jej dłoń w obie swoje ręce i pocałował.

– A sama je? – głos Ewy był ledwie słyszalny.

– Andzia ją męczy. Gotuje, utyskując przy tym na to, że się marnuje, to je... – Uśmiechnął się.

– Tatusiu, ja już wiem o tym, że twoja córka umarła w powstaniu – rzuciła szybko. – Ja już wiem wszystko...

– Tak – powiedział z zadumą. – Ola zginęła w powstaniu, a jej mama... później. Ale nie wiesz wszystkiego... Odpowiem dziecko na każde twoje pytanie, chociaż Bóg mi świadkiem, że chciałbym zapomnieć... Musisz wiedzieć tylko jedno. To wszystko zrobiliśmy z miłości do ciebie...

Ania siedziała w pokoju Ewy kilka godzin i nigdy nie powiedziała nikomu, nawet Michałowi, o czym mówiły. Po tej rozmowie ani ona, ani Ewa nie były już takie same. Nic zresztą nie było takie same, prócz pozorów normalności, jakie u Winnych zapanowały w kwietniu 1968 roku.

Kiedy Ewa powiedziała Ani i Michałowi, że zamierza wyjechać do Izraela w poszukiwaniu tożsamości oraz w geście solidarności z Polakami, którym po wydarzeniach marcowych powiedziano, że nie są już obywatelami tego kraju, mały Michał bardzo to przeżył. Jego ojciec był głęboko zasmucony, a Ania przyjęła pomysł córki z niedowierzaniem i przerażeniem. W końcu jednak powiedziała zdenerwowanej rodzinie, że Ewa nie uspokoi się i nie zapomni o tamtym koszmarze, jeśli nie zmieni otoczenia. Ile łez wylała na tę okoliczność, wiedziała tylko ona i może trochę Michał, który przed resztą rodziny, zwłaszcza przed rozhisteryzowanymi kobietami, starał się okazywać siłę spokoju.

Ewa z Benkiem odjechała z Dworca Gdańskiego w towarzystwie wielu innych, którzy wcale nie chcieli jechać, albo przeciwnie, chcieli opuścić kraj, który najpierw im dał, a potem zabrał tożsamość, tradycje i poczucie bezpieczeństwa bez jednego słowa wyjaśnienia.

– Ona wróci – powiedziała Ania do Michała, a ten nie śmiał zapytać, czy chce pocieszyć siebie i jego, czy korzysta znów ze swojego daru.

– *Gęsi już wszystkie po wyroku, nie doczekają się kolędy. Ucięte głowy ze łzą w oku...** – śpiewała Kasia przebój Skaldów, poświęcony wydarzeniom, które zabrały jej siostrę i szwagra.

* *W żółtych płomieniach liści*, Agnieszka Osiecka.

– Ania mówi, że Ewa wróci z tego Izraela – Mania tłumaczyła Ryszardowi, który po tym wszystkim zrobił to, co już od dawna chciał zrobić, czyli rzucił książeczką partyjną, do czego namówił także i Michała Śniegockiego.

– Wróci... – Kiwał głową Ryszard, który wiedział, że Ewa i Benek zabrali swoje dyplomy, które uprzednio dali do przetłumaczenia, i zgodnie twierdzili, że zamierzają tam osiąść i pracować w swoich wyuczonych zawodach.

– *I ja żegnałam nieraz kogo, za górą za chmurą za drogą* – śpiewała Kasia ze ściśniętym gardłem, wyobrażając sobie, jak Ewa na biblijnej ziemi, która nie może być nigdy jej ojczyzną, próbuje ułożyć sobie życie na nowo bez nich. – *I powracałam już nie taka...* – dodawała w zaciszu swojego domu, gdzie wracała do małej Małgosi, nie wiedząc, czy jest szczęśliwa z powodu dziecka, czy nieszczęśliwa z powodu samotności i odrzucenia przez mężczyznę, o którym myślała, że jest miłością jej życia.

– Będziemy mieli wnuka – cieszył się Ryszard, bo potrzebował się z czegoś cieszyć w tych okropnych czasach.

– Albo wnuczkę – mitygowała go Mania. – Albo dwie...

– Możemy mieć dwie, bo do Kasi przychodzi ten doktor i to jest bardzo dobra wiadomość...

Mania pokiwała głową, bo martwiła się o córkę, która wprawdzie była słynną aktorką i każdy facet modlił się do ekranu, na którym się pojawiała, ale mało kto wiedział, że każdej nocy zasypia sama.

U Winnych jak zawsze w czasach kryzysu nastąpiły zmiany, głównie w kwestii miejsca zamieszkania. Zwolnił się segment w Pruszkowie, który zajmowali Ewa i Benek, więc Kasia, za zgodą Ewy i całej rodziny, wprowadziła się tam z Małgosią. Wywołało to co prawda słabe protesty Mani, która była zakochana w swojej wnuczce i nie wyobrażała sobie, że to śliczne dziecko będzie mieszkało z dala od niej i Ryszarda. Do Brwinowa z Siedlec wrócili Grażyna ze Stefanem, ona w całkiem dobrej formie, on – schorowany i niedołężny. Po śmierci Krzysia całkiem zapadł się w sobie, odstawił proszki na nadciśnienie i zamknął fabryczkę. W Siedlcach nie mieli czego szukać po awanturze z miejscowym księdzem, który po zerknięciu na szyję ich syna, na której dostrzegł siną pręgę od wisielczej pętli, odmówił chrześcijańskiego pochówku. Mało tego, rozgłosił wszem i wobec, że Krzysztof Winny odbierając sobie życie, popełnił grzech śmiertelny. W Siedlcach ich prawie zlinczowano, co Stefek przypłacił rozległym zawałem, a Grażynce głowa się zaczęła trząść i ręce też drżały, więc nie mogła już pracować. W końcu pochowali syna w Brwinowie, ponieważ tutejszy ksiądz powiedział, że nigdy nie odmówił nikomu posługi, a od sądzenia jest Pan Bóg, a nie jego ziemscy słudzy. W Siedlcach został jedynie Heniek, który siedział sam w niszczejącym domu, pił na potęgę i było mu wszystko jedno, gdzie mieszka, w jakim otoczeniu, byle pieniądze na wódkę się znalazły, albo chociaż na wino „patykiem pisane". Grażynka ze Stefanem dostali stary dom Broni i Antka, pozostawiony po kolejnym remoncie przez Andzię i Stanisława. Kajtek i Iwonka nie dawali znaku życia, a i Winni ich nie szukali, bo co jak co, ale wuja ubeka w tej rodzinie nie zamierzano tolerować. Syn Kajtka też nie szukał z nimi kontaktu, widocznie krewni z Brwinowa do niczego mu się nie nadawali, a mogli zaszkodzić, albo w najlepszym razie chcieć wykorzystać jego zdobytą pozycję zawodową. Jako że zdobył ją nie bez poświęcenia, bo przecież katowanie ludzi i doprowadzanie do ich śmierci nie jest ani przyjemne, ani łatwe, pozycji tej bronił pazurami przed innymi i żył, jak to się mówi, w zgodzie z własnym sumieniem.

Michał gorączkowo myślał, czym zająć czas i myśli żony, która niby była taka sama, ale każdy, kto ją znał, widział, że nagle i lat jej przybyło, i siwych włosów. Nie chciała ich farbować, mimo że Mania i przekonywała siostrę, że jeszcze jest młodą kobietą i męża ma przystojnego, i utyskiwała, że kto to widział tak się zapuścić. Z włosami poradziła sobie Michele, która sprowadziła farbę z Francji, dokładnie w takim odcieniu jak włosy Ani, czyli w kolorze maku z kroplą krwi i któregoś dnia przy pomocy ciotki Mani ufarbowały Ani włosy, nie pytając jej o zdanie w tej kwestii. Natomiast sprawa nastroju przedstawiała się gorzej. Depresja jako choroba wtedy nie istniała, leków nie stosowano, co najwyżej radzono, żeby „wziąć się w garść", albo podkreślano, że „ludzie to dopiero mają problemy, więc nie ma co się nad sobą użalać". Żaden z tych argumentów nie padł z ust Winnych, a na to, co inni mówią, Ania nie zwracała najmniejszej uwagi. Ludzie gadali w Brwinowie, a i owszem, bo nie wiadomo, skąd się o wszystkim dowiedzieli, a szczegóły sprawy się nagle rozrosły, że trudno było tego wszystkiego wysłuchiwać i tłumaczyć każdemu z osobna, że Winni Żydów nie przechowywali w czasie wojny w zamian za złoto, żadnego majątku pożydowskiego nie mają, ani w Polsce, ani w Szwajcarii, ani też w Ameryce.

– Ja pamiętam, jak ona tu z tą dziewczynką wróciła do domu – ekscytowała się Popiołkowa na targu. – I słowa nie zagadali do nikogo. Myśleli, że ludzie tu wczorajsze i nie widzieli co i jak.

– Ja nie widziałam – przyznała się Tereska Jurgaś, która z Ewą chodziła do szkoły podstawowej i miała jak najlepsze o niej zdanie, że uczynna, koleżeńska, tak jej nauka świetnie szła, a ściągnąć zawsze dała.

Popiołkowa machnęła ręką.

– I takie zdolne te dzieciaki, jak to żydowskie, wiadomo...

A Tereska spytała wtedy, czy i Michał jest Żydem, a jeśli tak, to czemu i on do Izraela nie jedzie, tylko w Polsce mieszka jakby nigdy nic.

Popiołkowa, która pamiętała, jak Ania w ciąży chodziła, już chciała tłumaczyć co i jak, aż przypomniała sobie, że wtedy nijakiego męża tu nie było. Mąż się znalazł dopiero wtedy, kiedy już dzieci na świecie były, a że ojcem dziewczynki nie był, to nie wiadomo, czy ojcem chłopca też nie był jakiś Żyd. Zwłaszcza że chłopak taki zdolny, artysta i jakiś konkurs wygrał międzynarodowy. Nawet za granicę go wypuścili bez problemu przecież.

Michał przejmował się tymi szeptami, wydawało mu się, że wszyscy na niego patrzą i wytykają palcami. Radził się Ryszarda, co ma robić, czy unikać ludzi, czy wręcz przeciwnie – wszędzie chodzić z podniesioną głową. Ryszard naturalnie nakrzyczał na szwagra, że nie powinien tak myśleć, że ma żyć jak do tej pory, a potem dodał, że ma się wziąć w garść. Michał zatem próbował tej garści, ale kiepsko mu szło. Budził się nad ranem i leżał w łóżku, rozmyślając o swoim życiu. Zdarzało mu się nawet płakać, o czym nikt nie wiedział. Kiedyś złapał się na myśli, że czeka tylko na chwilę, kiedy syn zacznie kwestionować jego ojcostwo. I nawet żonie nie może o tym powiedzieć, bo Ania wzięłaby to do siebie i pomyślała, że to może on sam wątpi w jej uczciwość względem niego. Próbował poradzić się Ignacego, który sam nie był w najlepszej formie, schudł wyraźnie i bąkał przy okazji wizyt, że ma jakieś problemy w parafii, ale nie chciał mówić o szczegółach.

– Mnie się wydaje, że powinniście zmienić otoczenie – powiedział Ignacy, wysłuchawszy szwagra. – Jedźcie do Ciechocinka, czy gdzieś… Odpocznijcie. Tu wszystko wam ją przypomina.

Michała olśniło, że nie muszą jechać do Ciechocinka, a otoczenie mogą zmienić w sposób łatwy i dość oczywisty. Zabrał się więc do wykańczania domu pod lasem, tego samego, który już dawno zaczął budować i nie starczyło mu zapału i siły, żeby budowę skończyć. Teraz się jednak zawziął i w rekordowym tempie kilku miesięcy wykończył co trzeba i można się było przeprowadzać. Okazało się to strzałem w dziesiątkę, bo sam zaczął wreszcie przesypiać całe noce, a Ania zbudziła się z letargu i zaczęła myśleć o przeprowadzce i urządzaniu. Mania, kiedy tylko się dowiedziała, że ukochana siostra będzie znów mieszkała blisko niej, zabrała się z zapałem do pomagania, radzenia i organizowania. Do roboty został zaprzęgnięty też Stanisław, który choć wiekowy, był ciągle sprawny i chętny do robienia mebli. Powolutku, na tyle, na ile siły mu starczyło, robił półki na książki, krzesła i szafki do kuchni, a nawet fotele do salonu. Z pomocą Damiana i jego syna zrobili rozkładany stół na dwadzieścia osób, który co dzień nie zabierał wiele miejsca w kuchni, a kiedy wymagała tego konieczność, kilka ruchów wystarczyło, żeby przy rozłożonym stole zmieścili się wszyscy Winni. Michał był zadowolony, bo Ania nie miała wiele czasu na myślenie, tylko musiała zdobywać tkaninę dla tapicera, na firanki i obrusy, co łatwe nie było, wymagało wiele zachodu i jeżdżenia, bo towarów w sklepie zaczynało brakować. Słowem, każdą wolną chwilę Ania spędzała na urządzaniu domu, co ją uratowało przed pogrążeniem się w czarnych myślach. Michał obawiał się momentu, w którym wprowadzą się we trójkę do trzy razy większego domu, książki spoczną na półkach, naczynia w nowoczesnych wiszących szafkach, a firanki zostaną uszyte i zawieszone gdzie trzeba.

Na szczęście, kiedy to wszystko nastąpiło, Michał Winny przyprowadził do domu Joasię, prześliczną wiolonczelistkę, która była w widocznej już ciąży, więc zajęto się pospiesznymi przygotowaniami do ślubu, przygotowaniem kawałka piętra, które młodzi mogli zająć, zanim pójdą na swoje. Pod koniec 1968 roku na świat przyszli mały Karol, syn Basi i Tomka, oraz Magda, córeczka Michała i Joasi. Ania i Mania miały co robić przy wnukach, pomagały jak mogły, cedziły soczki przez gazę, parzyły truskawki i prały pieluchy, żeby ulżyć młodym matkom, tak jak kiedyś im pomagały Bronia i Kazia. Ania była tak zmęczona opieką nad wnuczką, że wieczorem oczy same jej się zamykały, nie miała czasu na zamartwianie się czy inne fanaberie. Wprawdzie Michał miał świadomość, że wpadli z żoną z deszczu pod rynnę, ale kiedy mała Magdusia powiedziała „Dada", co Michał przyjął jako „dziadek", zakochał się we własnej wnuczce bez pamięci i gotów był przychylić jej nieba.

Basia zabrała dziewczynki do domu po ponad tygodniu, bo u młodszej Julii wdało się jakieś zakażenie i podawano dziecku antybiotyk. Basia drżała na całym ciele, kiedy widziała igłę wbitą w delikatną główkę swojej córeczki. Pielęgniarka nie musiała jej tłumaczyć, że u takiego maleństwa tylko tam dobrze widać żyłę do wkłucia, Basia o tym doskonale wiedziała – jednak płakała w kółko, z obawy, że igła uszkodzi Julii mózg. Starsza dziewczynka, Urszula, była zdrowa jak rydz, dużo jadła, dużo spała i wszyscy Basi mówili, że dziecko wyrośnie jej na pociechę, a potem dodawali, że Julia też pewnie wyrośnie, ale na tę „pociechę" trzeba będzie może dłużej zaczekać. Basia, która już zaczynała podczas porodu żegnać się z życiem, powoli odzyskiwała siły, wspierana przez siostrę, matkę, ojca, męża, a nawet małego synka. Z pewnym niepokojem obserwowała twarze córeczek, które choć na pierwszy rzut oka identyczne, różniły się znacznie między sobą. Ula wyglądała jak zupełnie zwyczajny noworodek i tak też się zachowywała, interesowało ją właściwie wyłącznie jedzenie, ciepło i sen. Natomiast Julia blada, o wąskiej buzi, jadła niechętnie, nigdy płaczem ani krzykiem nie domagała się pokarmu, na spacerach nie spała, tylko z ciekawością oglądała świat. Wszelką zabawę, noszenie na rękach przyjmowała życzliwie i z ochotą, ale nie wymuszała niczego. Przeciwnie, przyglądała się z dezaprobatą siostrzyczce, która chciała być w centrum uwagi przez dwadzieścia cztery godziny na dobę.

– Zobacz, Tomeczku – powiedziała któregoś dnia Basia do męża.

Jula leżała w kołysce, spokojna i uśmiechnięta i z zaciekawieniem obserwowała poruszającą się na wietrze firankę okienną. Ula w tym czasie znajdowała się na rękach u swojego ojca, więc wyjątkowo nie wrzeszczała, tylko przyglądała się kiwającej się jak wańka-wstańka gąsce Balbince. Gąska była prezentem dla Uli od dziadka Staśka i babci Andzi.

– Co takiego? – zainteresował się szczęśliwy ojciec. – Coś nie tak?

– Myślałam, że to przejdzie. – Basia zmarszczyła brwi. – Ale zostało...

– Myślisz o oczach? – spytał.

Już dawno zauważył, że oczy Uli są zielone, natomiast Julia tylko jedno ma zielone, natomiast drugie jasnobrązowe.

– Tak – potwierdziła Basia. – I jeszcze o tym znamieniu.

Pokazała palcem na ramię dziecka, gdzie tkwiło dziwne znamię w kształcie serca.

– To małe znamię. –Tomasz pogłaskał rękę córeczki, a dziecko uśmiechnęło się radośnie. W tym samym momencie mała Ula rozkrzyczała się, jak umiała najgłośniej, protestując, że nie zwraca się na nią dostatecznej uwagi. – Może zniknie...

Znamię nie zniknęło, lecz towarzyszyło Julii do końca życia, wzbudzając zainteresowanie. Natomiast oczy w różnym kolorze stanowiły nie lada kłopot, ponieważ nie wiadomo było, co napisać w rubryce „kolor oczu". Basia przy urodzeniu wpisała do papierów „zielone", ale potem zwrócono im uwagę i w znakach szczególnych dodali informację, że lewe oko jest koloru brązowego. Sama Julia, kiedy już dorosła, musiała tłumaczyć wszystkim urzędnikom co i jak, pokazywała oczy, zapewniała, że sobie nie żartuje z nikogo, tylko tak ma i już. Żeby być sprawiedliwą, przy każdej wymianie dowodu wpisywała inny kolor, raz „zielone", raz „piwne", a raz próbowała nawet pisać „bure", co nie spodobało się urzędniczce z trwałą ondulacją.

Basia z każdym dniem odzyskiwała siły, rany się goiły, tylko mleka miała mało, więc musiała dziewczynki dokarmiać.

W sklepach brakowało coraz więcej artykułów, także tych pierwszej potrzeby, ale nie po to ma się rodzinę, jak mawiała Michele, żeby kruszynkom czegoś zabrakło. Kuzynka napisała do swojego ojca i z Francji zaczęły przychodzić mleko w proszku, odżywki, a potem kolorowe ubranka i piękne rzeczy dla dzieci. Zdarzało się, że przesyłki ginęły, ale Winni i na to znaleźli sposób. Tadeusz wysyłał paczki pocztą dyplomatyczną, prosząc dawnego towarzysza broni o przysługę, a potem ktoś z Winnych, Borkowskich albo Śniegockich jechał do francuskiej ambasady i przywoził świeżą dostawę. Nie było łatwo wychowywać dzieci, zwłaszcza dwoje naraz, a i Karolek miał dopiero trzy latka, więc na każdym kroku dopominał się uwagi. Tomek chodził do pracy, a Basia mimo pomocy Mani i Kasi czasami nie wytrzymywała i popłakiwała w kącie ze zmęczenia i poczucia macierzyńskiej klęski. Na domiar wszystkiego w telewizji ciągle pokazywali pięcioraczki ze Śląska, wręczali im książeczki mieszkaniowe, wspomagali dumnych rodziców i stawiali za przykład, więc Basia się wstydziła, że nie daje rady przy trójce dzieci, mimo że wszyscy jej pomagają.

Przystojny Julian Czerwiec zagiął parol na Kasię Bartosiewicz. Odkąd zobaczył ją w czerwcu miotającą błyskawice w obronie siostry, nie mógł jeść ani spać. Zasypiał z obrazem jej pięknej twarzy pod powiekami, po przebudzeniu myślał tylko o tym, co ona robi, gdzie jest, co je na śniadanie i w co się ubrała. Użył wszelkich swoich wpływów, żeby zdobyć adres Kasi. Kupił kwiaty i pewnego niedzielnego popołudnia zapukał do drzwi bliźniaka na Wyględówku. Tak jak sobie wymarzył, Kasia sama otworzyła i zdumiała się niepomiernie na widok mężczyzny, który przyjmował na świat jej siostrzenice. Wiedziona może ciekawością, a może szóstym zmysłem, wpuściła go jednak do środka, wstawiła kwiaty do wazonu, a potem zrobiła herbatę i pokroiła ciasto, które upiekła jej matka, i podzieliła tradycyjnie na cztery części – dla siebie, siostry bliźniaczki Ani i dwóch córek – Basi i Kasi. Przegadali wtedy kilkanaście godzin, praktycznie do rana, zupełnie nieświadomi upływu czasu. Zrobili tylko krótką przerwę, bo Małgosia zasnęła na kanapie przed telewizorem i trzeba było przebrać dziecko w piżamkę. Wypili hektolitry herbaty, powiedzieli o sobie jeśli nie wszystko, to wiele, i nad ranem Kasia pościeliła Julianowi na kanapie, a sama poszła do sypialni, bo wieczorem miała przedstawienie i musiała choć chwilę się przespać.

Nie bawili się ani w podchody uczuciowe, ani w narzeczeństwo. Kasia powiedziała swoim rodzicom, cioci i przede wszystkim siostrze, że kogoś poznała, a Julian wyznał to samo matce, która nie była ani tak wzruszona, ani szczęśliwa jak rodzina Winnych. Przeciwnie, uważała związek swojego wykształconego jedynaka z niewykształconą panną z dzieckiem za wielkie nieporozumienie i jak mogła, starała się nie dopuścić do takiego mezaliansu. Najpierw próbowała wyperswadować synowi ten związek, następnie uciekła się do choroby, bliżej nieokreślonej, ale wykazującej wiele dolegliwości, wreszcie oświadczyła, że umrze, jeśli Julian zrobi jej coś takiego. Syn dla porządku zaprowadził ją do jednego ze swoich kolegów, upewnił się, że to na pewno tylko histerie, a nie choroba i dobitnie oświadczył, że Kasię poślubi, choćby nie wiem co.

W końcu doszło do wzajemnych prezentacji. Mały domek na Wyględówku musiał pomieścić ponad dwadzieścia osób, gdzie ze strony Winnych było równo osiemnaście, a ze strony Juliana przyszła tylko matka i jej starsza siostra, równie zgorzkniała jak rodzicielka Juliana, może tylko jeszcze bardziej hipochondryczna i głucha. Obiad wymagał wiele zachodu i kupowania mięsa pokątnie od znajomych ze wsi, ale była to bardzo udana impreza, w wyniku której lody zostały przełamane. Matka Juliana zakochała się w przyszłej synowej i w jej grzecznej i spokojnej córeczce. Nie wypominała już synowi, że będzie wychowywał nie wiadomo kogo, nie wiadomo gdzie i na dobrą sprawę z kim. Można było zatem z czystym sumieniem planować weselisko. Kasia i Julian wzięli ślub w urzędzie stanu cywilnego, nie chcieli w kościele, chociaż wszyscy ich na to namawiali. Zgodnie twierdzili, że może zrobią to kiedyś, gdy wszystko będzie inaczej. Na wesele, urządzone w domu Mani i Ryszarda, przyszło mnóstwo kolegów i koleżanek Kasi z teatru, niektórzy tak znani i majętni, że pół Brwinowa chodziło oglądać samochody zaparkowane przed ogrodzeniem. Okrzyki „gorzko, gorzko" słychać było do rana, do tańca przygrywał zespół cygański, a weselny tort wyglądał jak prawdziwe dzieło sztuki. Po weselu były poprawiny, po nich podróż poślubna do Złotych Piasków w Bułgarii. Następnie Julian i Kasia zaczęli zgodnie z życzeniami żyć szczęśliwie, tyle tylko, że niestety nie dane im było długo cieszyć się tym szczęściem. Trzy lata później milicja zabrała Juliana wprost z pracy. Nawet krocza pacjentki mu nie pozwolili zaszyć, tylko zakuli w kajdanki i wyprowadzili przy kolegach i wszystkich pacjentkach.

– Brzydka sprawa – szeptano po korytarzach. – Może go drogo kosztować…

Kasia, kiedy dowiedziała się, co się stało, zamarła ze zdumienia i przerażenia, że o coś takiego można oskarżać jej męża.

– On to dla ciebie robił i dla twojego dziecka – histeryzowała teściowa, chwytała się za serce, a nawet mdlała, gdy była mowa o pieniądzach, które trzeba będzie wydać na proces.

– Pieniądze to akurat najmniejszy problem – powiedziała Ania do siostry i siostrzenicy. Zapewniając, że mają z Michałem odłożone środki, przeznaczone na nieprzewidziane wypadki, prosiła córkę, żeby przynajmniej o finanse się nie martwiła.

– Czy on jest winny? – spytał Michał żony, kiedy ta rozpłakała się po pierwszym dniu procesu z napięcia, niepokoju i żalu. Dopiero co Kasia wreszcie znalazła szczęście, a tu taki dramat się rozgrywał.

– Chciał jej zapewnić dobrą przyszłość. Jej i Małgosi.

– I dlatego kradł? –Michał pokręcił głową.

Ania się zdenerwowała.

– Nie kradł, tylko handlował lekami – oznajmiła stanowczo. – A to jest różnica.

– Jaka różnica? – Michał z kolei miał nerwy jak postronki, bo u niego w pracy ciągle były jakieś kontrole i chodził z niewyspania na rzęsach. – A skąd się w ogóle dowiedzieli?

– Jakaś pacjentka złożyła na niego donos, że chciał pieniędzy za skrobankę, a kiedy mu zapłaciła, dał jej proszki i powiedział, że ma łykać, aż poroni.

– To możliwe? – zdumiał się.

– Nie wiem. Pytałam Basi, powiedziała, że nie...

Długo dyskutowali na ten temat, ale poza tym, że trzeba pomóc, wziąć do siebie Małgosię na całe święta, wspierać Manię i Ryszarda, nic specjalnego nie uradzili.

– Dlaczego to zrobiłeś? – pytała Kasia męża ze łzami w oczach. – Co my teraz zrobimy z Małgosią?

Julian, który w więzieniu zamartwiał się dzień i noc, nie chciał okazywać żonie, jak bardzo jest przerażony.

– Rodzina cię nie zostawi i bardzo dobrze – podsumował.

– Ciebie też nie zostawi, bo jesteś już nasz... Powiedz mi – dlaczego?

Julian przetarł oczy rękoma i zanurzył długie palce w rozczochranych włosach.

– Chciałaś kupować pantofle w pawilonach na Marszałkowskiej i ubrania w Modzie Polskiej. A ja chciałem ci zapewnić wszystko co najlepsze...

– Nie prosiłam o to. – Kasia zanosiła się płaczem. – Przecież ja tego nie potrzebowałam...

– Chciałaś, żeby ci te twoje koleżanki zazdrościły. Przecież to ty jesteś największą gwiazdą.

– Nieprawda...

Kasia nie przestawała płakać jeszcze długo po wyjściu z aresztu, charakteryzatorki z trudem przywracały jej twarzy jako taki wygląd i tuszowały opuchliznę pod oczami, żeby co wieczór mogła wychodzić na scenę. W sekundę przeistaczała się w szekspirowską Kordelię, Blanche Tenneseego Williamsa czy Ruth Sonnenbruch Kruczkowskiego. Jeździła nawet do Łodzi, gdzie grała komediowe role i rozśmieszała widzów do łez. Potem zakładała ciemne okulary, wsiadała do pociągu z Łodzi do Warszawy, udając przed innymi podróżnymi, że czyta gazetę. Po przedstawieniach w warszawskim teatrze biegła do kolejki WKD, bo Julian już nie czekał na nią, i wracała do domu, gdzie znowu przepłakiwała całe noce. Nie umiałaby powiedzieć, czego bardziej żałowała: Juliana, który chciał zapewnić sobie jej miłość butami z komisu, jakby mu jej nie okazywała; czy też samotnego życia, które miała znów wieść. Martwiło ją też, że nie zaszła w planowaną ciążę.

Julian w przeciwieństwie do żony cieszył się, że ich plany związane ze wspólnym dzieckiem się nie powiodły. Gdyby teraz Kasia została sama z dwójką dzieci, byłaby to dla niego dodatkowa kara. Nie mógłby wychowywać swojego dziecka przez wiele lat. Kiedy nawiązał współpracę z człowiekiem, który zaproponował mu pokątne rozprowadzanie zachodnich środków poronnych, zdawał sobie sprawę, że grozi mu za taki proceder więzienie. Nie zamierzał jednak dać się złapać. Leki dawał do ręki i to tylko w prywatnym gabinecie, w żadnym wypadku nie tłumaczył pacjentkom, skąd środki pochodzą. Mówił lakonicznie, że ma je ze szpitala. Nie miał pojęcia, która z kobiet na niego doniosła. Był na tyle głupi, że trzymał dowody w zamkniętej na klucz szafce, którą milicja natychmiast rozbiła i zrobiła z tego wielką aferę.

– W dzisiejszych czasach lepiej by było, żeby pan kogoś zamordował – powiedział bardzo znany i bardzo drogi adwokat. – A tu mamy przestępstwo gospodarcze, czyli przeciwko władzy ludowej. Handel z Zachodem, okradanie państwa, działanie przeciwko partii... Afera mięsna nie przestraszyła pana?

Julian bezradnie rozłożył ręce. Słyszał naturalnie o procesie, był zbulwersowany bezzasadnie dużymi wyrokami, ale nigdy nie przypuszczał, że jego samego może spotkać podobny los.

– Wykonano jedną karę śmierci, zasądzono trzy kary dożywocia. Będziemy mieli szczęście, jak dostanie pan mniej niż dwadzieścia pięć lat.

Julian miał szczęście. W wyniku kilkudniowego procesu skazano go na karę piętnastu lat pozbawienia wolności – absurdalnie długą, zupełnie nieadekwatną do winy. Sąd zupełnie nie wziął pod uwagę wywodów mecenasa, który podważył zeznania świadków, wykazał, że pudełek z lekami było dosłownie kilka, a Julian miał w pracy nienaganną opinię. Sędziów zdawało się to nie interesować, podobnie jak fakt, czyim mężem był oskarżony, jakie zeznania świadczyły na jego korzyść i czy są jakiekolwiek okoliczności łagodzące. Po odczytaniu wyroku skazującego Kasia zemdlała, docucona stanęła na chwiejne nogi, mrucząc, że „nic to". Tego samego wieczoru poszła do teatru, gdzie miała premierę *Makbeta*. Zagrała tak, że dostała owacje na stojąco, a widzom ciarki przebiegały po plecach, kiedy mówiła:

Głupstwo!
Twój lęk nakreślił ci ten wizerunek,
Tak jak ów obraz sztyletu w powietrzu,
Który, jak rzekłeś, wiódł cię do Duncana.
O! Te wybuchy i wstrząsy szaleńcze
(Nędzne, gdy zrównać je z prawdziwym lękiem)
Raczej przystoją bajkom, które zimą
Niewiasty po swych babkach powtarzają,
Wstydź się! I czemu robisz takie miny?
*Przecież na puste krzesło patrzysz.**

* *Tragedia Makbeta*, William Szekspir, tłum. Maciej Słomczyński, Wydawnictwo Zielona Sowa, Kraków 2007.

Po premierze pozwoliła ucałować dłoń wiceministrowi kultury, który zjadał ją wzrokiem i mówił „królowo moja", a potem wymówiła się dzieckiem i wróciła do domu, wykorzystując służbową wołgę wiceministra. Małgosi w domu nie było, bo Basia wzięła ją do siebie zaraz na początku całej afery, żeby dziecko nie musiało patrzeć na roztrzęsioną matkę, płaczącą albo wykrzykującą kwestie krwawej Lady Makbet. Wyciągnęła z barku butelkę koniaku, którą dostała z okazji ślubu od Michele, nalała do kieliszka nieodpowiedniego dla tego szlachetnego trunku i wychyliła jednym haustem. Poczuła spokój, a potem zasnęła na kanapie w wieczorowej sukni i scenicznym makijażu.

1975 ROK

Jeremi rozejrzał się wokoło. Smutne dzieci w szarych strojach zbiły się w ciasną gromadkę na szaroburym dywanie. Był to ich pierwszy dzień w przedszkolu i nie bardzo wiedziały, czego mogą się spodziewać. Siedziały grzecznie w pozycji „po turecku", jaką zasugerowała im jedna z pań, dodając, że jeśli któreś się ruszy, to oberwie. Jeremi świetnie to rozumiał, ponieważ jego własny ojciec powtarzał mu to dokładnie samo, a on z ojcem nie zadzierał. Wprawdzie „nie ruszaj się stąd gówniarzu" w wykonaniu ojca brzmiało zupełnie inaczej, no i musiał raczej stać na baczność, niż siedzieć po turecku, ale konsekwencje, jak przewidywał chłopiec, były takie same, czyli kop w tyłek. Siedział więc grzecznie i czekał na rozwój wydarzeń. Wreszcie z zaplecza wyłoniła się jakaś pani, a za nią druga, zasiadły na krzesełkach przy dywanie i ta wyższa zaczęła czytać książkę. Jeremi początkowo nie słuchał, bo nie był przyzwyczajony do czegoś takiego jak czytanie na głos. Jego matka nigdy nie czytała ani jemu, ani jego starszej siostrze. Magda lubiła wprawdzie książki, ale czytała wyłącznie sama i nie przyszłoby jej do głowy zabawiać w ten sposób młodsze rodzeństwo.

– O czym ja czytałam? – rozległ się nagle ostry głos i Jeremi instynktownie pomyślał, że pytanie jest skierowane do niego.

– Eee... – Błyskawicznie się spocił.

Wysoka pani, z siwymi, obciętymi na pazia włosami skupiła na nim wzrok.

– Czego chcesz, dziecko? – spytała. I dodała niezbyt przyjaźnie: – Czy ja ciebie o coś pytałam?

Jeremi nie wiedział, czy odezwać się czy nie, bo pani przypominała mu babcię, która nie miała zębów i straszyła go dziadem. Dziad miał go zabrać do worka, w przypadku gdyby Jeremi był niegrzeczny, to znaczy, gdyby domagał się na przykład obiadu czy uwagi.

– Odpowiadaj! – krzyknęła nieoczekiwanie pani i Jeremi nie wiedział, czy odpowiedzieć na pierwsze pytanie czy drugie, więc siedział struchlały i nic mówił nic.

– Pani czytała o jelonku, któremu kłusownik zabił mamusię. – Rozległ się spokojny, dźwięczny głosik. – Pan leśniczy zabrał go do domu...

– Cisza! – wrzasnęła pani, nie wiedzieć czemu wściekła, i wycelowała palec w Jeremiego. – Nie ciebie pytałam, tylko jego!

Przez chwilę panowała cisza, a potem dziewczynka w granatowych spodenkach w białe groszki zwymiotowała prosto na dywan.

– Pani Walu, pani tu posprząta – powiedziała pani z rezygnacją i znów wycelowała palec, tym razem najpierw w stronę Jeremiego, potem tamtej dziewczynki, po czym zarządziła: – Do kąta!

Jeremi nie bardzo wiedział, co ma konkretnie zrobić, ale dziewczynka najwyraźniej była obeznana z procedurami, ponieważ sprawnie wstała z dywanu, poszła powoli w stronę kąta sali i stanęła twarzą do ściany. Jeremi czym prędzej wstał i dołączył do towarzyszki niedoli. Stali tak nieruchomo, aż znów usłyszeli spokojny głos pani, czytający książkę Rogaś z doliny Roztoki.

– Jestem Julia – powiedziała szeptem dziewczynka. – A ty?

– Jeremi... – wyznał Jeremi, który nie znosił dziwacznego w swoim mniemaniu imienia, ale nie miał odwagi poprosić dziewczynki, żeby mówiła do niego inaczej.

– A jak się na ciebie mówi? Jarek? – spytała, znów nie odwracając się nawet na chwilę w jego stronę.

– Tak – ucieszył się. – Jarek. Na mnie mówi się Jarek.

– To fajnie – powiedziała dziewczynka. – Będę tak do ciebie mówiła.

Jeremi chciał jej podziękować za to, że odezwała się mimo obecności groźnej pani i solidarnie poniosła karę, ale nie wiedział, jak ująć w słowa to, co czuł. Poza tym bał się ruszyć i tylko kątem oka spoglądał na tę miłą dziewczynkę, zastanawiając się, czemu postanowiła mu pomóc. „Musi być bardzo odważna", doszedł do wniosku, „inaczej nic by nie powiedziała, jak inne dzieci". Przyjrzał się Julii uważnie dopiero po leżakowaniu, na które ich posłano po odbyciu kary. Miała śliczne, jasne włosy i ładnie się uśmiechała. Przypominała mu lalkę z wystawy sklepu z zabawkami na ulicy Bolesława Prusa, taką, o której bezskutecznie marzyła jego o kilka lat starsza siostra Magda. Jeremi doszedł do wniosku, że nigdy w życiu nie widział kogoś tak pięknego i równie pięknie ubranego. Julia miała na sobie spódniczkę z falbankami, sweterek w kolorowe serduszka i czerwone rajstopy. Na nogach, zamiast bamboszy, które nosiły prawie wszystkie dzieci, miała buciki, jakich Jeremi nigdy wcześniej nie widział. Sam ubrany był w rajstopy, które mu ciągle zsuwały się i przeszkadzały w zabawie, oraz w bure, byle jakie bluzki, które donaszał po swoich braciach ciotecznych Jaśku, Pawle i Krzychu albo rodzonym bracie Maćku.

Na nogach miał znoszone przez Jaśka bambosze, które miały dziury przy dużym palcu i strasznie go uwierały. Włosy strzygła mu Magda albo matka, zwykle nieuważnie, byle jak, nie starając się, żeby uformować jakąś fryzurę. Gdzieś tam w głębi małego serca rozumiał, że ta dziewczynka była z zupełnie innego świata, ale nie dbał o to zupełnie, przynajmniej w tej chwili. Uśmiechnął się do niej, a ona odwzajemniła uśmiech.

– Czego się tak gapisz? – burknął ktoś nieprzyjaźnie i Jeremi ze zdumieniem spojrzał na dziewczynkę zupełnie identyczną jak jego nowa koleżanka, tylko inaczej ubraną. W dodatku ta „druga" patrzyła na niego niechętnie, jakby jej coś zabrał, trzymała się pod boki i była strasznie naburmuszona.

– Eeee... – mruknął skonfundowany Jeremi. – To was jest więcej?

– Głupi jesteś – uznała ta niemiła i poszła się bawić.

Dopiero następnego dnia Julia wyjaśniła Jeremiemu, że „ta druga" to jej siostra bliźniaczka Urszula. Przyjrzał się wtedy dokładnie i zauważył, że Julia ma oczy w dwóch różnych kolorach, a potem odkrył także inne różnice między nią a jej siostrą, między innymi małe znamię na skroni w kształcie serca. Z czasem odkrywał coraz więcej różnic między bliźniaczkami, oczywiście na niekorzyść Uli, która patrzyła na niego z góry i nazywała głupkiem.

– Dlaczego ty jesteś taka, a twoja siostra inna? – spytał któregoś dnia, kiedy razem budowali wieżę z plastikowych klocków.

– Jaka jest? – nadąsała się Julia.

– No... – Jeremi zorientował się, że Julii musi być przykro, i żałował, że zaczął tę rozmowę. – Nie lubi mnie.

– Coś ty – roześmiała się i podała mu klocek, który nijak nie chciał się złożyć z poprzednim. – Ona tak zawsze, ale na pewno cię lubi.

Julia oprócz Uli miała jeszcze brata Karola. Poza tym siostrę cioteczną Małgosię, która była dla niej jak siostra, i mnóstwo bliższej i dalszej rodziny, o której chętnie opowiadała. Nie wiedział, jak to się działo, że on sam był określany przez panie w przedszkolu jako „margines" z rodziny wielodzietnej, podczas kiedy familia Julii była określana mianem „wielopokoleniowej". Panie z opieki społecznej, które od czasu do czasu przychodziły do nich do domu, załamywały ręce, widząc biedę, matkę nad wanną z praniem, dzieci uganiające się po zaniedbanym mieszkaniu i ojca, który siedział w podkoszulku i nie zwracając uwagi na gości, czytał „Ekspress Wieczorny". Jeremi wielokrotnie chciał uspokoić te panie, że naprawdę nie mają się czym przejmować, zapewnić, że jest im wszystkim ciepło i z kranu płynie ciepła woda, a żeby pójść za potrzebą, nie trzeba się ubierać i wychodzić na mróz. Kiedyś mieli znacznie gorzej, bo mieszkali w Koszajcu, w walącym się domu bez ubikacji, z babcią Irenką, która nie miała zębów i połówki jednego palca, którą straciła w tajemniczych okolicznościach. Jego babcia nie była taka jak inne babcie, choćby babcia Julii i Uli, która robiła pierogi i smażyła placki ziemniaczane, śpiewając piękne piosenki, była przy tym miła i bardzo ładna. Babcia Irena niczego nie smażyła, nawet obiadu nie robiła, tylko paliła papierosy i piła wino z tatą. Dopiero po pożarze domu i kilku wizytach policji i opiekunów społecznych któregoś dnia przeniesiono ich do trzypokojowego mieszkania w bloku w Pruszkowie, przy ulicy Ewy. Starsze dzieci skierowano do rejonowych szkół, a Jeremiego zapisano do nowo wybudowanego przedszkola w parku Potulickich. Na szczęście babcia Irena została w Koszajcu, rzadko ją odwiedzali, bo trzeba było jechać autobusem, a potem iść pięć kilometrów z okładem. Wprawdzie matka utyskiwała, że przedszkole strasznie od nich daleko, ale szła z nim codziennie ulicą Kopernika albo kazała Magdzie odprowadzać go po drodze do szkoły. Jeremi z dwojga złego wolał chodzić z matką, bo siostra strasznie go ciągnęła i krzyczała okropnie. Jednak chwile udręki w drodze do przedszkola osładzała mu myśl, że już niedługo będzie mógł bawić się z Julką.

Michele, która mieszkała z Manią i Ryszardem, znienacka przyprowadziła do wujostwa kolegę z uniwersytetu. Był brodaty, miał długie włosy i dziwny naszyjnik na piersi, ale rozmówcą okazał się bardzo przyjemnym i zaskakująco inteligentnym. Mania i Ryszard byli pod wrażeniem, którego nie zmącił nawet fakt, że Janusz wypalił podczas dwugodzinnej wizyty dwie paczki ekstra mocnych bez filtra, a Michele za każdym razem przypalała mu papieros, jakby była służącą tego długowłosego, jak się potem okazało, adwokata. O swoim ślubie zawiadomiła wujostwo pewnego dnia mimochodem, jakby nic wielkiego się nie stało. Ania właśnie przyszła do siostry, żeby opowiedzieć jej o ostatniej rozmowie z Ewą, i siostrzenica natychmiast zbiegła ze schodów, przytuliła się do ciotki i chciwie słuchała wiadomości od kuzynki.

– A długo czekałaś na połączenie? – dopytywała Mania.

Ania machnęła ręką.

– Tylko godzinę, to tak jakby nic. A ludzi było mnóstwo na Świętokrzyskiej, aż czarno od głów i wszyscy czekaliśmy. I wiesz, tylko do Izraela były telefony i do Ameryki…

– Nic dziwnego – mruknęła Mania. – Tyle Polski tam siedzi…

– U nas we Francji można z domu zadzwonić za granicę – zauważyła Michele.

Mania popatrzyła na siostrzenicę ironicznie.

– Pewnie dlatego Tadek tam siedzi, że może zadzwonić, do kogo chce, bez żadnego problemu. Tyle że to nie zmienia faktu, że do nas nie może…

– Jak ja mam czekać na poczcie w Warszawie kilka godzin, żeby z rodzicami porozmawiać, to ja wolę telegram posłać albo list napisać… – weszła jej w słowo Michele.

– Twoja mama narzeka w ostatnim liście, że rzadko dzwonisz, dziecko, do domu – przypomniała jej Mania gorzkie słowa Ivonne i żale ich brata Tadeusza, który myślał, że fanaberia Michele, żeby studiować w Polsce, skończy się po kilku miesiącach. Ale tak się nie stało i Tadek liczył jeszcze na to, że córka wróci po skończeniu polonistyki, bo przecież życie w Polsce jest o wiele trudniejsze niż we Francji, zwłaszcza dla młodej dziewczyny, która przecież chce się bawić. Kiedy córka powiedziała, że zaczyna studiować drugi kierunek – dziennikarstwo, Tadek o mało nie dostał zawału. I za nic nie mógł zrozumieć, jak można chcieć w siermiężnym Brwinowie i szarej Warszawie życie sobie układać. Zaniepokoił się nie na żarty, kiedy Michele wyrobiła sobie polskie obywatelstwo, zawiadamiając wszystkich zainteresowanych, że tu w Polsce jest jej ojczyzna i szlus. Tadek wtedy wysłał telegram, który musiał kosztować majątek i bardziej zaszkodził, niż pomógł, bo ktoś go otworzył i przeczytał. Napisał w nim, że w takim wypadku władza ludowa może Michele utrudnić powrót do Francji, gdy któregoś dnia zechce do domu wrócić. Dodał jeszcze, że on się do ojczyzny nie wybiera, bo wie, że nastają ciężkie czasy, będą represje, a w ogóle życie w Polsce jest trudne.

Michele słuchała tych argumentów, a raczej czytała je ze stoickim spokojem, odpisując ojcu, że jego patriotycznym obowiązkiem jest powrót do swojej ojczyzny, która potrzebuje pomocy, teraz nawet bardziej niż po wojnie. I że nie powinien namawiać jej, żeby wróciła do Francji, gdzie jest zwyczajne, nudne życie. Ona, Michele, chciała dokonać rzeczy wielkich, ważnych, więc do Francji się nie wybierała, a już na pewno nie do Paryża. Do tego samego Paryża, do którego wszyscy jak do Mekki lgnęli, jak do czechowowskiej Moskwy, jakby tylko tam było jakieś życie. A co do dziennikarstwa, to wspaniale się czuje na uczelni i nie zamierza ze studiów rezygnować. Tadzik i Ivonne poddali się, kiedy ich córka oświadczyła, że albo zostanie w Polsce, albo pojedzie do Somalii, bo chciałaby być tam, gdzie potrzeba takich jak ona, młodych, wykształconych, walczących o pokój.

– Liczysz na niezależne dziennikarstwo w Polsce? – spytał ją wuj Michał, a wuj Ryszard zaczął tłumaczyć co i jak, jakby sama do trzech zliczyć nie umiała.

Jedyne, czego Michele naprawdę żałowała, to tego, że w czasie marcowych zamieszek leżała złożona bardzo ciężką grypą i o wydarzeniach tak dotkliwych dla Ewy dowiedziała się właściwie, kiedy już było po wszystkim. Nigdy sobie tego nie darowała, postanawiając, że zawsze będzie w ogniu ważnych wydarzeń i zostanie wybitną dziennikarką. Ile razy była mowa o Ewie, Michele nie umiała sobie odpowiedzieć na pytanie, dlaczego kuzynka chciała do tego Izraela pojechać, tam pracować i żyć z Benitkiem. Jego to już kompletnie nie była w stanie zrozumieć, bo przecież Benek był w sumie Włochem, przyjechał do Polski z matką, a potem pojechał za żoną poszukiwać jej tożsamości, jakby swojej nie miał. Michele odpowiadał raczej polski model, w którym żona jedzie za mężem, a nie odwrotnie, może w opozycji do tego, że jej własny ojciec mieszkał w domu wybudowanym przez dziadka jej matki i pracował w przedsiębiorstwie, które należało do wuja Michele i jej siostry Adele.

– To co u Ewy, ciociu? – spytała niecierpliwie, bo widziała, że Ania kluczy, nie chce za bardzo mówić, ale nie przychodziło jej do głowy, że może ciotki chciałyby porozmawiać na osobności.

Ania westchnęła.

– Ależ ty ciekawska jesteś. – Pogłaskała siostrzenicę po długich blond włosach i poprawiła kolorową apaszkę na jej szyi. Michele to jedno miała francuskie, wyczucie mody i elegancką nonszalancję w ubiorze.

– Ewa zaczęła pracę w szpitalu jako lekarz-praktykant. Na pediatrii – relacjonowała. – Ma zdać egzamin, po którym uznają jej dyplom i będzie mogła pracować jako samodzielny lekarz. A Benek na razie nigdzie nie pracuje, tylko chodzi z nią na kurs języka.

– No tak – powiedziała z przekąsem Michele. – Suma luda tam pojechała, wszyscy Żydzi, pracować by chcieli, tylko po żydowsku ani be, ani me...

– Chodzą na kurs z innymi obcokrajowcami – zignorowała uwagi siostrzenicy Ania, chociaż przyznawała jej w duchu rację. – I mają nauczyciela, który nie mówi w żadnym innym języku, tylko po ichniemu. I on jak aktor pokazuje im, jak mają mówić, odgrywa sytuacje. Ewa mówiła, że już trochę mówi, a całkiem sporo rozumie. Benek trochę gorzej, ale też sobie ponoć radzi...

– Naprawdę? – zdumiała się Mania. – Liczyłam na to, że im się nie uda ułożyć sobie życia i wrócą...

– Wrócą – powtórzyła Ania to, co mówiła Michałowi. – Jak Ewa znajdzie tę swoją tożsamość i zrozumie, że jest z Winnych.

Chwilę milczały wszystkie trzy i wtedy Michele zdecydowała się na wyjawienie swojej tajemnicy.

– Wzięliśmy z Januszem ślub.

Nawet Ania się tego nie spodziewała, a co dopiero Mania. Obie patrzyły na dziewczynę z szeroko rozwartymi ze zdumienia oczami.

– Jak to dziecko, ty wzięłaś ślub? – zapytała słabo Mania, łapiąc się za serce.

Michele była nieco skonfundowana, ale nie dawała tego po sobie poznać.

– Po prostu i szlus – rzuciła swoim ulubionym powiedzonkiem i spojrzała w bok, bo ciężko jej było wytrzymać spojrzenia dwóch par oczu ciotek.

– A rodzina? – Mania mocniej przyciskała rękę do serca. – Ślub w kościele, sukienka, goście?

– Jeśli o to chodzi, to nie chcieliśmy – wyjaśniła z prostotą. – Teraz nie czasy, żeby sukienki wkładać i druhny mieć. No i mój Janusz jedzie do Gdańska. Możemy dostać mieszkanie służbowe, no więc wzięliśmy ślub, bo tylko małżeństwom dają...

– Ale jak to? – Ania odzyskała mowę. – To ty ślub wzięłaś, żeby wyjechać do Gdańska?

– Tak – potwierdziła Michele. – Tak teraz ważne wydarzenia i Janusz jedzie bronić tych ludzi, a ja za nim. Bo u mnie odwrotnie. Za mężem się jedzie, nie za żoną, to znaczy... No właśnie – zaplątała się. – Ja wyjeżdżam w przyszłym miesiącu i teraz już wiecie.

– A studia? Przecież tak chciałaś skończyć dziennikarstwo? – indagowała Mania.

– Chciałam, ale bez papierka też mogę pisać, a teraz to przynajmniej nikt ode mnie lojalki nie będzie chciał i nie muszę zasilać swoimi tekstami jakichś „Trybun Ludu" czy czegoś takiego...

Ani i Mani udało się ustalić pewne szczegóły całej sprawy. Dowiedziały się tylko, że ślub odbył się w Urzędzie Stanu Cywilnego w Warszawie, świadków było dwoje, jakaś Małgośka i jakiś Danek – znajomi pary młodej. Michele była w dżinsach i kolorowej, hippisowskiej bluzce, a pan młody w golfie i spodniach. Po ceremonii poszli się napić do „Czytelnika", żeby było, jak się dowiedziały, „kulturalnie". A noc poślubna jako taka się nie odbyła, bo Janusz waletuje, ona z rodzicami mieszka, tylko niech sobie ciocia jedna z drugą nie myślą, że oni się wcześniej nie... poznali, bo to już by było nienormalne.

– A do rodziców napisałaś? – Mania zmartwiła się, że to ona będzie musiała wysłuchać od Tadka i przede wszystkim Ivonne pretensji i wyrzutów, jak mogli dopuścić do tego, że Michele poślubiła nie wiadomo kogo, to znaczy wiadomo, gołodupca, który chciał naprawiać świat, zaczynając od kraju ojczystego.

– Taaa, napisałam. – Dziewczyna przewróciła oczami. – Strasznie nerwowi ci rodzice, strasznie... Obawiam się, że będzie ciocia musiała zadzwonić, bo ojciec nie przyjedzie tak czy siak, mama też nie.

Mania oczywiście swoje wysłuchała od Tadka. Ania musiała zmierzyć się z Ivonne, bo Mania wykręcała się gorszą znajomością francuskiego. Po rozmowie była roztrzęsiona, bo Ivonne bardzo ciężko przyjęła fakt dyskretnego zamążpójścia swojej córki. Zarzucała wszystkim Winnym zaniedbania wychowawcze wywołane dbałością tylko i wyłącznie o Ewę, która postanowiła uwagę całej rodziny skupić na sobie. Wskutek tego Michele zbłądziła z drogi i dała się omamić jakiemuś rewolucjoniście, który ją poprowadzi na manowce. Ania wysłuchała pretensji, najpierw próbując żartować, że nie na manowce, tylko najwyżej na barykadę. Ale wobec braku poczucia humoru bratowej oświadczyła w końcu, że Michele jest dorosła i ma prawo robić, co chce, a one z Manią nie mogą jej pilnować, jakby była małym dzieckiem. Potem dodała, że tysiąc razy proponowali, żeby Ivonne przyjechała do nich z Tadkiem i Adele, i osobiście przekonała się, co ich młodsza córka widzi w tym kraju. A że nie skorzystali ani razu z zaproszenia, to niech nie mają pretensji. Wreszcie Ivonne trzasnęła słuchawką, a Ania po zapłaceniu potężnego rachunku za rozmowę na poczcie w Warszawie wracała do domu cztery godziny, bo pociąg zatrzymał się gdzieś między Włochami a Ursusem, ponieważ jak zwykle prąd wyłączono.

Michele postawiła na swoim i w grudniu 1975 roku razem z Januszem pojechali do Gdańska. Tam oboje związali się z Komitetem Obrony Robotników, a Janusz zaczął bronić aresztowanych opozycjonistów. Sama Michele pisała artykuły, które nocami drukowano w nielegalnych drukarniach, a potem rozprowadzano po całej Polsce. Pisała po polsku, ale i po francusku, bo czuła, że powinna powiedzieć światu o wydarzeniach, które miały miejsce w jej kraju. Potajemnie spotykała się ze znajomym dyplomatą, który swoimi kanałami szmuglował jej teksty do Paryża, gdzie początkowo ignorowane, wreszcie zostały dostrzeżone i regularnie zamieszczane w prasie z podpisem Arselle Ouvert, czyli w tłumaczeniu „małża otwarta". Michele jej pseudonim wydawał się ważny i symboliczny, arselle rymowało się z Michele, a teksty otwierały Europie Zachodniej oczy na to wszystko, co się dzieje w Polsce.

Starała się przyjeżdżać do Brwinowa i Pruszkowa, jak tylko mogła najczęściej, bo kochała obie ciotki bardziej niż swoją francuską matkę, do czego się nigdy nie przyznała ani przed Anią i Manią, a tym bardziej przed Ivonne. Przyjeżdżali z Januszem na Wigilie, komunie kuzynek, święto zmarłych, które szczególnie jej się podobało, bo takiej dbałości i pamięci o groby bliskich we Francji nie było. Tylko denerwowało ją, kiedy stara ciotka Andzia pytała, dlaczego oni z Januszem dzieci nie mają. Odpowiadała zawsze, że na dzieci jest czas, a teraz nie czas, kiedy ona pracą zajęta. Ale prawda była taka, że Janusz nie mógł mieć dzieci na skutek powikłań choroby, którą przebył w dzieciństwie i przed ślubem ją o tym uprzedził, a ona to przyjęła do wiadomości i nawet jeśli cierpiała, to nie dawała po sobie poznać. A ciotce Andzi odpowiadała, żeby wuja Jurka o to samo spytała i przede wszystkim przestała nazywać Jerzykiem, bo chłop miał już po pięćdziesiątce. Zresztą co tam dzieci, kiedy u niego ani widu czy słychu jakiejś kobiety. Andzia wtedy wzdychała i aż do następnego razu przestawała męczyć Michele.

1977 ROK

Na szóste urodziny Jeremi podarował Julii żelki-misie. Zaczął jej dawać prezenty, kiedy tylko dowiedział się, że urodzili się tego samego dnia. Stało się to w sposób naturalny, po prostu Julia i Ula przyniosły do przedszkola po pudełku „Ptasiego mleczka" i poczęstowały wszystkie dzieci. Pani Mela wzięła całą garść, jakby wstydu nie miała, a potem wypytywała obie siostry, skąd ich matka wytrzasnęła taki deficytowy towar.

Rok wcześniej nie wysilił się za bardzo, po prostu ukradł gumkę chińską z piórnika koleżanki swojej siostry. Miał przy tym szczęście, bo Julitka, czyli koleżanka Magdy, miała trzy różne gumki w chińskim piórniku i najwyraźniej nie zauważyła nieobecności tej jednej albo pomyślała, że ją zgubiła.

– Ja też mam dzisiaj urodziny. – Wziął do ręki jedną czekoladkę i powąchał chciwie. Oglądał te białe pudełka w cukierni na Lipowej, ale jego mama nigdy nie chciała kupić mu takich czekoladek ani żadnych innych słodyczy. Nie tłumaczyła się przy tym w ogóle, nie argumentowała jak w przedszkolu, że słodycze są szkodliwe na zęby, tylko wzruszała ramionami i mówiła, żeby się odczepił.

– Czemu nie powiedziałaś, że to dziś? – spytał, a potem wziął szybko jeszcze jedną czekoladkę.

– Nie pytałeś – odpowiedziała z prostotą. – Proszę panią, a Jarek też ma dzisiaj urodziny! – powiedziała głośno, po tym jak dzieci odśpiewały jej i Uli „Sto lat".

Pani Mela i jeszcze bardziej niemiła od niej pani Jola spojrzały na Jeremiego niechętnie, po czym sprawdziły w dzienniku i zaczęły szeptać.

– Po co to mówiłaś, nie mam cukierków – burknął Jeremi zdenerwowany, a Ula pokiwała głową, bo nie chciała, żeby ktokolwiek zabierał jej w takim dniu uwagę wszystkich.

– To co, że nie masz. – Wzruszyła ramionami Julka i zaintonowała kolejne „Sto lat", a dzieci nie czekając na znak pań, przyłączyły się ochoczo do chóru.

O jego urodzinach pamiętała matka i rano wręczyła mu spodenki, nawet całkiem ładne, powiedziała kilka słów, które przy odrobinie dobrej woli można by uznać za życzenia i odprowadziła go do przedszkola. Kiedy Jeremi usłyszał, że jego ukochana towarzyszka zabaw urodziła się tego samego dnia, był tym faktem ogromnie zdumiony. Później uznał go za symboliczny.

Kiedy Julia i Ula rozdały czekoladki, a o ostatnią pobił się rudy Adaś z największym łobuzem Kazikiem, Jeremi zapytał ją, w którym szpitalu przyszła na świat. Kiedy mu powiedziała, zdumiał się jeszcze bardziej, a w domu zapytał matki, czy pamięta, że razem z nim przyszły na świat pewne bliźniaczki.

– A coś tam było takiego... – oburknęła matka i podniosła oczy znad prania, ale tylko na krótką chwilę i zaraz się zdenerwowała, bo kopystka do wyłapywania bielizny wpadła do gorących mydlin. – Zajmijżesz się czym pożytecznym – fuknęła, a Jeremi zwiał z obawy przed gorącą parą i ciskającą gromy matką.

Na pomysł dania Julii prezentu wpadł dopiero rok później, tuż przed samymi urodzinami. Wcześniej próbował wypytać, co by chciała, ale szybko zorientował się, że takie pytanie nie ma sensu. Nie dysponował przecież żadnymi pieniędzmi poza znalezioną w parku dwuzłotówką, za którą nie można było wiele kupić, ale i tak Jeremi schował ją starannie w szparze między gumoleum a ścianą i prawie codziennie sprawdzał, czy nie zginęła. Gumkę wypatrzył u Julitki, koleżanki Magdy, i od razu postanowił podarować ją Julii. Znów nie miał cukierków dla dzieci ani dla pań przedszkolanek, ale tym razem ściskał w rączce różowe cudo opakowane w przezroczystą folię, na której widniała mała, uśmiechnięta kaczuszka.

– Dla mnie? – zdumiała się Julia i popatrzyła na niego tak, że mu się bardzo miło zrobiło w okolicy brzucha. – Dla Uli też masz?

– Tylko dla ciebie...– wyznał.

Za Ulą specjalnie nie przepadał, nie była taka miła jak Julia, nie chciała się z nim bawić i siostrę jeszcze odciągała. Raz jeden o mało jej nie uderzył, kiedy szeptała z Maćkiem, patrząc na niego zmrużonymi oczami, a potem śmieli się razem, że Jeremi jest bidota, bo mu rajstopy zwisają. Podobno któraś z matek tak o nim powiedziała. Jeremi wcale by się tym nie przejął, bo to na pewno nie była mama Julii ani jego, a tylko na tych mamach mu zależało. Tyle że sam uważał, że z tymi rajstopami to jakaś przesada i bezskutecznie prosił rodzicielkę o to, by mógł zakładać spodnie, które dostał na urodziny. Matka odpowiadała niezmiennie, że spodnie są do kościoła i na niedzielę, innych nie dostanie. Wciąż więc z zaciśniętymi zębami podciągał opadające rajtki ku uciesze kolegów z przedszkola. Julia nigdy się z niego nie śmiała. Co więcej, po tym pierwszym dniu w przedszkolu, w którym stali zgodnie w kącie, byli praktycznie nierozłączni, bawili się głównie razem, za nic mając docinki chłopców, że Julka to Jarka narzeczona, ani nawet Uli, która była zazdrosna tak o siostrę, jak i o niego. Nakładł wtedy Maćkowi na podwórku za te opadające rajstopy i biedę jego rodziny, a nie za „narzeczonego". Mama Maćka poskarżyła się Magdzie, która przyszła po niego do przedszkola. Musiał cały miesiąc wyrzucać za nią śmieci, bo groziła, że powie matce albo co gorsza ojcu, który wybije mu z głowy, a raczej z tyłka, bijatyki o dziewczyny. Właściwie o Julię pobił się tylko raz z Kazikiem, który krzyczał, że ma ona „jedno oko na Maroko, a drugie na Kaukaz". Julia się wtedy rozpłakała, a on poprosił Kazika o solówę. Jej oczy bardzo mu się podobały. Nie znał nikogo innego, kto by miał oczy różnego koloru, i uważał, że to świadczy o oryginalności Julii, której jej siostra – mając oboje oczu tego samego koloru – nie miała. Podczas bójki Kazik tak go uderzył, że miał na głowie całkiem spory guz. Pani Jola wyjątkowo łaskawa dla Jeremiego dała mu dodatkową porcję kiślu, kazała siedzieć spokojnie na krześle i zwolniła z leżakowania. Potem opowiedziała o wszystkim matce Kazika, a ta przy wszystkich zapowiedziała, że syn dostanie w domu lanie. Jeremi był bardzo zadowolony, bo już nikt nigdy Julii nie przezwał, a i guz szybko się zmniejszył i w końcu całkiem zniknął.

Ofiarowaną gumkę chińską Julia potrzymała najpierw w dłoni, potem powąchała kilkakrotnie. Wreszcie przełamała na pół i zanim zdążył spytać, po co to robi, wzięła mniejszą połówkę do ust. Ugryzła kilka razy, próbując się uśmiechać, połknęła nawet kawałek, chociaż ją mdliło, wreszcie nie wytrzymała i pobiegła do łazienki. Tam wypluła resztę daru do kieszeni fartuszka. Po latach wspominali to wielokrotnie.

– Jak to możliwe? – pytał. – Że ty nigdy wcześniej nie widziałaś takiej pachnącej gumki?

– Nie widziałam – śmiała się. – Myślałam, że to coś do jedzenia i naprawdę była ohydna…

– To czemu jadłaś? – przekomarzał się z nią.

– Nie chciałam ci robić przykrości. Dałeś mi takie obrzydlistwo, ale z serca, to zjadłam. Ale wiesz, ciężko było…

– Ulka nie zjadła – przypomniał jej.

– Zawsze była bardziej światowa. – Julia, kiedy się śmiała, mrużyła brązowe oko, a zielone miała szeroko otwarte, co go zawsze ogromnie wzruszało. – Wiedziała, że to nie służy do jedzenia, tylko do ścierania.

Tego dnia w przedszkolu, za drzwiami, na których namalowana była biedronka, postanowił, że zawsze, ale to zawsze da jej coś na urodziny. Nigdy jej nie powiedział, że ukradł ten prezent, tak jak i następny i jeszcze kolejny, bo bał się, że Julia odwróci się od niego, a tego by nie zniósł. Przepadała za żelkami misiami, powiedziała mu to kiedyś, a on zapamiętał. Takie żelki można było kupić w peweksie, oprócz tego tylko w jednym sklepie „U Celestynki" na ulicy 17 stycznia. Odkrył to, kiedy był tam raz z matką. Celestynka miała najlepszą kapustę kiszoną w całym Pruszkowie i ojciec tylko taką jadał, więc matka chodziła kupować kapustę na bigos właśnie tam. Pewnego dnia zabrała go ze sobą, a on zauważył bezcenne cukierki.

– Mamo, kup mi takie, co? – poprosił, a matka nawet zapytała, po ile te cukierki. Kiedy Celestynka ocierając ręce, powiedziała, że jeden miś kosztuje dwa złote, prawie tyle co kilo kapusty, matka się roześmiała i pokręciła głową.

Przy okazji następnej wyprawy po kiszoną kapustę Jeremi zabrał ze sobą dwa złote spod linoleum i w odpowiednim momencie wręczył mężowi Celestynki.

– Miśka – powiedział. I dodał: – Poproszę.

Matka była zdumiona i natychmiast spytała, skąd ma pieniądze, a on zgodnie z prawdą powiedział, że znalazł w parku. Widział, że miała chęć mu je zabrać, ale dziadek za ladą nie chciał wypuścić złotego krążka z ręki i szybko wrzucił monetę do szuflady, potem sięgnął do słoja łyżką i wyłowił jednego miśka, nawet nie zapytawszy Jeremiego o preferowany kolor. Chłopiec wyciągnął rękę, potem zacisnął dłoń na przezroczystym, czerwonym dziele sztuki cukierniczej i szybko włożył do buzi. Prawie szczękę mu skręciło, takie to było wrażenie. Ból wymieszany z rozkoszą, kwaskowatość ze słodyczą... Słowem – niebo w gębie.

– Trzeba było powiedzieć, że chcesz cukierków i masz pieniążki, to byśmy inszych kupili, więcej, żeby dla wszystkich starczyło, a ty sobku jeden tylko dla siebie... – Matka ciągnęła go gniewnie za rękę, ale Jeremi nie słuchał. Znajdował się w samym środku raju, kosztował właśnie zakazanego owocu i był w pełni przygotowany na wypędzenie przez anioły. I szczerze mówiąc, guzik go to obchodziło. Nazajutrz opowiedział o całej sprawie Julce, pominął wrzask rodzeństwa i cudem ocalały tyłek przed pasem ojca, a ona klasnęła w ręce i zwierzyła mu się z tego, że miała identyczne wrażenie, jak ciotka kupiła w peweksie i przyniosła do domu całą paczkę. Podzielono wtedy żelki między Julkę, Ulę, Karola i inne dzieci, których imion Jeremi nie zapamiętał. Każdemu trafiły się po dwa żelki i to były cudowne dwa żelki. Co do tego dzieci były zupełnie zgodne.

To wtedy postanowił, że zdobędzie dla niej ten skarb na urodziny, choćby miał zgnić w więzieniu albo zostać pogryziony przez wściekłe psy. Tym lepiej nawet, myślał, analizując ojcowskie komentarze wygłaszane przy Dzienniku Telewizyjnym, jeśli wykaże się podobnym poświęceniem. To było trudniejsze, bo należało taką paczkę zwinąć z peweksu. W tym celu Jeremi wykorzystał Magdę. Zagadał ją, opowiadając, że można tam kupić coś za złotówki, wyjątkowo właśnie dziś. Na pytanie, skąd to wie, skłamał gładko, że mówili o tym w przedszkolu. Magda, która miała oszczędności zarobione „u prywaciarza", walczyła ze sobą bardzo krótko. Z jednej strony wydawało się to niemożliwe, żeby nagle pewex zmienił nawyki i oprócz waluty oraz bonów dopuścił do kasy rodzimą walutę, z drugiej jednak strony siostra miała wypisane na twarzy, że nie uspokoi się, jeśli nie sprawdzi, więc Jeremi zaczął być spokojny o powodzenie misji.

– Stój tutaj, gnoju – powiedziała, patrząc w witrynę jedynego kolorowego sklepu w całym Pruszkowie.

Pokiwał głową, ale kiedy tylko zniknęła za kotarą zasłaniającą drzwi do lepszego świata, wbiegł za nią i zaczął krążyć, zaglądając ciekawie przez szybki.

– Wynocha! – krzyknęła sprzedawczyni ubrana w prawdziwe dżinsy i bluzkę z falbankami.

– Właśnie, wynoś się! – wrzasnęła Magda, która zupełnie się nie zorientowała, że okrzyk elegantki jest adresowany także i do niej.

– Do ciebie też mówię! – krzyknęła panienka, a Jeremi korzystając z zamieszania, zanurkował pod właściwą ladę.

Magda zachowała się dokładnie tak, jak tego oczekiwał Jeremi. Nie dała się wyrzucić, tylko zaczęła wymyślać wysztafirowanej ekspedientce od ostatnich. Jeremi sięgnął pod szkło i szybko wyjął torebkę żelków i jeszcze gumy balonówki, wepchnął to wszystko za rajstopy, pod sweterek i wybiegł ze sklepu, a za nim Magda. Teraz należało tylko nie dać się złapać, a potem znów wyrzucać za siostrę śmieci. Swoje skarby ukrył bardzo sprytnie, w środku kołdry, którą kiedyś rozpruł. Matka rzadko zmieniała mu pościel, a nawet jeśli to robiła, nie interesowała się specjalnie zawartością kołdry. Wprawdzie z kołdry wychodziły pióra, co mogło go zdekonspirować, ale zbierał je pracowicie, a kryjówka długo mu służyła.

Jeremi tak się bał, że ktoś mu zabierze ten z trudem zdobyty skarb, ukrywany przez ponad tydzień, że niemal nie spał ze zdenerwowania. Co noc do zwykłych koszmarów o wybuchu trzeciej wojny światowej dołączał inny, w którym któreś z jego rodziców albo rodzeństwa znajduje żelki i wyżera je po kryjomu. Ostatnie trzy dni były prawdziwą wojną z własnymi nerwami. Jeremi zaczął wpadać w żelkową paranoję, a oprócz koszmarów dołączyły się wizje, w których był aresztowany, sądzony i osadzony w więzieniu, chociaż tłumaczył się, że nie zrobił tego dla siebie, tylko dla kogoś, na kim bardzo, ale to bardzo mu zależało. Wszystko się jednak udało. Żelki i balonówki w kołdrze miały się dobrze i nikt nawet nie podejrzewał, że w dniu własnych urodzin Jeremi niesie w rajstopkach tak wielki skarb. Podekscytowany wyrwał się odprowadzającej go siostrze i jak strzała pomknął do przedszkola. Dał Julii żelki już w szatni. Od razu mu ulżyło, że wypełnił misję i natychmiast zaczął biec w kierunku sali, wykrzykując: „wszystkiego najlepszego".

– Czekaj, chłopczyku, czekaj! – zawołała za nim śliczna mama Julii i Uli, a on się zatrzymał i odwrócił, a potem powoli wrócił między szafki.

– Słucham? – Podciągnął odruchowo bure rajstopki, a mama bliźniaczek uśmiechnęła się.

– To bardzo drogi prezent i my nie możemy go przyjąć – zaczęła, ale szybko umilkła na widok podkówki, która wykrzywiła twarz chłopca.

– Jarek też ma urodziny – pospieszyła z wyjaśnieniem Ula, która wyjątkowo stała obok i nic nie mówiła, a jej mama niesłusznie wydedukowała, że żelki są zapewne urodzinowym prezentem, którym ten miły chłopczyk podzielił się z jej córkami.

– W takim razie, jeśli twoi rodzice się zgodzą, w sobotę zapraszamy cię do nas po przedszkolu. Będzie tort. – Uśmiechnęła się zachęcająco.

W tym momencie weszła do przedszkola czerwona ze złości Magda, która chciała nawrzeszczeć na brata, ale zamilkła na widok matki bliźniaczek. Julia pociągnęła rodzicielkę za rękaw i wyszeptała jej coś do ucha. Matka bliźniaczek podeszła z uśmiechem do Magdy i powiedziała, jej, że zaprosili Jeremiego w sobotę na przyjęcie urodzinowe i obiecała odprowadzić go wieczorem po przyjęciu do domu. Magda zapisała na kartce adres, łypiąc podejrzliwie na swojego młodszego brata. Szczęśliwie nie było mowy o żelkach i wszyscy się rozeszli.

To był najszczęśliwszy dzień w całym dotychczasowym życiu Jeremiego.

Kiedy pierwszy raz ją aresztowano, Michele czuła nieokreśloną dumę. Po dwóch latach opozycyjnej działalności wiedziała, że nastąpi to prędzej czy później i okłamywała się, że jest do tego dobrze przygotowana. Po historii z Ewą miała pełną świadomość, że to nie przelewki, że aresztowanie różnie może się skończyć, ale zdecydowanie kroczyła po raz obranej drodze życiowej. Janusz kilka razy był zatrzymywany na 48 godzin, w tym raz bardzo niefortunnie – tuż przed procesem, w którym był obrońcą, więc nie stawił się w sądzie na rozprawę, co spowodowało uruchomienie ciągu dramatycznych zdarzeń. Pierwsze zatrzymanie przyjęła z podniesioną głową, zdusiła lęk w zarodku i na drżących nogach, ale raźno, poszła za milicjantem. „Przecież od dawna byłam na to przygotowana", powtarzała jak mantrę, a w duszy śpiewała sobie cicho:

Des yeux qui font baisser les miens / Un rire qui se perd sur sa bouche /
Voila le portrait sans retouches / De l'homme auquel j'appartiens.
Quand il me prend dans ses bras / Il me parle l'a tout bas /
*Je vois la vie en rose**

Janusz opowiadał jej dokładnie, jak to wygląda, i zawsze dodawał, że wszystko zależy od tego, za co jest się zatrzymanym i ile trefnego towaru ma się przy sobie. Nie mniejsze znaczenie ma potencjalny łut szczęścia. Można trafić na leniwego milicjanta albo odwrotnie – nadgorliwego lub takiego, który odnosi się łagodniej w stosunku do kobiet, względnie takiego, któremu jest wszystko jedno, jakiej opozycjonista jest płci i traktuje wszystkich równo.

Pierwszy raz zamknęli ją za stosunkowo niewielkie przewinienie – KOR-owskie gazetki, które niosła w dużej, kolorowej torbie. „Jak ta głupia", wyrzucała sobie później wielokrotnie. Adele owinęła w reklamówkę ubrania dla najmłodszego pokolenia Winnych, które przysłała w paczce. Michele wzięła torbę, bo uznała, że świetnie nadaje się do roznoszenia ulotek. Przykryła je bułką paryską i serkiem homogenizowanym kupionym dla Janusza i poszła dystrybuować bibułę. Tyle że nie pomyślała, że takie torby sprzedawane są na bazarach za ciężkie pieniądze, więc ktoś, kto z nonszalancją nosi kolorową reklamówkę ze zwykłymi zakupami, może zwrócić na siebie uwagę. Z torby śmierdziało denaturatem używanym do druku i milicjant jak pies wyczuł charakterystyczny zapach. Michele została zabrana na dołek, gdzie się trochę przestraszyła, bo okazało się, że milicja całkiem sporo o niej wie. Nie tylko o rodzinie we Francji, ale o działalności Ryszarda w AK, o tym, że obaj z Michałem wystąpili z partii. Wreszcie o Janie

* *Oczy, które mnie onieśmielają / uśmiech, który błąka się na ustach / oto niewyretuszowany portret / człowieka, do którego należę.*
Kiedy bierze mnie w ramiona / mówi do mnie szeptem / widzę życie różowych barwach.
La vie en rose, Édith Piaf.

Winnym, który od lat przebywał w Ameryce i ani myślał wracać. Michele argumentowała, że Jana Winnego na oczy nie widziała, a Michał Śniegocki i Ryszard Borkowski to starzy ludzie, którym nawet do głowy nie przyszłaby działalność opozycyjna, ale nikt jej nie słuchał.

– A wy co? – pytał czarniawy, potężny typ z zakolami jak dwie zatoki. – Do ojczyzny wróciliście, żeby ją szkalować? W niekorzystnym świetle na Zachodzie przedstawiać?

– Skąd! – oburzyła się Michele. – Czy pan wie, że Francja zawsze była lewicująca? Chciałam ludziom uświadomić, jaki powinien być socjalizm, jaki...

Typ trzasnął pięścią w stół, aż podskoczyła.

– Baba! – wrzasnął. – Do garów! Mężowi zupy ugotować! Pilnować, żeby w domu siedział, a nie po nielegalnych zgromadzeniach się szlajał!

– Ale... – zaczęła, mimo że dławił ją strach.

– Cisza! – wrzasnął jeszcze głośniej. – Nie pyskuj, bo tak cię urządzę, że ten twój papuga cię nie pozna!

– Jaka papuga? – W pierwszej chwili oniemiała Michele, ale po chwili zaczęła obiecywać, że zaraz do domu wróci i mężowi ugotuje.

Nie dodała, że w sklepach nic dostać prawie nie można, więc z tego obiadu to nici mogą być nawet przy najlepszych chęciach.

– Teraz to pójdziesz siedzieć! – Kropelki śliny trysnęły jej na twarz. Zrobiło jej się niedobrze.

Szukała optymistycznych stron niewesołej sytuacji. Zauważyła, że w celi dobrze się myśli, więc myślała, co trzeba zrobić, żeby w przyszłości uniknąć podobnych zatrzymań. Jeśli zaś już się przydarzą, jak przekuć klęskę w najmniejszy choćby sukces. Doszła do wniosku, że każde takie zatrzymanie trzeba nagłaśniać. Bo jeśli ludzie nie będą o tym wiedzieli, to ubecy osiągną swój cel. A im przecież właśnie chodzi o to, żeby ludzi zastraszyć, zmęczyć i zniechęcić do działalności wywrotowej.

– A skąd miałem wiedzieć, że ciebie zatrzymali? – denerwował się Janusz, kiedy wróciła do domu. – Myślałem, że wpadłaś pod samochód.

– Nie gadaj głupot. – Machnęła ręką. – Ile razy ja byłam w takiej samej sytuacji? Na przyszłość trzeba się zawiadamiać. Jak ktoś nie wróci do domu, znaczy się zatrzymany, a wtedy robimy raban i wszystkich zawiadamiamy. Zwykłych ludzi też.

To był strzał w dziesiątkę... Michele nadała zatrzymaniom sens, rys męczeństwa, który w społecznej świadomości był tak potrzebny. Potem zdarzyło się jej siedzieć jeszcze kilka razy w areszcie, raz nawet skazano ją na trzy miesiące za podżeganie do strajków. Była już spokojniejsza, znosiła niewygody pokornie, bo przecież sama sobie pościeliła, żeby się tak wyspać, jak kiedyś powiedziała, wzbudzając wśród Winnych śmiech. Najbardziej przeszkadzało jej to, że musiała za każdym razem prosić milicjanta o możliwość pójścia za potrzebą. Trudno było ichnią łazienkę nazwać toaletą, nawet słowo ubikacja było zbyt szlachetne, żeby taki wychodek opisać. W dodatku drzwi się nie zamykały, trzeba było sikać publicznie i znosić obrzydliwe uwagi milicjantów. Raz jeden pilnowała jej kobieta i ona była jeszcze gorsza niż tamci. W dodatku powiedziała do Michele:

– Dzieci nie masz, to się szlajasz z tymi chłopami od opozycji. Śmierdziele takie...

Michele sikała, starając się nie zwracać uwagi na mdły, kwaśny zapach, jaki się unosił w kabinie i przede wszystkim nawet nie musnąć muszli klozetowej, bo jej francuskie pośladki nie zniosłyby takiego towarzystwa.

– Czystsi niż ci tutaj – mruknęła nieroztropnie, za co dostała po twarzy od tłustej funkcjonariuszki i straciwszy równowagę, klapnęła tyłkiem na brudną deskę.

Tylko za pierwszym razem podpisała jakiś papier, bo było w nim napisane, że Polska jest jej ojczyzną i nie będzie działać na jej szkodę. Takie zobowiązanie mogła przecież podpisać, nikt nie miałby do niej pretensji. Wypuszczono ją wtedy prawie od razu i Michele w glorii chwały wróciła do domu. Janusz zdenerwował się tak strasznie, aż trzęsły mu się ręce.

– Czy ty nie rozumiesz, że oni mają twój podpis? – spytał.

– Ale tam było napisane, że ojczyźnie...

– Jakiej ojczyźnie, kretynko? – spytał takim tonem, że zimno jej się zrobiło. – Socjalistycznej ojczyźnie... Czyli ZOMO, KC PZPR, represjom, aresztowaniom i pokazowym procesom. Taka to ojczyzna według nich!

Potem oboje wyjaśniali początkującym:

– Nie wolno wam nic podpisywać, bo podpis u nich zostaje na zawsze. Potem się okaże, że donosiliście, zgodziliście się na coś, czego będziecie się wstydzić przez resztę życia. Za dziesięć, dwadzieścia lat ktoś ten papier wyciągnie i lata gnicia w więzieniu pójdą na marne. Będziecie udowadniać, że byliście po właściwej stronie. Rozumiecie?

A brodaci koledzy Janusza i ich żony w grubych okularach przytakiwali i w oparach dymu papierosowego dyskusja toczyła się dalej.

– I jeszcze ścieżka zdrowia – uprzedzała Michele. – Wy biegniecie, obok stoją w dwóch rzędach i was pałują. Nic takiego.

– Jak to nic takiego? – spytała drżącym głosem okularnica, która dotychczas siedziała pod ścianą i niewiele mówiła.

– Biją po nogach, plecach i nerach. Jeśli upadniesz, tłuką po nerach bez opamiętania.

– Moją kuzynkę kiedyś tak pobili... – zaczęła Michele, ale Janusz wzrokiem nakazał jej milczenie.

Chwilami miała dość tych spotkań. Przez ich mieszkanie przewijały się tłumy ludzi, w powietrzu wisiał papierosowy dym tak gęsty, że trudno jej było oddychać, chociaż sama paliła. Robiła tanią herbatę, kanapki, jeśli było co położyć na chleb. Janusz ciągle kogoś bronił. Robotników dyscyplinarnie wyrzuconych z pracy, posądzanych o wrogie kontakty. Obalał te absurdalne oskarżenia w sądzie, nie biorąc za to ani grosza, bo od biedoty nawet gdyby chciał, to nie dało się grosza wycisnąć. Zresztą Janusz traktował swój zawód jak misję, spłatę długu wobec prostych ludzi, którym kiedyś odmawiano prawa do obrony. Na początku ich znajomości wyjawił jej, że jest dzieckiem stalinowskich sędziów.

– Ukrywali to w domu – mówił z zaciśniętymi zębami. – Krwawy Milczyński... Słyszałaś o takim?

Słyszała. Miał na rękach krew bohaterów ojczyzny. Skazywał na śmierć bez opamiętania.

– A matka była jeszcze gorsza.. Kasia... Z domu Gołębianka. Chciała być lepsza od ojca. Licytowali się chyba na liczbę ludzi, których pozabijali. Jeszcze ojciec miał jakieś hamulce, po wypełnieniu normy nie skazywał... Matka – żadnych.

Kiedy jej o tym mówił, na czoło wychodziła mu poprzeczna bruzda.

– Ale poszedłeś na prawo, jak oni?

– Tak, byłem nawet traktowany jak „swój". Ubecki synek, pupilek kolegów mamy i tatusia. Kiedy tylko skończyłem aplikację, wyniosłem się z domu, jak stałem. Waletowałem u kolegów w akademiku. U tych z medycyny było najlepiej. Najbardziej rozrywkowi... – Uśmiechnął się.

Przypomniała sobie, jak się poznali. Wpadł na nią na uniwersytecie, kiedy namawiał studentów dziennikarstwa do pisania prawdy o wydarzeniach marcowych. Dużo osób się bało, ale Michele poszła śmiało na zebranie i zadawała mnóstwo pytań. Potem już w łóżku w akademiku spytała, jak zamierza w pojedynkę obalić komunę.

– Ty mi pomożesz – zdecydował, a potem pozbawił Michele dziewictwa i wątpliwości.

– Skąd wiedziałaś, że to ten jedyny? – dopytywała się Kasia już po tym, jak rodzinę obiegła sensacyjna wiadomość, że kuzynka nie tylko po kryjomu wyszła za mąż, nie ma ślubu kościelnego, a na dodatek zamierza za mężem wyjechać do Gdańska.

– Nawet się nie zastanawiałam – odpowiedziała zgodnie z prawdą. – On jest taki jak ja. Nieważne, żeby mieć, ważne, żeby być.

Ledwo mieli na życie. Michele łapała fuchy, pomagała jednemu tłumaczowi przysięgłemu, który miał papiery, ale francuski znał bardzo słabo. Żadna gazeta nie chciała jej zatrudnić. Argumentowali, że nie skończyła studiów dziennikarskich, a dyplom polonistyki nic dla nich nie znaczył. Chciała uczyć w szkole, ale w papierach miała „bez prawa do nauczania". Wcześniej nawet na to nie zwróciła uwagi. Pisała do wydawnictw, przesyłając próbki swoich tłumaczeń Prousta, ale jej nie odpisywano. Żeby nie umarli z głodu, udzielała korepetycji pewnej dziewczynce i udawała, że nie widzi, z jakiej dziecko pochodzi rodziny. Ojciec generał spoglądał na Michele spode łba i głośno, po prostacku pytał żony, skąd wzięła tę pannicę. Żona go uciszała i tłumaczyła, że Iwonka bardzo tę panią lubi, ta pani dobrze uczy i ta pani zostaje. „Ta pani" była wdzięczna, że dostaje jakieś grosze, za które i tak niewiele można było kupić. Janusz nie zawracał sobie głowy żadnymi dobrami materialnymi, co było dziwne u osoby, która wychowała się w czteropokojowym mieszkaniu na Marszałkowskiej, opływając w luksusy.

– Do szkoły woził mnie szofer – wyznał jej kiedyś z obrzydzeniem. – A wieczorami woził ojca na dziwki do Grandu. Matka udawała, że nie widzi. Sama zdradzała go bardziej dyskretnie.

Janusz miał dwie koszule, dwie pary spodni, jeden golf, kilka zmian bielizny i skarpetek.

– Przecież mam ciebie – mówił i patrzył na nią z ufnością, a ona z każdym dniem upewniała się, że droga, którą obrała, jest słuszna.

Pracowali całymi dniami, wieczorem kładła się do łóżka obok Janusza i natychmiast zasypiała, żeby rano wstać i być obok, zawsze w pogotowiu, służyć radą i pomocą albo zwyczajnie tylko słuchać, kiedy tego potrzebował. Była głową i szyją tej małej rodziny. Musiała zarabiać pieniądze, troszczyć się o to, żeby mąż miał co jeść. Umiał otoczyć opieką rodzinę robotnika, którego aresztowano, dbał o nieletnie dzieci, zapłakane żony i zbolałe matki. Oddawał obcym ostatni grosz, włoszczyznę kupioną przez Michele od badylarza, kawałek mortadeli, który przynosili im przyjaciele. Opadały jej ręce, pytała, co jemu w takim razie ugotować, skoro oddaje innym jedzenie, a on przepraszał i mówił, że nie mógł patrzeć na ludzką nędzę.

– Oni żyją w warunkach urągających wszelkiej godności. Biorą wodę ze studni... A po zwolnieniu ojca z fabryki dzieci chodzą głodne.

Nie okazywał jej troski, ale nie dbała o to, bo wiedziała, że dzieli życie z niezwykłym człowiekiem. Raz jeden powiedział jej na ucho:

– Kocham cię, dziewczyno...

Nigdy wcześniej nie była tak szczęśliwa. Przy okazji ślubu powiedział w urzędzie, że chce przyjąć jej nazwisko.

– Będzie się pan nazywał Winny? – Urzędniczka skrzywiła się z wyraźną grozą na twarzy. – Milczyński to lepsze nazwisko...

– Tak, przyjmę nazwisko żony – powiedział, jakby to było coś najbardziej normalnego na świecie, a Michele zrozumiała, że więcej wyznań nie usłyszy.

Napisała do rodziców, żeby przysłali zięciowi jakieś ubrania, garnitur najlepiej, bo to przecież dobrze wygląda w sądzie. Odpisali obrażeni, wypominając, że nic jej nie interesuje, ani ojciec, ani matka. Kazali brać przykład z Adele, jakby była wciąż małą dziewczynką. Całe życie tak mówili. Bierz przykład z Adele, bo ładniejsza, mądrzejsza, bawi się lalkami, ładnie dyga... Napomknęli w liście, że siostra otworzyła własną restaurację. Taki sukces, taka pociecha. Uśmiechnęła się i postanowiła, że napisze do Adele, której nigdy nie zazdrościła sukcesów. Nie były z siostrą blisko. Adele, ta lepsza córka, interesowała się wszystkim, czym młoda Francuzka interesować się powinna. Michele pamięta, jak szalała ze szczęścia, kiedy na osiemnaste urodziny dostała apaszkę z logo Hermès. Michele śmiać się chciało, kiedy patrzyła na siostrę z kawałkiem tej kosztownej szmatki na szyi i rozanieloną miną. Ona sama nigdy nie czuła potrzeby, żeby się ładnie ubrać czy gromadzić dobra materialne. Najwięcej rzeczy zebrała u ciotki w Brwinowie, a i to były głównie książki, które zostawiła w tamtejszej bibliotece. Swoją urodzinową apaszkę Hermès dała Kasi. W końcu ona była aktorką i najbardziej znała się na modzie, bo pozostałe kuzynki ubierały się wprawdzie elegancko, ale bez niepotrzebnych ekstrawagancji, a w Polsce i tak nikt nie wiedział, co to Hermès i jego kultowe apaszki.

Mimo wszystko rodzice przysłali garnitur, koszule i wełniane golfy, a nawet elegancką bieliznę, chociaż o to nie prosiła. Ona sama dla siebie nie znalazła nic w paczce, ale machnęła na to ręką.

– Sprzedajmy coś z tego – zaproponował Janusz, a ona się obruszyła, że jak to tak, to paczkę dostają z takimi rzeczami od rodziców, a on chce sprzedawać.

Jednak sprzedali połowę rzeczy, w tym eleganckie majtki ojcu generałowi. Pani generałowa kupiła od Michele też skarpetki i sprawiała wrażenie, jakby chciała ją pocałować w rękę. Nawet powiedziała coś takiego:

– Biorę od pani wszystko z pocałowaniem w rękę…

– Nie trzeba – przeraziła się Michele, że ona chce ją po rękach całować, ale tamta roześmiała się i wepchnęła jej do ręki zwitek banknotów.

Schowała je, bo Janusz gotów był je oddać potrzebującym, a ona chciała mieć na chleb. Zalegali z czynszem za dwa miesiące, ale opłaty do spółdzielni wnosiła regularnie.

– Jakoś tam wytłumaczę Jance, kiedy wróci – mówiła do siebie z pewną obawą, że Janka może wrócić ze stypendium we Francji i nie tylko zabierze im wynajmowane mieszkanko, ale zażąda zaległych opłat. Odetchnęła z ulgą, kiedy dziewczyna napisała, że poznała pewnego Francuza i poważnie zastanawia się, czy wrócić do kraju.

– Może ona nie zechce wrócić do tej nory pełnej karaluchów? – pytała Janusza, ale ten jak zwykle kiwał w roztargnieniu głową i zajmował się czytaniem kolejnych akt.

Tymczasem Janka przedłużała swój pobyt z miesiąca na miesiąc, wreszcie przysłała zaproszenie na ślub, na który rzecz jasna nie mogli pojechać, więc Michele się uspokoiła i zaczęła uważać trzydziestoośmiometrową klitkę w bloku ze zsypem, wiecznie zepsutą windą i brudną klatką schodową za swój dom.

Telefon zadzwonił w nocy. Janek sprawdził, która jest godzina. Była 3.30 nad ranem. Przeklął pod nosem i odebrał, pewien, że telefon w środku nocy to nic dobrego. Grudzień tego roku był wyjątkowo zimny, a śnieg spadł wcześniej niż zwykle. Po drogach jeździły pługi śnieżne i piaskarki. Migotały barwne światła świątecznych dekoracji.

– Halo – usłyszał w słuchawce jej głos. – Aresztowali mnie i oskarżyli! Musisz mi pomóc! Dzwonię do ciebie, a ty musisz mi pomóc!

Mówiła po polsku, bardzo głośno, nawet nie starała się ukryć histerii w głosie. Przeciwnie – Jasiek miał wrażenie, że wrzeszczy specjalnie, jakby chciała go przekonać, że po tylu latach milczenia, po tamtej ucieczce oraz kradzieży jego pieniędzy ma prawo do niego dzwonić i żądać pomocy.

– To ty? – spytał niezbyt mądrze.

– Mam prawo do jednego telefonu. Nic nie powiem bez prawnika! Musisz się dowiedzieć wszystkiego, najlepiej zaraz tu przyjedź! Słyszysz?! Zaraz tu przyjedź!

Słuchał jak oniemiały.

– Nie – powiedział, ale nie odłożył słuchawki.

Zaczęła płakać i krzyczeć, wciąż po polsku. Powtarzała „musisz", „proszę", „błagam", „nie zostawiaj mnie". Docierało do niego powoli, że znów pojawiła się w jego życiu. Tym razem to ona się doń wepchnęła, w najgorszy możliwy sposób, nie licząc się z nikim i niczym. Jeszcze odebrał wiadomość od jakiegoś funkcjonariusza, który poinformował go, gdzie Łucja jest i dlaczego została zatrzymana. Była w Bostonie, w miejscu, do którego uciekła, a aresztowano ją jako podejrzaną o zabójstwo drugiego męża, profesora tamtejszego uniwersytetu.

Janek ledwie się pozbierał po tamtym rozstaniu. Świadomość, jak Łucja wykorzystała jego poświęcenie i uczucie, a potem okradła, przytłaczała go przez lata. Wyśledził ją w Bostonie od razu, ale nie zrobił nic, żeby się z nią skontaktować. Zamiast tego zamknął się w sobie, rozpamiętując każdą chwilę, każdą rozmowę, w łóżku czy w parku, każdą nieszczerą obietnicę. Pił może zbyt dużo, ale kiedy w pracy asystentka dała mu do zrozumienia, że „góra" się niepokoi, odstawił Jacka Danielsa, poszedł do grupy wsparcia dla porzuconych mężczyzn i jakoś się poskładał do kupy.

– Jeszcze by tylko tego brakowało, żebyś przez tę sukę skończył na bruku – argumentował Ron, jego jedyny przyjaciel. Jedyny, któremu Janek zwierzył się ze swoich problemów i opowiedział całą historię od początku do końca. Zwierzył mu się nawet ze swoich podejrzeń wobec nagłej i niespodziewanej śmierci Jamesa Browna.

– Myślisz, że ona go... tego? – Wstrząśnięty Ron nie był w stanie wymówić słowa „murder".

Jasiek opowiedział mu wtedy historię z porażeniem prądem przybranej matki Łucji w Wieruszówce.

– I po tym wszystkim szukałeś jej w Ameryce?! – Ron nie posiadał się ze zdumienia. – To przecież psychopatka...

– Kochałem ją... – Jasiek nie wiedział, jak wyjaśnić przyjacielowi, że czasem tak jest, że ktoś zabiera ci duszę, robi sobie z niej zabawkę, a potem wyrzuca pod płotem. Tyle że nie zabija cię, bo miłości nie można zabić, można tylko ją wyczerpać, jak mawiała jego babcia Bronia.

Teraz poczuł, że nie wyczerpał jeszcze miłości do Łucji Brown-Bratherberg. Szarpnął nim spazm gniewu, że po siedemnastu latach zadzwoniła z aresztu, kompletnie się nie patyczkując.

– Kto to dzwonił? – Dana otworzyła szeroko oczy i zasłoniła się kołdrą, jakby nagle w domu zrobiło się bardzo zimno.

To Ron poznał go z Daną, swoją daleką kuzynką. Mąż ją zostawił dla wspólniczki, a ona się załamała. Pracowała jako sekretarka gdzieś w New Jersey, ale dla Janka przeniosła się do Nowego Jorku. Miała dorosłych synów, dobre ubezpieczenie i lubiła gotować. Początkowo oboje nieufni, poranieni przez najbliższych, potem coraz bardziej śmiali wobec siebie, wreszcie zamieszkali razem. Powiedział jej o całej historii z Łucją dopiero po dwóch latach, kiedy był pewien, że zamknął ten etap swojego życia.

– To ona dzwoniła? – w głosie Dany zabrzmiał niepokój.

– Tak, ona – potwierdził. – To ona dzwoniła.

Dana spojrzała uważnie.

– Czemu dzwoni do ciebie w środku nocy?

– Aresztowali ją pod zarzutem zabójstwa męża – zaczął opowiadać i dopiero wówczas dotarła do niego waga tych słów. – Chce, żebym przyjechał i wyciągnął ją z tego...

Uniosła się z pościeli.

– Pojedziesz? – spytała krótko.

Serce biło mu jak oszalałe.

– A co mam zrobić? – Popatrzył na nią z nadzieją, że ona podejmie za niego decyzję. – Zadzwoniła do mnie. Ma prawo do jednego telefonu. Zadzwoniła do mnie...

– Zrobisz, co uważasz – powiedziała dość chłodno. – Ja idę spać...

Był pewien, że żadne z nich nie zasnęło już tej nocy. Wstał rano wcześniej niż zwykle. Często wkładał dres i biegał po Central Parku. Dziś nie miał na to ochoty, ale bał się, że jeśli zmieni nawyki, Dana zorientuje się, że chce jak najszybciej polecieć do Bostonu. Wciąż udawała, że śpi, kiedy w zimowym dresie wychodził na mroźne grudniowe powietrze.

Kilka lat wcześniej miał stan przedzawałowy. Ból sparaliżował go nagle podczas jedzenia kolacji. Pamiętał twarz Dany, zbielałą ze strachu. Natychmiast dała mu aspirynę, kazała się zbierać i nie czekając na karetkę, zawiozła do szpitala.

– Miał pan szczęście, panie Winny, ta pani uratowała panu życie, przywożąc pana tak szybko...

A potem usłyszał, że ma za wysoki cholesterol, w końcu przekroczył sześćdziesiąty piąty rok życia i musi o siebie dbać, schudnąć, regularnie ćwiczyć w fitness clubie i jeść drogie jedzenie.

– Serce ma pan jedno, panie Winny – przypomniał lekarz, kiedy go wypisywał do domu.

– To było straszne – powiedział Janek tydzień później do Dany. – Ale była jedna rzecz, która trzymała mnie przy życiu. Myśl właściwie, wspomnienie.

– Coś w starym kraju? – dopytywała się Dana, która była młodsza o dziesięć lat i nie miała żadnych problemów ze zdrowiem, bo badała się regularnie. Poza tym łykała mnóstwo witamin i liczyła procenty białek, tłuszczów i węglowodanów w codziennej diecie.

– Nie, kochanie. – Dotknął jej dłoni. – To było wspomnienie twojej twarzy, kiedy Ron nas ze sobą poznał. Zachwyt w oczach, kiedy pojechaliśmy zobaczyć Niagarę, dotyk palców, kiedy pierwszy raz wzięłaś mnie za rękę w Central Parku.

– Kocham cię, ty polski kretynie. – Rozpłakała się. – Będziesz jadł ekologiczne jedzenie, żeby ci się nic złego nie stało...

– A ja kocham ciebie, amerykański śnie. Mój jedyny śnie...

I aż do ostatniej nocy budził się przy niej szczęśliwy, bezpieczny i zadowolony z życia. Teraz na sielskim obrazku ich spokojnego życia zrobiła się rysa. Biegł coraz szybciej, aż do zupełnego zasapania. Potem kupił rogaliki na rogu ulicy, takie, jakie Łucja lubiła najbardziej. Zdenerwował się, że zamiast croissantów, które jadał z Daną, odruchowo wybrał tamte. Postawił wszystko na stole, zmielił kawę i poszedł do łazienki. Wyszedł spod prysznica zupełnie nagi, a potem wrócił do łóżka. Miał prawie siedemdziesiąt lat i wciąż się kochał ze swoją kobietą.

– Pojedziesz tam, prawda? – spytała, kiedy skończyli.

– Nie powiem ci, że jestem jej to winien. Nic nie jestem jej winien. Tylko... Nie mogę jej zostawić.

– Jeśli pojedziesz, to nie wrócisz... – wyszeptała.

– Wrócę – uspokoił ją. – Oczywiście, że wrócę. Dowiem się, o co chodzi. Załatwię jej adwokata i zostawię. A potem weźmiemy ślub, napiszę do domu, do Polski... Potem tam pojedziemy.

Teraz wydawało mu się to bardzo ważne. Żeby powiedzieć prawdę Winnym. Jego żoną nie była przecież Łucja, nigdy nią nie była. „Powiem prawdę", postanowił, „przeproszę ich za kłamstwa na temat mojego życia". Wyzwoli się, kiedy powie rodzinie o wszystkim.

Załatwił urlop w pracy, kupił bilet na samolot i z podręcznym bagażem udał się do Bostonu. Tam prosto z lotniska wziął taksówkę i kazał zawieźć się pod wskazany przez Łucję adres. Zameldował się u smętnego strażnika, poczekał chwilę, aż przyszedł inny i poprowadził go korytarzem do pomieszczenia, w którym siedziała Łucja.

– Nic się nie zmieniłaś – wyrwało mu się to na jej widok.

Nie wyglądała na swoje sześćdziesiąt lat, raczej jak zadbana czterdziestolatka. Była bez makijażu, z nieco podkrążonymi oczami i zaciśniętymi w kreskę ustami. Zawsze je tak zaciskała, kiedy była zdenerwowana.

– To teraz nie jest ważne – powiedziała. – Sama załatwiłam adwokata, bo jakbym miała czekać na ciebie...

Mówiła ostrym tonem, jak do służącego albo podwładnego. Może tak się zachowywała przez te lata, kiedy była panią profesorową.

– Jutro odbędzie się rozprawa wstępna. Ustalą kaucję. Musisz zapłacić, bo mnie zablokowali wszystkie pieniądze...

– Zaraz – przerwał jej. – Okradłaś mnie, zostawiłaś i uciekłaś. A teraz nie powiesz nawet „przepraszam"?

Spojrzała zdumiona, a potem pokręciła głową z niedowierzaniem, jakby usłyszała coś niestosownego.

– Kiedy cię okradłam? Chyba nie mówisz o tych nędznych trzech tysiącach, które sam mi dałeś? Oddam ci...

– Ty nic nie rozumiesz, Łucja... – powiedział wolno.

Otworzyła szeroko oczy i spojrzała po „dawnemu", a on uciekł wzrokiem jak winny. Nie miała na twarzy ani jednej zmarszczki, jakby zawarła pakt z diabłem. Spojrzał na biust, który był dużo większy od tego, który pamiętał z dawnych lat. Była ubrana w więzienny kombinezon, ale widział, że figurę ma nadal nienaganną, jakby nie minęły te wszystkie lata i nie urodziła dziecka.

– Czego nie rozumiem? – spytała.

Jeszcze raz, powoli, wyjaśnił jej, po co właściwie przyjechał. Tłumaczył, że nie ma pieniędzy, nie zapłaci kaucji i niewiele może pomóc. Zgodził się spotkać z adwokatem, spytać, o co chodzi, co jej grozi, a potem wraca do swojego domu. Zaczęła płakać, najpierw bezgłośnie, potem szlochać i wycierać rękoma łzy jak skrzywdzone dziecko.

– Jestem teraz z kobietą – mówił, podczas gdy ona płakała coraz głośniej, na przemian groziła mu i błagała o przebaczenie i pomoc. – Nie chcę jej stracić przez ciebie i nie stracę.

– Skoro nie chcesz pomóc mnie – wyszeptała. – Proszę, pomóż mojej córce. Przez wzgląd na pamięć mojego syna, także twojego... Powinieneś, Janek, słyszysz?

Zmroziło go. Jej syn Patric urodził się dwa lata po ucieczce z Nowego Jorku. Wiedział o nim. Także o tym, że dziecko tuż po porodzie zachorowało i po miesiącu zmarło. W żaden sposób nie mógł być jego synem. Ich wspólne dziecko Łucja usunęła, argumentując, że nie sypia ze swoim mężem i nie może urodzić dziecka, żeby ten nie zorientował się, że go zdradziła. Janek błagał ją wtedy, żeby urodziła, ale wreszcie uległ i dał pieniądze na aborcję.

– Przecież wiem, kiedy on się urodził... – Pokręcił głową z niedowierzaniem. – Nie wiem, czemu masz mnie za idiotę. Przestań choć raz kłamać...

Zostawił ją rozszlochaną, krzyczącą, że to jego zawsze kochała, że po procesie będą wreszcie razem, bo ona sprzeda cały majątek, zabezpieczy dzieci, także te z pierwszego związku pana profesora i wróci do Nowego Jorku, do niego.

– To źle wygląda, panie Winny – tłumaczył mu czarnoskóry adwokat, który brał zawrotną sumę za godzinę konsultacji. Janek zdecydował się opłacić dwie godziny, ponieważ chciał wiedzieć, o co tak naprawdę Łucja jest oskarżona i czy to rzeczywiście bzdury i formalność.

– Mówiła, że to spisek jego córek z pierwszego małżeństwa, które jej zawsze nienawidziły...

Absolwent wydziału prawa Uniwersytetu Harvarda skrzywił się znacząco.

– Śledczy wstępnie ustalili, że prof. Bratherberg poczuł się nagle bardzo źle, następnie upadł na podłogę w ich domu na przedmieściach Bostonu i stracił przytomność. Kiedy przyjechała karetka, miał poważne zaburzenia rytmu serca, w wyniku których zmarł w czasie transportu do szpitala. Pani Brown-Bratherberg zadzwoniła po karetkę, ale była tak wzburzona, że nie podała miejsca zamieszkania. Oczywiście ustalono je, ale to trwało kilkanaście minut i być może wskutek tego... – adwokat odkaszlnął – nieszczęsnego opóźnienia profesor wyzionął ducha.

– A skąd oskarżenie o morderstwo? – spytał Janek – Bo nie zadzwoniła szybciej, nie podała adresu? Mogła być zdenerwowana...

– Mogła. – Kiwnął głową prawnik. – Jednak profesor, zanim skonał, powtórzył kilka razy „ona". Pielęgniarze to zapamiętali i powtórzyli policji.

– To jeszcze o niczym nie świadczy.

– Oczywiście. – Prawnik był bardzo poważny. – Wiem to i bez pańskiej pomocy. Tyle że w szpitalu wykonano sekcję zwłok. Znaleziono phenylephrini hydrochloridum. We krwi. Bardzo dużo tej substancji...

Zdjął okulary i wpatrzył się w Jana.

– To trucizna? – spytał Janek nieco naiwnie.

Wiedział, że w śmierci Jamesa było coś podejrzanego, ale starał się o tym nie myśleć. Teraz nie bardzo rozumiał, co ten zarozumiały prawnik ma na myśli.

– Nie, to składnik kropli do oczu, które stosuje się przy zapaleniu spojówek. Profesor Bratherberg ostatnio chorował na taką przypadłość i od lekarza domowego dostał krople.

– Panie kochany! – Jasiek nie wytrzymał. – Niech mi pan wyjaśni, co to ma do rzeczy. Przecież ja się nie znam.

Prawnik nie zwrócił najmniejszej uwagi na jego wybuch.

– Krople są zupełnie nieszkodliwe, kiedy się je zakrapla w odpowiednich ilościach do oka. Natomiast kiedy się wypije, powodują zaburzenia rytmu serca. Śmiertelne. To właśnie zabiło profesora Bratherberga.

– Może je wypił przez pomyłkę? – spytał Jasiek.

– Dorosłe córki stwierdziły, że ich macocha opętała tego biednego człowieka, omotała go zupełnie i kazała przepisać na siebie majątek. Profesor to zresztą uczynił. Oboje mają także bardzo pokaźne polisy na życie. W przypadku śmierci męża wdowa otrzyma pięćset tysięcy dolarów...

– To jeszcze... – powiedział słabo Jasiek, do którego powoli docierała prawda.

– Oczywiście. – Czarnoskóry prawnik ponownie zdjął okulary w złotych oprawkach. – To jeszcze o niczym nie świadczy... Tyle że wszystko razem wzięte jest dość podejrzane. Na dodatek córki znalazły bliskiego przyjaciela pani Bratherberg, który ma ponoć potwierdzić ich bliskie kontakty.

Janek milczał.

– Dlaczego nie zwróciła się do niego o pomoc? – spytał bezradnie.

– To nie jest pytanie do mnie – z niezmąconym spokojem odpowiedział prawnik i pokazał w uśmiechu garnitur nieskazitelnie białych zębów.

– Ona oczekuje, że ja coś zrobię – powiedział.

– Ona oczekuje, że ja coś zrobię – sprostował prawnik. – A pan za to zapłaci.

Janek zaczął się śmiać. To także nie zrobiło na prawniku wrażenia.

– Zimna ryba z pana – powiedział po polsku, a potem dodał jeszcze, że niestety nie może zapłacić z własnej kieszeni. Zaczął nawet opowiadać, jak go potraktowała Łucja w przeszłości.

– To mnie nie interesuje – przerwał mu w momencie, kiedy Jan opowiadał, jak za nią przybył do Ameryki, uczył się języka i chciał, żeby rozwiodła się z Jamesem Brownem.

– Czemu sama nie zapłaci panu z pieniędzy z ubezpieczenia?

– Firma ich nie wypłaci, jeśli okaże się, że ona go zabiła. Takie jest prawo.

– Czy pan uważa, że ona zabiła męża? – spytał.

– Uważam, że moja klientka jest niewinna. Póki nie udowodniono jej winy i póki jest moją klientką...

– Czyli chodzi tylko o pieniądze – podsumował Janek.

Prawnik wsunął dokumenty do teczki i powiedział:

– Zawsze chodzi tylko o pieniądze. W tym przypadku o to, czy pan mi zapłaci, żebym bronił pani Bratherberg. Powiem panu, że strona przeciwna, czyli córki profesora, wynajęły jedną z największych kancelarii prawniczych w Bostonie. Są zdecydowane, żeby udowodnić pani profesorowej winę...

– Nie zapłacę. – Janek był zdecydowany. Podskórnie czuł, że Łucja chce pieniędzy. Musiałby zlikwidować swoją polisę na życie, stracić wszystkie oszczędności. Straciłby przy tym Danę i cały swój z trudem zdobyty spokój.

– Niech kochanek zapłaci.

Adwokat nawet nie mrugnął.

– Każdy ma prawo do obrony – powiedział uspokajającym tonem. – Jeśli nie stać jej na prawnika, dostanie obrońcę z urzędu. Ten pewnie powoła się na niepoczytalność, będzie starał się udowodnić, że to profesor wypił przez pomyłkę krople przeznaczone do oczu... Na pewno sobie poradzi z adwokatem strony przeciwnej.

– Proszę mi jeszcze powiedzieć, co się stanie z Sammy Jane.

– To dorosła kobieta. – Prawnik uśmiechnął się krzepiąco. – Ja bym się martwił o jej matkę.

Janek wstał. Nie odwiedził ponownie Łucji w areszcie. Miał trochę czasu do odlotu i spędził go u najlepszego jubilera w mieście, wybierając pierścionek zaręczynowy dla Dany.

Proces relacjonowano w telewizji. Nie był tak ekscytujący jak późniejsze procesy, choćby O.J. Simpsona albo czarnej wdowy, która zabiła sześciu mężów, ale wiadomości na temat Łucji pojawiały się w ogólnokrajowej sieci regularnie. Podkreślano, że oskarżona ma polskie pochodzenie i Jasiek bał się, że wieść o jej wyczynach dotrze do odległego Brwinowa. Winni przeżyliby nie tylko szok, słysząc oskarżenia o morderstwo, ale zamartwialiby się także i o niego. Lata temu postanowił okłamać rodzinę i wysłał im ten nieszczęsny list. Potem nigdy nie odpowiadał na obszerne listy matki więcej niż kilkoma zdaniami, głównie przysyłał paczki i kartki świąteczne.

Najpierw było śledztwo prowadzone na szeroką skalę, w wyniku którego potwierdzono fakt, że profesor Bratherberg zmarł w wyniku doustnego spożycia kropli do oczu. Niestety ekshumowano Jamesa Browna. Substancja, która zabiła profesora, była nieco inna niż ta, która zatrzymała serce przedsiębiorcy, ale niewątpliwie także pochodziła z kropli do oczu. Uznano za oczywiste, że to nie jest przypadek, a ewidentną winę za oba zgony ponosi żona, czyli Luczja Bratherberg. Łucja nie przyznała się do winy, chociaż cała Ameryka uznała ją natychmiast winną wysłania dwóch mężów na tamten świat. To było nieco za mało, żeby została okrzyknięta „czarną wdową", ale ktoś rzucił słowo Lukrecja Borgia i do Łucji przylgnęła etykietka trucicielki.

– Ustalono, że pani Bratherberg jest podejrzana o podwójne morderstwo, więc kaucję ustalono na milion dolarów… – Usłyszał Jasiek z telewizji. – Nie wpłacono żądanej sumy, więc oskarżona będzie oczekiwała na proces w areszcie.

Jasiek też Łucję osądził. Kiedy tylko usłyszał, że dwóch jej mężów spotkała taka sama śmierć, był pewien, że to ona stoi za nagłymi zgonami. Po jej ucieczce był u Wierusza-Kowalskiego i próbował wypytać o ich wzajemne relacje, o plany na przyszłość. Wyszedł zdruzgotany, bo starszy pan nie miał świadomości, kim w istocie jest jego adoptowana córka. Nie wierzył też, że jej już nie zobaczy. Stary Wierusz do końca był przekonany o niewinności swojej podopiecznej, mimo że ta zostawiła go na pastwę losu i łaskę synów, którzy natychmiast znaleźli ojcu elegancki dom „Radosna jesień życia", w którym dożył swoich dni, codziennie pytając pielęgniarek, czy jego córka Łucja przyszła w odwiedziny, czy chociażby dzwoniła. Synowie, którzy odwiedzali ojca raz w miesiącu, tłumaczyli cierpliwie, że Łucja wyjechała nie wiadomo dokąd i za nic ma rodzinę, a on za każdym razem powtarzał, żeby podali jej numer telefonu do domu spokojnej starości, a najlepiej adres, a „kochana dziewczynka" przyjedzie i go zabierze.

Do końca życia wierzył w miłość i przywiązanie Łucji, a kiedy umarł, znaleziono kartkę, na której spisał testament Pielęgniarka przekazała tę kartkę młodszemu synowi, a ten ze zdumieniem odczytał koślawe litery „Wszystko dla Łucji, mojej kochanej córeczki". Chociaż starszy pan nie miał już nic, to wciąż gotów był oddać nieistniejący majątek dziewczynie, której już nie interesował. Synowie tego nie rozumieli i nie próbowali nawet zawiadamiać przysposobionej siostry o śmierci ojca, wychodząc ze słusznego założenia, że gdyby chciała go odwiedzić, odnalazłaby ojca sama, tak jak zrobił to Jasiek. Jego zawiadomiono o śmierci Wierusza i Jasiek przyszedł na smutny pogrzeb, na którym był tylko on oraz synowie bez żon i dzieci. Chociaż nie był sentymentalny, odwiedzał ten grób każdego pierwszego listopada, palił lampki i zastanawiał się, co kierowało Wieruszem. Czy były to te same uczucia, które jego samego trzymały przy życiu pod ostrzałem i zawiodły do Ameryki, gdzie zaczynał od zera, a teraz był szanowanym obywatelem, z dobrą pracą i ubezpieczeniem. Wpatrywał się więc w telewizor, gdzie prawnicy, policjanci, śledczy wypowiadali się na temat śledztwa. Potem słuchał nowego prawnika, również czarnoskórego, który tylko udawał, że wierzy w niewinność Łucji.

– Moja klientka jest niewinna, póki nie udowodni się jej winy. Konstytucja Stanów Zjednoczonych Ameryki...

Po prostu musiał znów pojechać do Bostonu. Nie mógł jej zostawić na pastwę dziennikarzy i prawnika z urzędu. Dana, początkowo udobruchana pierścionkiem zaręczynowym, wściekała się i groziła zerwaniem zaręczyn. Tłumaczył jej, że Łucja nic dla niego nie znaczy. Przecież od wielu lat jej nie widział, nie szukał, argumentował.

– Ale nie możesz zostawić jej w spokoju? – Płakała Dana. – Nie rozumiesz, że masz szczęście, że wtedy wyjechała z Nowego Jorku? Teraz to ty byś był na miejscu tamtego profesora...

Nigdy o tym nie pomyślał. Jego by nie skrzywdziła. Mogła go porzucić, ośmieszyć, okraść i pozbawić złudzeń, że cokolwiek dla niej znaczył, ale przecież nie mogłaby go zabić.

– Skąd wiesz, że ona ciebie by nie zabiła? – pytał, a Dana prychała z niedowierzaniem i mówiła coś o jego naiwności.

Wyznaczył datę ślubu, a potem poprosił ją o to, żeby pozwoliła jeszcze raz pojechać do Bostonu.

– Przecież możesz jechać, nie musisz mnie pytać o zdanie...

– Nie pojadę, jeśli miałoby cię to zranić. – Wziął ją w ramiona i popatrzył głęboko w oczy. – Kocham cię...

– Powiedz, po co tak naprawdę chcesz jechać. – Przytuliła się do niego.

– Chcę jeszcze raz porozmawiać z tym prawnikiem – argumentował. – Ona jest Polką, jak ja... Pójdzie w świat, że jesteśmy mordercami.

W końcu pojechał, chociaż Dana załamała się i cofnęła swoje pozwolenie. Kazał jej zajmować się weselem i podróżą poślubną.

Obiecał, że wróci za kilka dni. Adwokat z urzędu nie miał dla niego ani czasu, ani dobrych nowin. Jaśkowi się nie podobał. Tamten poprzedni, choć równie arogancki i żądający wprost pieniędzy, miał przynajmniej wiedzę i wyraźnie chciał bronić Łucji.

– Czy to nie jest dla pana jakaś szansa? – spytał Jasiek. – Mam na myśli to, że prowadzi pan taką mocną sprawę jako adwokat z urzędu. Będą pana pokazywać w wiadomościach... Jeśli pan się postara, kto wie, jaka kancelaria pana zatrudni. Jeśli spaprze pan te sprawę, już zawsze będzie pan bronił z urzędu...

Adwokat roześmiał się.

– Skąd pan czerpie pewność, że nie mam żadnej strategii obrony? Z faktu, że nie dzielę się nią z panem? Albo mediami?

– Czy ona ma jakieś szanse na uniewinnienie? – próbował. –To kwestia pieniędzy?

– Tak, to kwestia pieniędzy. – Pokiwał głową adwokat Dick Fallon. – Mam na myśli pieniądze, jakie córki profesora wyłożyły na swoich prawników. To dzięki nim wykopano pana Browna.

– Co one chcą zyskać? – spytał, chociaż dobrze znał odpowiedź.

– Dom, pieniądze z polisy ubezpieczeniowej... Ogólnie rzecz ujmując – dużo pieniędzy. Oczywiście chcą także ukarać macochę, która zabrała im ojca, odsunęła od rodziny, a potem zabiła. To znaczy, według nich, zabiła – dodał dla porządku.

Janek nie spotkał się z Łucją, nawet o to nie zabiegał. Zadzwonił za to do jej córki, a Samantha z radością zaprosiła go na spotkanie. Wyglądała zupełnie inaczej niż w telewizji. Była jasną blondynką, o regularnych rysach i szczupłej figurze. Eleganckie ubrania świadczyły o jej statusie. Nie mówiła słowa po polsku.

– Prosiłam mamę, żeby mnie nauczyła – powiedziała zawstydzona. – Ale ona nie chciała. Czasami miałam wrażenie, że nienawidziła wszystkiego co polskie.

– Ja miałem wrażenie, że nienawidziła wszystkich wokoło...

– Swojego ojca nie pamiętam zbyt dobrze. – Zamyśliła się Sammy. – Ale to nie był dobry człowiek. Bił ją, a ona zachowywała się, jakby nic się nie stało.

– Podejrzewałaś, że nie zginął śmiercią naturalną?

Kobieta spojrzała na filiżankę z kawą i obróciła ją kilka razy w palcach.

– Chwaliła się tym. Nie wprost, ale chwaliła.

– Jak to? – Nie zrozumiał.

– Kiedy byłam niegrzeczna, zamykała mnie w pokoju i nie wracała przez kilka godzin. Mogłam krzyczeć, walić w drzwi, nic to nie dawało. Raz zdarzyło mi się zasnąć. Przyszła, bo byłam cicho. I wtedy powiedziała, że da sobie ze mną radę, bo z ojcem sobie poradziła…

Patrzył na nią uważnie. Miała prawie trzydzieści lat, ale wyglądała na dziesięć mniej. Mówiła z niepewnością w głosie.

– Przykro mi – powiedział. – Nie tak miało to wyglądać.

– Kochałeś ją? – spytała.

Zamyślił się. Odpowiedź była oczywista, ale zależało mu na tym, żeby Sammy dobrze go zrozumiała.

– Myśl o niej trzymała mnie przy życiu. Zostawiłem dla niej matkę, ojca… Nikt nie był dla mnie tak ważny jak ona. Przyjechałem tutaj tylko dla niej. Poniekąd zawdzięczam jej to, do czego doszedłem…

– Pamiętam cię – powiedziała. – Byłam mała, ale ciebie pamiętam lepiej niż ojca.

– Miała ze mną zostać, czekałem na nią i ciebie, kiedy dowiedziałem się o śmierci twojego ojca. Zamiast do mnie pojechała jednak do Bostonu. Z moimi pieniędzmi…

Roześmiał się gorzko.

– To do niej podobne. – Sammy pokiwała głową. – Charles był dla mnie dobry… Traktował jak córkę, płacił za dobre szkoły. Chciał mieć z matką dziecko, ale ona nie chciała. Wiesz, dlaczego go zabiła?

– Jesteś przekonana, że zabiła? – Łudził się, że córka będzie broniła Łucji, do końca przekonana o niewinności matki.

– Daj spokój... – Sammy machnęła ręką, a jemu zrobiło się nieswojo, bo gest ten był tak podobny do gestu babci Bronki. Także Ania tak robiła, dokładnie w ten sam sposób machały ręką obie. Wzruszyło go to nieoczekiwanie. Pomyślał, że tęskni za krewnymi, których porzucił w starym kraju.

– Sammy... może to był przypadek? Przynajmniej z jednym z nich...

– Moim zdaniem zabiła ich obu. – Sammy powtórzyła ten gest. – Ojca, bo ją bił i zbankrutował, Charlesa... Charlesa zabiła, bo odkrył prawdę o niej.

– Co odkrył? – dociekał Jasiek.

– Dowiedział się, że miała liczne aborcje. Wcześniej wmawiała mu, że nie może zajść w ciążę, bo mój ojciec tak ją pobił, że została bezpłodna. – Sammy podniosła ręce i zrobiła cudzysłów w powietrzu. – Wierzył jej. Bardzo chciał mieć z nią dziecko.

– To jeszcze nie powód...

– W Ameryce wystarczający. Wprowadził ją do towarzystwa, a ona zaczęła go zdradzać z różnymi innymi wykładowcami. Mną się nie przejmowała. Zostawałam sama w domu, a ona szła do tego czy tamtego. Raz o mało nie spaliłam domu i policja zadzwoniła do Charlesa. Wmówiła mu, że wyszła tylko na chwilę, a ja jestem „złym nasieniem".

– Miałaś chyba smutne dzieciństwo. – Wziął ją za rękę. – Tak mi przykro, Sammy...

Zamyśliła się, spojrzała w przestrzeń. Powiódł za nią wzrokiem. Zobaczył mężczyznę, który trzymał za rękę małą dziewczynkę, szli, uśmiechając się do siebie i rozmawiając.

– Czasami ogarniało ją szaleństwo, wrzeszczała i biła Charlesa... Wysłał mnie do college'u, do innego miasta, żebym nie musiała na to patrzeć. Chodził z nią do psychiatry... Kiedy się zestarzała, przestała go chyba zdradzać. Przynajmniej nie robiła tego tak jawnie.

– Nie interesowałaś się losem swojego dziadka? – spytał. – A córki twojego ojczyma?

– Powiedziała, że dziadek nie żyje. Dopiero od ciebie dowiaduję się, że umarł dużo poźniej. A córki... Zostały ze swoją matką, która mojej nienawidziła, mimo że sama rzuciła Charlesa... One też nienawidziły mojej matki i tę nienawiść objęła także mnie.

Jasiek pomyślał, że Sammy musiała być w tym bogatym domu najbardziej samotną dziewczynką na świecie.

– Czemu się z nią nie rozwiódł? – Natychmiast pożałował tego pytania.

Sammy oderwała wzrok od szyby. Ojciec z dziewczynką już dawno poszli swoją drogą.

– Zapytałam kiedyś o to Charlesa. Powiedział, że mama jest jak egzotyczny owoc, który wyhodowano w szklarni. Nie może samodzielnie egzystować, wymaga wielu nakładów, więcej światła, nawozu, starań, a i tak nie smakuje tak jak ten, który wyrósł w naturalnych warunkach.

– Zainwestował w nią... – Zrozumiał Jasiek. – Uczucia, pieniądze...

– Na zewnątrz funkcjonowali jako ludzie sukcesu. Profesor, piękna żona. Matka umiała urządzać przyjęcia, dobierać menu, wina... Dawała sobie radę ze służbą.

– Tak. – Zamyślił się Jasiek. – Przecież to nie była prosta emigrantka, tylko córka dyplomaty, wdowa po przedsiębiorcy...

– Właśnie. – Sammy kiwnęła głową. – Ludzie nie znali prawdy o niej.

Znów spojrzała przez okno.

– Podać państwu coś jeszcze? – Skośnooka kelnerka zabrała pustą filiżankę kawy.

Oboje pokręcili przecząco głową.

– Powinnaś odciąć się od niej – powiedział z głębokim przekonaniem.

– Łatwo ci powiedzieć... – Sammy zaśmiała się gorzko. – Związałam się z dobrym mężczyzną. Tak mi się przynajmniej wydawało. Kiedy matkę postawiono w stan oskarżenia, oddał mi pierścionek. Wyjaśnił, że nie może ryzykować kariery. Pochodzi z bardzo dobrej bostońskiej rodziny. Jego rodzice są partnerami w jednej z największych kancelarii.

Uśmiechnął się współczująco.

– Dobrze, że stało się to przed ślubem...

– Dobrze. Nie będzie musiał się potem wstydzić ani odżegnywać ode mnie.

Sammy była Amerykanką, więc rozumiała, jakie mechanizmy rządzą tutejszym światem.

– Sammy – powiedział, kiedy wychodzili. – Chciałbym, żebyś... Nie chcę tracić z tobą kontaktu... Kochałem twoją matkę, chciałem ją poślubić. Byłabyś wtedy moją córką. Nigdy bym nie pozwolił cię skrzywdzić.

– Pozwoliłbyś. – Objęła go i pocałowała w policzek. – Matka krzywdziła wszystkich, sprawiała, że najlepsi zamieniali się w potwory. Była wcielonym złem. Gdybyś związał się z nią, byłbyś taki sam...

– Proszę cię, Sammy...

– Oczywiście, Jan. – Uśmiechnęła się. – Właściwie nikogo nie mam...

Trzeciego dnia wrócił do domu i przeprosił Danę z głębi serca.

– Nie wiem, po co pojechałem. Wybacz, kochanie...

Wybaczyła. Spoglądała nawet ze zrozumieniem, kiedy śledził proces. Nie musiał się już kryć.

– Cóż za potwór... – Kręciła głową z niedowierzaniem, kiedy na jaw wychodziły szczegóły z pożycia małżeńskiego z pierwszym i drugim mężem.

Sammy Jane przemykała przed kamerami telewizyjnymi w czarnych okularach. Od czasu do czasu pytano ją, jaka była jej matka, zanim dopuściła się zbrodni. Sammy długo się trzymała, wbrew radom Jana, ale w końcu nie wytrzymała. Przytłoczyła ją presja gazet, opinii publicznej i w przeddzień mów oskarżyciela i obrońcy odżegnała się od matki.

– Niech jej Bóg wybaczy – powiedziała w telewizji, nie zdejmując czarnych okularów.

Zaprosił ją na swój ślub, ale nie przyjechała. Przysłała bardzo ładny wazon w stylu art déco i miłe życzenia. Rozumiał ją. Tydzień wcześniej wydano wyrok i skierowano Łucję na przymusowe leczenie psychiatryczne w zakładzie zamkniętym. Adwokat zrobił wszystko, co tylko było możliwe i ława przysięgłych uznała podwójną morderczynię za niepoczytalną i zamiast do więzienia, skierowała ją na leczenie. Sprawa wydawała się zakończona.

Przez dwa lata Łucja wydawała się spokojna, przyjmowała leki i opowiadała lekarzowi, że została porzucona przez matkę na progu sierocińca, nigdy nie poznała swoich rodziców i zawsze czuła się gorsza od innych mimo bajecznego życia u boku Wieruszów. Trudno powiedzieć, co się stało, że któregoś dnia postanowiła przerzucić zwinięte prześcieradło przez kratę okienną i powiesić się na nim. Sama też nie potrafiłaby tego jednoznacznie wyjaśnić. Nie wiedziała przecież, że jej przybrany ojciec umarł w domu starców, tęskniąc za nią każdego dnia, a jej przybrani bracia dowiedziawszy się o jej wyczynach, zrobili wszystko, żeby nie łączono ich nazwiska z Łucją. Nie miała także pojęcia, że Janek Winny wziął ślub z inną kobietą. Co więcej, nie widziała, jak jej jedyna córka mówi, że jest winna. Właściwie nie było powodu, żeby zdecydować się na tak desperacki krok.

Gdyby miała odpowiedzieć na pytanie: „dlaczego?", powiedziałaby, że „przestała wierzyć". Napisała to w liście do Janka, ściślej rzecz biorąc w kolejnym liście do Janka. Listy do niego pisała bowiem regularnie, nie przejmując się tym, że wracały nieotwarte. Była przekonana, że Janek je czyta albo przynajmniej przeżywa sam fakt ich otrzymywania. Tego dnia, kiedy zdecydowała się powiesić, w zwróconej korespondencji znalazła list od jakiegoś księdza z Brwinowa, o znajomym nazwisku Winny. List był zaadresowany do niej, pisany w tonie spowiedzi. Ów ksiądz twierdził, że jest bratem Łucji, a ona sama jest córką jego matki i wuja. Podawał nazwiska. Łucja czytała, jak matka księdza urodziła ją w nocy, jako owoc związku pozamałżeńskiego oddała do sierocińca, a potem sama zginęła z rąk jakichś bandytów. Jak sam ksiądz przez lata myślał, że dziecko, czyli ona, umarło, dlatego jej nie szukał. Gdy dowiedział się od swojej babki, że jednak nie umarła, postanowił wyznać prawdę, zwłaszcza że Jasiek, którego niby była żoną, był w istocie jej kuzynem w pierwszej linii, a kościół niechętnie błogosławi takim związkom. Cały ten list wydawał się Łucji jakimś absurdalnym bełkotem. Nadawca twierdził, że jest księdzem, pochodzi z rodziny Winnych i zna fakty dotyczące jej pochodzenia. Nie było jednak przecież żadnego dowodu na to, że pisze prawdę. Po przeczytaniu Łucja nic nie czuła, może jedynie rozczarowanie. Nie chciało się jej sprawdzać tych słów. A nawet gdyby chciała, nikt nie wypuści jej z tego szpitala, by mogła poszukiwać swoich korzeni. Mogłaby napisać jedynie do Jaśka, ale on przecież nie czytał jej listów.

Myślała o tym wszystkim całą noc i uświadomiła sobie jedno. Mianowicie, że nigdy nie była ciekawa tego, dlaczego ktoś ją porzucił, nie szukała swoich korzeni, przeciwnie, bała się całe życie takiego listu jak ten, w którym ktoś tak brutalnie osadzi ją w rzeczywistości, której nie chciała i nie potrzebowała. Nie chciała być wnuczką tamtej kobiety, która pracowała u Wieruszów, ani córką tego stolarza, który miał owszem dar w rękach, ale był jedynie biednym rzemieślnikiem. Wreszcie nie chciała być ani kuzynką, ani żoną Jaśka Winnego. Już niczego nie chciała. Cienka nić wiążąca ją z tamtym życiem pękła. Łucja nie wiedziała już, kim jest. Nie potrzebowała matki, ojca, babki, zwłaszcza jeśli byli z rodziny Jaśka Winnego. Nie potrzebowała też córki. Nawet wolności już nie chciała. Podarła list i włożyła między kartki listów do Jana. Potem zażyła swoje tabletki, a lekarzowi opowiedziała o swoich planach na przyszłość.

– Czuję się o wiele lepiej i wiem, że to głosy były wszystkiemu winne... Nie słyszę już głosów, więc może mogłabym zacząć od nowa?

– Jak oceniasz Łucjo swój czyn? – spytał lekarz.

– Jestem przerażona tym, czego się o sobie dowiedziałam – powiedziała z mocą w głosie. – Jestem przerażona krzywdą, jaką wyrządziłam Charlesowi. Głosy kazały mi... Ale to moja ręka wpuściła śmiercionośne krople do kawy. Charles. – Zaczęła płakać. – Taki dobry człowiek...

– Gdybyś mogła zacząć jeszcze raz... – spytał terapeuta. – Czy próbowałabyś wynagrodzić córce swój czyn? Może córkom Charlesa?

– Najlepsze, co mogę dla nich zrobić, to zniknąć z ich życia... – powiedziała. – Powinnam pracować w domu opieki jako wolontariuszka, albo w szpitalu. Ale nie chciałabym już nigdy widzieć swojej córki. To najlepsze, co mogę dla niej zrobić...

Wiedziała, że tak należy powiedzieć, żeby lekarz był zadowolony. Miała jeszcze jedną satysfakcję przed śmiercią. Ostatnie oszustwo – tym razem oszukała psychiatrę. Kazał zmniejszyć dawkę leków uspokajających. Nad ranem skręciła sznur z prześcieradła. Ostatnią chwilę poświęciła na rozważanie, czy lekarz będzie obwiniał się za jej śmierć.

Sammy Jane, która zmieniła nazwisko, opłakiwała matkę, ale w głębi duszy żałowała bardziej siebie. Listownie zawiadomiła o wszystkim Jaśka i prosiła, żeby nie obwiniał ani siebie, ani jej. Podała miejsce pochówku, ale z tego, co wiedziała, on nigdy się tam nie pojawił.

Pięć lat później Sammy poślubiła dużo starszego od siebie biznesmena i przeniosła się do Los Angeles. Jasiek i Dana przyjechali na ślub i gratulowali jej „nowego życia". Nowe życie Sammy Jane nie było specjalnie szczęśliwe, ale miała przynajmniej to, czego w rodzinnym domu jej brakowało – spokój i akceptację. Rankiem 11 września 2001 roku wracała ze służbowej podróży z Bostonu do domu, ale nigdy tam nie dotarła. Niespełna godzinę po starcie samolot, którym podróżowała, wbił się w południową wieżę WTC.

1981 ROK

Gdyby pukanie, a ściślej walenie do drzwi w środku nocy, nie zbudziło Andzi, pewnie nigdy by się nie dowiedziała, że jej syn Jerzy, zwany wciąż Jerzykiem, jest znanym opozycjonistą. Tymczasem zbudziła się, zapaliła światło i podeszła do drzwi ze strachem. Taki łomot nie wróżył nic dobrego, ale Andzia otworzyła drzwi po krótkim tylko wahaniu, bo udawać, że nikogo nie ma w domu, byłoby jeszcze gorzej.

– Panowie do kogo? – spytała zdumiona, widząc czterech ubranych na niebiesko ludzi w hełmach na głowie i z białymi pałkami u boku. Wcześniej widziała takich w telewizji, raczej nie z bliska i nigdy w życiu nie spodziewałaby się, że któryś z nich stanie w progu jej domu.

– Czy mieszka tu Jerzy Radziszewski? – spytał ten, który stał najbliżej.

– Tak, to ja – powiedział Jerzyk, który w szlafroku i piżamie zszedł po schodach.

– Pójdzie pan z nami – powiedział „niebieski" stojący za progiem domu.

Andzia ze zdumieniem patrzyła, jak jej syn spokojnie kiwa głową i mówi, że pójdzie się spakować, a jeden z intruzów dodaje, że poczekają kilka minut, żeby się ubrał, i żeby nie próbował żadnych sztuczek.

– Ale jakże to tak? – spytała. A kiedy nie uzyskała odpowiedzi, krzyknęła:

– On nigdzie nie pójdzie!

– Babcia się uspokoi – mruknął jeden z milicjantów.

– Spokojnie, mamo – powiedział Jerzyk, który po dwóch minutach zszedł z góry ubrany, z torbą w rękach. – Niech mama wraca do łóżka i czeka na wiadomość.

Wyszli bez słowa. Andzi wydawało się, że to jakiś koszmarny sen. Spojrzała na zegar ścienny z kukułką. Za chwilę wybije pierwszą w nocy. Od godziny była zatem niedziela, trzynasty dzień grudnia. Złapała się za serce, bo bardzo ją zakłuło i trzymając się poręczy, poszła na górę do pokoju syna. Zastała tam posłane łóżko, wojskowy niemalże porządek w szafie i na biurku. Czuła, że skacze jej ciśnienie. W głowie zaszumiało i byłaby się osunęła na ziemię, gdyby nie Stanisław, który wreszcie się przebudził z głębokiego snu i zaczął szukać żony po całym domu. Doczłapał na górę dokładnie w momencie, kiedy Andzi zakręciło się w głowie, udało mu się ją na szczęście złapać. Sam ledwie wytrzymał napór jej ciała.

– Co się stało? – spytał. – Co to za hałasy?

Andzia patrzyła przed siebie szeroko rozwartymi oczami, spomiędzy warg ściekały jej pęcherzyki śliny, prawy kąt ust miała opadnięty, co nadawało jej twarzy dziwny, groteskowy wyraz. Stanisław przestraszył się nie na żarty.

– Wandeczko, powiedz coś – poprosił, chwytając się za serce. – Jerzyk! Jerzyk!

Andzia otworzyła usta, ale z jej gardła wydobył się tylko niejasny bełkot. Wyciągnęła lewą rękę i próbowała podnieść się z podłogi, ale wyraźnie coś było nie tak, bo nie mogła wstać nawet przy pomocy męża. Wreszcie dała za wygraną i położyła się na sznurkowym dywanie.

– Dokąd poszedł Jerzyk po nocy? – próbował jeszcze raz, ale Andzia patrzyła w przestrzeń. – Kto to pukał? Coś się stało?

Andzia nadal nie odpowiadała, tylko zataczała kręgi jedną ręką, a z oczu skapywały jej łzy.

– Ja zaraz zadzwonię po doktora – wysapał Stanisław, nie doczekawszy się odpowiedzi na żadne ze swoich pytań, a potem tak szybko, jak tylko pozwalało mu na to dziewięćdziesięciopięcioletnie ciało, zszedł na dół, gdzie stał telefon. Zorientował się już na dole, że okulary zostawił przy Andzi. Przeklął pod nosem. Nie chciał już po nie wracać, więc postanowił, że nie zadzwoni do żadnej z córek, tylko od razu na pogotowie. Łatwiej w końcu wykręcić numer 999, niż prawie na ślepo szukać sześciu cyfr. W słuchawce było jednak zupełnie głucho. Stanisław przestraszył się nie na żarty, że nie zapłacił rachunku i odłączyli telefon właśnie w takim momencie, ale potem przypomniał sobie, że osobiście odstał swoje na poczcie i wniósł opłatę, chociaż Jerzyk tyle razy mówił, że to on powinien stać w ogonkach, a nie Stanisław i Andzia, w końcu staruszkowie, jakby nie było.

Ręce mu się trzęsły, kiedy się ubierał, i serce waliło mocno z niepokoju o Andzię. Miał nadzieję, że Jerzyk poszedł po pomoc, ale trawił go jakiś niejasny niepokój. Wydawało mu się dziwne, że syn go nie obudził, ale może nie chciał martwić stanem Andzi. „Może wcześniej się zorientował, że coś złego się dzieje, a telefon nie działa", myślał Stanisław, czując, jak ciśnienie mu skacze wysoko, jak zawsze przy zdenerwowaniu. Już miał wrócić do Andzi i czekać cierpliwie na pomoc, ale nie znosił bezczynności. Postanowił, że pójdzie do którejś z córek. Stare, nieposłuszne ręce utrudniały mu wciąganie spodni i flanelowej koszuli. Wreszcie Stanisław kompletnie ubrany wyszedł na podwórze i brnąc przez śnieg, który nie został wczoraj dokładnie odgarnięty, dotarł do furtki. Przeklął pod nosem i musiał wrócić znów do drzwi, które zamknął na klucz, a przecież powinny być otwarte, gdyby minął się z Jerzykiem czy Anią albo Manią. Droga do córek dłużyła się niemiłosiernie, chodnika prawie nie było widać spod śniegu. Kiedy tylko doszedł do większej ulicy, zauważył dziwne jak na noc natężenie pojazdów. Prawie zemdlał, kiedy rozpoznał czołgi.

Wrócił natychmiast na polną ścieżkę i przemykając się wzdłuż drucianej siatki, dobrnął bocznymi uliczkami, przez cmentarz, a potem chyłkiem przez tory na drugą stronę, gdzie mieszkały jego dziewczynki. Kilka razy poślizgnął się przy próbie sforsowania zasp śnieżnych, przewracał się, ale wstawał i z uporem szedł dalej. W głowie mu pulsowało, prawie nie widział ze zmęczenia. Czuł się tak samo jak wtedy, gdy z własnym ojcem i maleńkimi dziewczynkami przedzierali się do Batalkówki.

Kiedy dotarł do domu Ani, który był nieco bliżej, był cały mokry od śniegu, potu i strachu. Widok czołgów był jak błysk światła, który poraził go w oczy. „Znów wojna", myślał. „Trzeba uciekać... nie, trzeba pomóc Wandeczce, potrzebuje doktora... Najpierw uprzedzić dziewczynki, nich uciekają...". Kiedy tylko stanął przy drzwiach, te otworzyły się gwałtownie i w drzwiach stanęła jego najmłodsza córka, a za nią zięć Michał. Kilka minut wcześniej Ania zbudziła go, mówiąc, że coś złego się dzieje. Pomny tamtego zdarzenia w 1968 roku nie dyskutował, tylko natychmiast wstał, pytając, co ma robić. Ania miała chaos w głowie. Tłukło się w niej tylko „niebezpieczeństwo, wojna, ojciec...", ale nie umiała sprecyzować żadnych szczegółów. Jakby drzwi, które wcześniej otwierały się szeroko, teraz zardzewiały i wpuszczały tylko niewielki strumień światła. Przeraziła się, widząc ojca na progu domu w stanie zupełnego przemoczenia.

– Boże, tato... – powiedziała, a potem oboje z mężem pomogli mu wejść do środka. – Co się stało? Jesteś cały mokry...

Oddech Stanisława był urywany i świszczący. Próbował coś powiedzieć, ale z jego gardła wydobywał się tylko jęk.

– Trzeba położyć biedaka – powiedział Michał i przy pomocy Ani zawlekł Stanisława do salonu i posadził na kanapie.

Ania zaczęła zdejmować ojcu buty.

– Czemu tata nie zasznurował butów? – spytał Michał, zdejmując ojcu czapkę i kurtkę. – Tyle śniegu dostało się do środka...

– Trzeba go przebrać, Michał. Daj swoje rzeczy, proszę... – Ania wycierała spoconą twarz Stanisława rękawem od piżamy.

Michał pospiesznie poszedł do pokoju, gdzie stała szafa z jego ubraniami. Wyjął podkoszulek, sweter zrobiony przez Anię na drutach, spodnie i bieliznę. Poszedł jeszcze po ręcznik i ciepły szlafrok, który wisiał w łazience. Kiedy wrócił, Ania zdążyła już rozebrać ojca. Ciało starego człowieka było blade. Żyły przeświecały przez cienką skórę. Nie znał się na tym, ale według niego Stanisław był bardzo chory.

– Czemu ojciec tutaj szedł, można było zadzwonić... – powiedział. – Co się stało?

– Zadzwoń na pogotowie – zarządziła Ania. – On się dusi...

Żebra znikły pod koszulką, ale Michał zauważył, że teść z trudem łapał powietrze.

– Telefon nie działa – powiedział ze zdumieniem. – Jak to możliwe?

Stanisław zaniósł się ciężkim kaszlem.

– Boże drogi. – Ania cała się trzęsła. – Teraz właśnie musiał się zepsuć... Może ja pobiegnę zadzwonić od Mani?

– To nie ma sensu. Pojadę z nim do szpitala – zdecydował i zaczął się szybko ubierać.

– Tato, powiedz coś – prosiła Ania, ale jej ojciec trzymał się za serce z grymasem bólu i nic nie mówił.

Michał wyszedł na podwórze. Ocenił, że zdoła wyjechać z garażu mimo dwudziestocentymetrowej czapy śniegu na podwórzu. Odgarnął śnieg przy bramie. Bał się, że nie zapali malucha. Wsiadł do środka i włożył kluczyk do stacyjki. Samochodzik zakrztusił się, kaszlnął kilka razy, ale w końcu zaskoczył. Silnik zaczął pracować.

– Bogu dzięki – przeżegnał się i wyjechał za bramę. Potem nie gasząc silnika, poszedł po teścia i Anię. Wspólnymi siłami wsadzili staruszka na przednie siedzenie. Stanisław zamknął oczy.

– Ty zostań – zarządził Michał.

– Nie, ja pójdę do nich do domu... Nie wiem, co się stało, mam nadzieję, że nic poważnego. Tato, słyszysz mnie? – spytała. – Pojedziesz z Michałem do szpitala, a ja pójdę do was. Dobrze?

Ojciec spojrzał na nią i złapał ją kurczowo za rękę. Sękate palce, które tak lubiła obserwować, kiedy ciosały drewno, zacisnęły się na jej drobnej dłoni jak imadło.

– Tatusiu... – wykrztusiła.

Stanisław rozluźnił chwyt. Dwie łzy spłynęły z jego oczu i pociekły po policzkach. Michał bez słowa zamknął drzwi i ruszył. W lusterku wstecznym widział, jak Ania biegnie w stronę domu ojca.

Widok czołgu na ulicy wydał mu się dość absurdalny. Stanisław, który oddychał coraz ciszej i trudniej, zasłonił twarz rękoma, jakby bronił się przed ciosem. Michał zatrzymał się na znak żołnierza. Nie mógł odkręcić zamarzniętej szyby malucha, więc wysiadł z samochodu.

– Pan zawraca – powiedział ubrany w zimowy mundur żołnierz. – Nie można nigdzie jechać.

Michał ogarnął wzrokiem czołg, spojrzał na sylwetki w mundurach, a potem wpatrzył się na drogę, na której nie było żywego ducha. Na końcu drogi był tunel, a po drugiej stronie droga do Turczynka, do szpitala. Nie mógł odróżnić, czy ma do czynienia z żołnierzami, czy milicjantami, w ciemności nie widział dobrze.

– To mój teść – powiedział.– Jest bardzo chory. Nasz telefon nie działa, nie mogliśmy wezwać pogotowia, więc ja sam…

– Telefony nie działają – przerwał mu żołnierz. – Niech pan zawraca.

– Ale mój teść… – protestował słabo Michał. Nie miał odwagi zapytać, co znaczy czołg na ulicy, jak też ludzie w mundurach w pełnym uzbrojeniu.

– Człowieku, jest stan wojenny! – wrzasnął tamten, a drugi uniósł broń. – Wracaj do domu, bo jeszcze ktoś cię zastrzeli.

Wsiadł do samochodu, próbując zebrać rozproszone przez strach myśli. Nie było sensu zawracać i próbować szczęścia z drugiej strony Brwinowa, tam na pewno też byli ludzie w mundurach. Michał wjechał w jedną z bocznych uliczek, a potem klucząc przez wąskie, nieodśnieżone ulice, próbował dojechać do Pruszkowa. Kilkakrotnie samochód zakopywał się w zaspach, ale Michał zdołał jakoś odgarniać śnieg spod kół. Odcinek drogi, którego najbardziej się obawiał, okazał się najprostszy do przebycia. Pole rzepaku, od zachodniej strony Pruszkowa, przed elektrownią, zlitowało się nad ledwie dyszącym Stanisławem i zdenerwowanym Michałem i przepuściło mały samochodzik.

– Ryli tu niedawno pługiem – wyjaśnił teściowi, chociaż ten siedział z zamkniętymi oczami i nie odzywał się ani jednym słowem. – Nie ma tyle śniegu, całe szczęście. Bóg strzegł. Myślałem, że się zakopiemy. Niech się tata trzyma, już niedaleko.

Pomyślał, że benzyny ma mało, ale powinni dojechać, a potem się coś wykombinuje. Tyle że pod elektrownią stało kilka czołgów i Michał chcąc nie chcąc znów się zatrzymał.

– Wracać! – Żołnierz nie był tak spokojny jak jego kolega w Brwinowie.

– Niech tata wysiądzie – powiedział Michał, nie zwracając uwagi na słowa tamtego. – Do szpitala jest jakiś kilometr, pójdziemy…

– Zawracaj, słyszysz?! – Michał zobaczył uniesioną broń.

– Idę z człowiekiem do szpitala! – krzyknął. – Skoro nie pozwalacie przejechać, zawieźcie nas tam! Choćby czołgiem!

Zdezorientowani spojrzeli po sobie.

– Idziemy – zdecydował Michał i zaczął ciągnąć Stanisława. Objął staruszka i trzymał mocno, bo teść ledwo powłóczył nogami. Kątem oka widział, jak jeden unosi broń.

– Strzelaj Polaku do swojego! – krzyknął Michał nieprzytomny ze zdenerwowania i strachu. – Walczyłem w powstaniu, żebyś ty czołgiem na ulicę mógł wyjechać! No! Strzelaj! Na co czekasz?!

Odpowiedziała mu cisza. Głos echem niósł się po pustej ulicy.

Kiedy dotarli do szpitala, Michał był pewien, że sam będzie potrzebował pomocy lekarskiej. Był ledwie żywy ze zmęczenia. Bolały go ręce i nogi. Na dziedzińcu także roiło się od żołnierzy, tyle że przynajmniej czołgu nie było. Znów nie chciano ich przepuścić, ale Michał nie zamierzał poddać się tak blisko celu. Roztrącając żołnierzy, wprowadził teścia na izbę przyjęć. Spojrzał na przerażone twarze pielęgniarek, siedzących w dyżurce nieruchomo jak kukiełki. Wyglądały jak zatrzymane w kadrze.

– Zawołajcie lekarza – krzyknął. – Zróbcie coś.

Wszyscy nagle zaczęli się ruszać, jakby ktoś nacisnął magiczny guzik. Jeden z żołnierzy kazał mu pokazać dowód osobisty. Michał położył teścia na leżance i dopiero wtedy wyjął zieloną, podniszczoną książeczkę.

– Brwinów? – spytał zdumiony. – Jak się tu dostaliście?

Michał miał ochotę pokazać gest, który kiedyś będzie przypisywany Kozakiewiczowi, ale powstrzymał się. Zamiast tego cierpliwie wytłumaczył, że teść potrzebował lekarza, telefony nie działały, a drogę do najbliższego szpitala zagradzał czołg.

– Stan wojenny jest – burknął jeden z żołnierzy, który widocznie był dowódcą, bo reszta wojskowych zwierała obcasy, jak tylko stawał koło któregoś. Michał przyglądał się im przez chwilę. Nie sprawiali wrażenia pewnych siebie, tak jakby nie do końca sami wiedzieli, co sie dzieje.

– Zabieramy pana na oddział – powiedział szczupły młody doktor po zdjęciu słuchawek z piersi Stanisława. – To prawdopodobnie zawał – rzucił w stronę Michała i sam zaczął popychać wózek w kierunku windy.

Pielęgniarki znów siedziały jak kukły.

– Zaraz, zaraz! – Żołnierz zagrodził drogę lekarzowi. – Dowódca musi zdecydować.

– Na razie rządzę tu jeszcze ja… – wycedził młody doktor, który nagle nabrał odwagi i pchnął wózek mocniej.

Mężczyzna niechętnie odsunął się na bok.

– Gestapo! – pisnęła młodziutka pielęgniarka, po czym wstała energicznie z krzesełka i dołączyła do lekarza. Michał jak we śnie obserwował, jak wózek ze Stanisławem znika w windzie. Nagle stracił wszystkie siły. Nie wyobrażał sobie, że wstanie i dotrze do samochodu. Osunął się na niewygodne, drewniane krzesło i zasnął.

Jeremi wysłuchał przemówienia generała Jaruzelskiego o szóstej nad ranem. Po piątej zbudziła go matka i kazała lecieć szybko do pani Irenki dwa bloki dalej, zbudzić, przeprosić i poprosić, żeby zadzwoniła na pogotowie. Jego starszy brat Maciek znów dostał ataku padaczki, prawdopodobnie zapomniał wziąć proszki przepisane przez doktora, stąd nieszczęście. Maciek w kółko o tym zapominał, chociaż bywało i tak, że zapracowana matka Jeremiego sama zapominała załatwić receptę i Maciek nie miał co łykać. Zazwyczaj kończyło się to drgawkami, po których nie chodził do szkoły ze dwa dni. Ataki zwykle występowały nocą, ten ostatni także. W dodatku Maćkiem trzepało już dobre pół godziny, piana toczyła mu się z ust, nie pomagał ani śnieg z parapetu przykładany do czoła, podkładana pod nos wódka, ani nawet wpychane do buzi leki.

Wreszcie matka Jeremiego dała za wygraną i poszła po męża, ale ten nawet się nie zbudził, tylko machnął przez sen ręką, jakby muchę odganiał. W małżeńskiej sypialni było duszno i czuć było przetrawiony alkohol i pot. Zbudzono zatem Jeremiego, a ten w poczuciu obowiązku przetarł oczy rękoma, założył sweter i spodnie na piżamę, wdział relaksy, ortalionową kurtkę i pognał do sąsiadki. Czołgi zauważył dopiero u pani Irenki przez okno.

– Spać nie mogłam – powiedziała, nie dziwiąc się wcale jego nocnej wizycie, zanim zdążył cokolwiek powiedzieć. – I włączyłam sobie radio. A tam o wojnie…

– Mama się pyta, czy może pani zadzwonić na pogotowie, bo Maciek ma znowu atak i nic nie pomaga.

– A zadzwonić to ja już chciałam, do rodziny swojej, do Katowic, pożegnać się, ale telefon odcięli…

– Jaka wojna? – spytał. – Taka jak w „Czterech pancernych"? Nie strzelają…

Sąsiadka spojrzała na niego z ironią.

– Tyle że swoi zaczną do nas strzelać, a nie Niemcy.

– To co ja mam zrobić? – zmartwił się nie na żarty Jeremi.

– Leć do domu, matce i ojcu powiedz co i jak. I uciekajcie – doradziła sąsiadka.

Jeremi nie słuchał dalej, tylko wybiegł przed blok i rozejrzał się na boki. Było cicho, ale w niektórych oknach paliły się światła. W głowie mu kołatały słowa „wojna", „będą strzelać", „pożegnać się" i przede wszystkim „uciekajcie". Pomyślał, że jeśli miałby kogoś ostrzec, to rodzinę Julii. Pobiegł prosto przez śnieg do ich domu i zakołatał energicznie do drzwi. Odpowiedziała mu cisza, więc zaczął uderzać rytmicznie pięścią, aż zapaliło się światło w sieni, zamek szczęknął i drzwi się otworzyły. Skulona z zimna pani Basia, mama Julki i Ulki, stała w szlafroku i patrzyła na niego zdumiona.

– Jarek? – spytała. – Co się stało? Czemu ty po nocy?...

Mówił bezładnie o wojnie, Maćku, który nie mógł przestać się trząść, wojnie, czołgach i o tym, żeby uciekać.

– Wejdź do środka – powiedział tata dziewczynek, który również w szlafroku stanął w sieni.

Jeremi wszedł, zdjął buty, po namyśle wełnianą czapkę w niezbyt męskich kolorach, szalik w gwiazdki robiony przez ciotkę, którego się wstydził jeszcze bardziej, i klapnął na kanapę w salonie Andruszkiewiczów. Ta miła pani nawet go nie spytała, czy chce herbatę, tylko postawiła przed nim parujący napój, pachnący sokiem malinowym. Obok na talerzyku leżała spora grudka konfitur. Jeremi przełknął ślinę.

– Maciek – przypomniał sobie nagle, zrywając się z miękkiego siedzenia. – Ma atak i nie przechodzi. Dziękuję, praszam i... już mnie nie ma...

– Siedź spokojnie. – Tata bliźniaczek położył dłoń na jego ramieniu. – Zostań u nas, a ja pójdę do ciebie do domu i zobaczę, o co chodzi.

Spojrzał na żonę i rozłożył ręce.

– Telefon nie działa...

– Wyłączyli wszystkim – pospieszył Jeremi z wyjaśnieniem, parząc sobie wargi gorącą herbatą. – Czołgi jeżdżą i mówią, że wojna, a Maciek... Pan włączy telewizję

Tomasz włączył odbiornik.

– Atmosfera niekończących się konfliktów, nieporozumień, nienawiści sieje spustoszenie psychiczne, kaleczy tradycje tolerancji. Strajki, gotowość strajkowa, akcje protestacyjne stały się normą. Wciąga się do nich nawet szkolną młodzież. Wczoraj wieczorem wiele budynków publicznych było okupowanych. Padają wezwania do fizycznej rozprawy z „czerwonymi", z ludźmi o odmiennych poglądach. Mnożą się wypadki terroru, pogróżek i samosądów moralnych, a także bezpośredniej przemocy... – mówił generał w czarnych okularach, wyprostowany, jakby kij połknął.

– Gdzie ty mieszkasz, chłopcze? – spytał Tomasz, po czym zaczął się ubierać.

Jeremi podał swój adres, wytłumaczył jeszcze, że to ten najbardziej skrajny blok w kierunku Tworek, z czerwonymi płytami koło okien, druga klatka, trzecie piętro, zaraz na lewo. Na drzwiach nie ma żadnej tabliczki.

– Tomasz, ja nie wiem, czy to bezpieczne – powiedziała pani Basia do męża, widząc, że wkłada palto, buty i bierze torbę lekarską. – Może ty zostań...

Więcej już Jeremi nie słyszał, bo położył głowę na gładkim materiale poduszki i zasnął. Ostatnią jego myślą była nie wojna, ale żal, że u nich w domu nie ma takich miękkich i gładkich poduszek.

Kiedy się obudził, było już jasno. Julia i Ula siedziały koło niego na kanapie. Sądząc po zapachu, piły kawę inkę z kubków i wpatrywały się w telewizor.

– Mamo, on się obudził! – krzyknęła Ula w stronę kuchni.

– Nie ma Teleranka – powiedziała Julia i bezradnie rozłożyła ręce.

Obie siostry były w koszulkach nocnych i szlafroczkach, na nogach miały wełniane skarpety i miękkie kapcie. Wedle oceny Jeremiego wszystko wyglądało na zagraniczne. Dyskretnie zajrzał pod koc, żeby stwierdzić ze wstydem, że ktoś, pewnie ich mama, zdjął z niego mokre spodnie. Mocniej naciągnął przykrycie. Tkwił teraz w pułapce, bo na sobie miał ohydną pasiastą piżamę w spłowiałych kolorach, którą odziedziczył po Maćku, a na stopach pozbawionych skarpetek straszyły dawno nieobcinane, niezbyt czyste paznokcie. „No tak", pomyślał, „ja nie mam wujka w Ameryce i cioci w Budapeszcie, czy gdzie tam one mają".

– Dziękuję bardzo – powiedział, widząc, że i jemu mama Julki i Uli niesie kawę inkę i dwa naleśniki z dżemem, sądząc po zapachu, truskawkowym.

Na ekranie znów przewalały się czołgi i żołnierze w grubych waciakach. Przechadzali się po zaśnieżonych ulicach Warszawy i ogrzewali przy koksownikach. Ludzie podchodzili całkiem blisko i zadawali im pytania, a oni wyjaśniali, coś gestykulując.

– Proszę bardzo – powiedziała pani Basia, podając mu jego własne spodnie i sweter oraz skarpetki należące najprawdopodobniej do którejś z dziewczynek, ponieważ były białe w różowe wisienki. – Twoje niestety są mokre i... dziurawe, więc mam nadzieję, że się nie obrazisz.

Potem wygoniła dziewczynki i Jeremi w spokoju się ubrał. Kiedy wciągał skarpetki, zastanawiał się, dlaczego nie dostał męskich skarpet, tylko dziewczyńskie. Może Andruszkiewiczowie mieli deficyt męskiego przyodziewku, bo przyszykowali wszystkie ubrania na wojnę.

– To ja dziękuję bardzo i do widzenia – wszedł do kuchni, niosąc puste naczynia.

– A ty dokąd? – Pani Basia miała zatroskaną twarz, ale uśmiechała się miło. – Nigdzie ciebie nie puszczę.

– Muszę wracać do domu – powiedział z godnością. – A pani powinna się spakować i uciekać.

– Dokąd mam uciekać? – spytała i złapała się za serce.

– Doradzałbym do lasu – szepnął konfidencjonalnie. – Tylko niech pani nie ucieka w kierunku Tworek, bo tam wie pani... Oni mogą już czekać. Zabiją najpierw mężczyzn, nie wiem, czy oszczędzą panią. Niech pani powie, że jest lekarzem, może wtedy.

Basia stała i patrzyła na Jeremiego ze zdumieniem w oczach.

– Właśnie – dodał, widząc malujące się zrozumienie na twarzy kobiety. – Dobrze, że wzięła pani wszystkie skarpetki, ale to może nie wystarczyć. Lepiej też wziąć puszki, a najlepiej konserwy...

Nagle cała troska zeszła z twarzy i kobieta zaczęła się serdecznie śmiać.

– Wiesz co? – powiedziała, zdejmując mu czapkę i odkręcając szalik, którym zdążył okręcić szyję. – Powiem ci prawdę. Bardzo się denerwuję i martwię, bo nie wiem, co się dzieje, telefony nie działają, a generał... mówi, co mówi. Skoro jednak tu trafiłeś, to nie mam zamiaru cię wypuszczać z domu, tylko wykorzystam jako eksperta...

Został jeszcze na obiedzie i kolacji, oglądali razem telewizję, gdzie w kółko powtarzano to samo przemówienie, jakby generał chciał nauczyć naród swoich słów na pamięć. Poza tym grali w chińczyka i rozmawiali. Pani Basia zapewniała go, że jego rodzice na pewno się niczym nie martwią, wiedzą przecież, gdzie on jest. Ula poczęstowała go balonówką, a Julia pokazała książki. Nawet Karol nie patrzył na niego z góry, tylko pozwalał wybrać kolor pionków w chińczyku i nawet zaczął uczyć gry w szachy. Jeremi starał się zapamiętać każdą minutę spędzoną w tym miłym domu.

Dopiero wieczorem wrócił pan Tomasz i od progu było widać, że nie ma najlepszych wiadomości. Zamknął się z żoną w kuchni i coś cicho mówili, a kiedy wyszli, pani miała zaczerwienione oczy, ale znów udawała, że nic się nie stało. Jeremi znał takie udawanie, bo jego własna matka w kółko miała czerwone oczy, a ostatnio to nawet wiedział dlaczego. Słyszał awanturę w kuchni między matką a ojcem. Mama krzyczała, że znowu „to się stało" i ona teraz nie wie, co mogłaby zrobić, bo tamtego doktora wsadziła za kratki, a inszy chce za dużo. Jeremi tylko się domyślał, że znów będzie miał braciszka albo siostrzyczkę. Chociaż to nie było takie pewne. Po tym jak urodził się Adrian, były jeszcze trzy takie awantury, ale żaden niemowlak nie pojawiał się w ciasnym mieszkaniu. Może i tym razem mama jakoś zamierzała to załatwić. Podejrzewał jednak, że w przypadku Andruszkiewiczów nie chodzi wcale o dzidziusia, który może stanowić kłopot, tylko o co innego. Spytał o Maćka.

– Przepraszam cię, chłopcze. – Doktor pogłaskał go po głowie. – Martwisz się pewnie, a ja zapomniałem ci powiedzieć co i jak. Wszystko z twoim bratem w porządku, ale musiał zostać w szpitalu. Twoi rodzice wszystko wiedzą... Ktoś niedługo po ciebie przyjdzie.

Potem przyszła Magda i zabrała go do domu. Bał się, że będą mieć do niego pretensje, że nie wrócił od razu, ale powitała go grobowa cisza. Matka nie zapytała, jak było u Andruszkiewiczów, tylko zmywała, prała jak co dzień, ale z tak zaciętym wyrazem twarzy, jakby naprawdę była wojna. Wieczorem uczestniczył w tradycyjnym rodzinnym czytaniu Księgi Apokalipsy. Robili tak od pewnego momentu co wieczór, po wspólnej modlitwie i wstaniu z kolan. Jeremi tego serdecznie nie znosił. Bał się opisów mąk, którymi Bóg kara tych, którzy zgrzeszyli na ziemskim padole. Wyobrażał sobie, co robi tym, którym zdarzało się ukraść żelki albo podczas niedzielnej mszy zamyślali się w czasie kazania. Już widział się z rozprutym brzuchem, a anioł stróż wiązał sobie krawat jego jelitami. Tego wieczora ojciec wybrał okropny fragment, w którym była mowa o ogniu piekielnym i różnych pożogach. Kiedy położył się do łóżka, Magda, która chyba musiała odreagować bardziej niż zwykle, straszyła go upadłym aniołem, który podczas snu wkręci mu się we włosy niczym nietoperz. Jeremi gotów był boso po śniegu wracać do Andruszkiewiczów, byleby tego nie słuchać. Na dodatek wszyscy bali się następnego dnia, jakby prawdziwa apokalipsa miała właśnie nadejść.

Przez dwa tygodnie nikt nie chodził do szkoły. W poniedziałek chętni pojawili się pod bramą, ale po obejrzeniu czołgu na dziedzińcu wrócili do domów.

– Szkoła nieczynna do odwołania – krzyczał jeden z żołnierzy przez tubę.

Jeremi zaczekał na Ulę i Julkę.

– Mogę iść do was, bo nie mam kluczy? – spytał.

Obie pokiwały głowami.

– Chciałam pożyczyć książkę z biblioteki – zmartwiła się Julia. – Wszystko już przeczytałam...

Poszli na Lipową, gdzie była wypożyczalnia książek dla dzieci, zobaczyli zamknięte na głucho drzwi i poczłapali na osiedle Wyględówek. Przy kolejce Jeremi wysupłał jakieś grosze i kupił wodę z saturatora, którą wypili we trójkę, każde po kolei, po łyku. Dziewczynki protestowały trochę, bo mama wielokrotnie opowiadała im, jak niehigieniczne są szklanki, których pani „saturatorowa" nie myje w płynie Ludwik, tylko opłukuje kilkoma strumyczkami wody. Po drodze Jeremi dowiedział się, że wczoraj w szpitalu umarł pradziadek dziewczynek, a w tym samym czasie w domu prababcia.

– Tata powiedział, że wujek dziadka na plecach niósł do szpitala ponad kilometr, ale i tak było za późno... – powiedziała Julia.

– Ooo... – Jeremi nie wiedział, co powiedzieć.

Dziadkowie ze strony ojca mieszkali pod Siedlcami. Kiedy był mały, czasami jeździli do dziadka i babci pociągiem, ale wspominał to jak koszmar. Spędzali tam zwykle Wigilię, bo tata się upierał, że w tym dniu trzeba być z rodziną. Babcia robiła niedobre potrawy, które trzeba było jeść, jeśli się nie chciało oberwać. Mikołaj zwykle przynosił skarpetki albo kredki, w ostateczności czapkę. Trzeba było się cieszyć i dziękować Mikołajowi, a babka uśmiechała się wtedy szeroko. Najgorsza była noc. Spali na jednym łóżku z matką, ojcem i całym rodzeństwem. Dziadek umarł trzy lata temu, zaraz potem babcia i wyprawy się skończyły. Wzdrygnął się na samo wspomnienie.

– Jeszcze mu samochód zabrali – dodała Ula, a Jeremi przestał myśleć o swoich dziadkach z Siedlec.

– Właściwie to nie zabrali, tylko rozjechali czołgiem, bo zostawił go gdzieś na środku ulicy... – skorygowała Julia. – A wiesz,

Jarek, że mój tata nie mógł twojego brata wyleczyć, pogotowie nie chciało go zawieźć do szpitala, to tata poleciał na milicję?

– Serio? – zdumiał się Jeremi, bo w domu nic mu nie mówili.

– No – powiedziały obie jednocześnie i pokiwały głowami. – I milicja zawiozła go do szpitala.

Wprowadzenie stanu wojennego prócz śmierci Andzi i Stanisława przyniosło aresztowanie Jerzyka oraz Michele i Janusza. Na dodatek Julian Czerwiec, który miał wyjść do domu za dobre sprawowanie, został w więzieniu. Na nic zdały się załatwiona apelacja od wyroku, nowy materiał dowodowy i sowicie opłacony adwokat, który deklarował, że zna kogoś bardzo, ale to bardzo wysoko. Żaden więzień nie opuścił zakładu karnego.

Ile osób umarło przez to, że telefony nie działały, trudno zliczyć. Jeśli ktoś potrzebował pomocy lekarza, szedł na milicję, a funkcjonariusz po rozpatrzeniu sprawy łączył się z dyspozytorem pogotowia ratunkowego. Potem milicja twierdziła, że to było dobre rozwiązanie, ponieważ ludzie szukali pomocy tylko w ostateczności, wiec wszyscy mieli lżej, i policja, i lekarze. Wprowadzono godzinę policyjną. Jedynie dzieci były zadowolone. Po dwóch tygodniach przymusowej przerwy w nauce zaczęły się ferie. Przez cały miesiąc można było bezkarnie spać do dziesiątej i odwiedzać się nawzajem w domach. Potem zaczęło się normalne, tylko jeszcze cięższe życie.

1982 ROK

– Dziadziu, my chcemy lizaka – jęknęła Ula.

– A skąd ja wam wezmę, kwiatuszki, lizaka? – spytał Ryszard retorycznie i pogłaskał wnuczki po główkach.

Dzieciom przysługiwało po dziesięć dekagramów słodyczy w miesiącu i wszyscy byli szczęśliwi, jeśli zamiast obrzydliwego wyrobu czekoladopodobnego udawało się dostać masę cukrową oblaną czymś z jako taką zawartością kakao, co nazywało się „mieszanką czekoladową". Tylko raz, cudem, Ryszard kupił wnuczkom po czekoladzie „Jedyna", którą zjadały przez miesiąc wieczorem po dobranocce, obłupując po kawałeczku..

– Na strzelnicy są... – powiedziała Ula, która była bardzo bystra i zaradna, w sam raz na tamte czasy.

Ryszard, który był rodzinnym zaopatrzeniowcem i dzierżył w portfelu kartki dla całej rodziny, brał Ulę ze sobą do kolejki, bo wnuczka miała niezwykły wręcz dar przewidywania, do jakiego sklepu zostaną „rzucone" towary. Umiała też na podstawie długości ogonka i liczby osób oszacować, czy starczy dla nich mięsa, kiełbasy lub wędliny, czego Ryszard nie potrafił zupełnie robić i często odchodził rozczarowany, bo po kilkugodzinnym staniu zabrakło mięsa tuż przed nim.

– Na jakiej strzelnicy? – nie zrozumiał.

Julia milczała, a Ula przewróciła oczami.

– Za kolejką jest strzelnica. Są miśki, zabawki, cukierki i lizaki. Lizaki są w paczkach, chyba po pięć. Chodźmy tam i strzel, dziadziu. Proszę...

Ryszard westchnął. Cała rodzina należała do inteligencji niezaradnej. Umieli tylko stać w kolejkach i czekać na ochłapy rzucone ludziom przez rząd. Inni nieźle się obławiali na handlu, oni wszyscy ledwie mieli co do garnka włożyć. Ratowały ich jedynie dary dla „pani doktor" od wdzięcznych pacjentów i paczki przysyłane od krewnych rozproszonych po świecie. Te ostatnie przychodziły ze Stanów od Janka Winnego i z Francji od Tadzika, ale już dwukrotnie dotarły do Pruszkowa i Brwinowa w formie szczątkowej. Na pierwszy rzut oka było widać, że ktoś otworzył przesyłkę i rozkradł, co się dało, pozostawiając symboliczną zawartość. Tak stało się z przesyłką od Winnych z Francji, w której zostały tylko przyprawy, cukier w kostkach oraz mąka, na której widniała informacja, oczywiście po francusku, że służy do wyrabiania ciasta na quische i tartę. Ten, co kradł, postanowił chyba zostawić kilogramowy pakunek w obawie, że nie sprzeda tego normalnemu polskiemu obywatelowi. Mąka przydała się na tort urodzinowy dla dziewczynek, luksus w tamtych czasach, ale Mania i Basia uznały, że nie można pozwolić, żeby kryzys pozbawił dzieci tradycyjnego urodzinowego przysmaku. Wszyscy wierzyli, że stan wojenny nie potrwa długo i w końcu będzie można zacząć żyć w miarę normalnie.

Inaczej rzecz miała się z paczką od Janka. Napisał do nich długi list, który dostali otwarty ze stemplem „ocenzurowano". Zawiadamiał w nim, że żeni się z jakąś kobietą i zamierza przyjechać z nią do rodziny do Polski. O Łucji Wierusz-Kowalskiej nie było w tym liście mowy i wszyscy zastanawiali się, co takiego zaszło między Jankiem i Łucją, przecież rzadko, ale systematycznie donosił, że są szczęśliwym małżeństwem i razem wychowują jej córkę. Wprawdzie nie można się było doprosić żadnego zdjęcia, ale nie było powodu, żeby Janowi nie wierzyć. Mania i Ania dały na kolejną mszę za zdrowie i pomyślność Janka, tym razem na nowej drodze życia, a potem wszyscy czekali na przyjazd marnotrawnego kuzyna.

Kiedy wprowadzono stan wojenny, Janek odwołał wizytę telegraficznie. Dopiero później napisał dłuższy list, że mieli z żoną zakupione bilety na lot 15 grudnia do Polski, ale z przyczyn wiadomych samolot odwołano i zwrócono im pieniądze. Przysłał także zdjęcie z nową żoną w restauracji, gdzie oboje pochyleni nad gigantyczną porcją mięsa i frytek uśmiechali się do obiektywu. W liście tym pod koniec napomknął, że z Łucją bardzo chciał się ożenić, ale ona go zwodziła, trochę żyli jak małżeństwo, stąd tak napisał do rodziny, w końcu jednak postanowiła go opuścić. Koniec końców historia z Łucją była skończona.

Trzeba przyznać Jankowi, że mimo niejasnych zeznań na tematy osobiste o rodzinie pamiętał. Zaraz jak tylko dotarło do Ameryki, że w Polsce jest kryzys, jeszcze przed wprowadzeniem stanu wojennego zaczął przysyłać paczki, a w nich cukier, mąkę, olej i ryż, a poza tym mnóstwo słodyczy i gum balonowych, które niestety padały ofiarą kradzieży.

– Co rodzina, to rodzina – mówiły Ania i Mania i wysyłały kuzynowi listy pełne wdzięczności ze zdjęciami dzieci, wnuków i dokładnym opisem, co się z kim dzieje, gdzie pracuje i co osiągnął.

Ryszard rozmawiał kiedyś ze swoim kolegą z dawnej pracy, który też miał brata w Ameryce, tyle że brat przysyłał mu regularnie zdjęcia na tle otwartej i wypełnionej wszelkim dobrem lodówki, a w długich listach zapewniał, że klepie biedę i pracuje jako stróż nocny, za co bardzo trudno się utrzymać, a co dopiero pomagać rodzinie w Polsce. Zgodnie wśród Winnych uznano, że nie mają co narzekać i nawet przyprawy Adeli przyjmowano z wdzięcznością oraz zakazano Michele pisania do siostry w tonie innym niż dziękczynny.

– Dziadziu, prosimy... – Ula stała i szarpała Ryszarda za rękaw.

– No dobrze. – Skinął głową. – Lekcje odrobione?

– Odrobione – powiedziała Julia, a Ula wykonała serię machnięć rękoma, co mogło oznaczać tylko tyle, że nie odrobiła wszystkiego, co było zadane na jutro, ale nie ma takiego sposobu, żeby ją przekonać do odstąpienia od planowanej wyprawy po lizaki.

Poszli więc, dziewczynki podskakujące u boku z radości, jakby już miały te lizaki w rękach, on z siatką, kartkami i pieniędzmi w kieszeni, bo przecież nigdy nie wiadomo, co rzucą we wczesne wtorkowe popołudnie.

Pan na strzelnicy miał zły błysk w oku, a wszystkie trzy karabiny wygiętą lufę.

– W co będzie pan strzelał? – spytał, omiatając wzrokiem Ryszarda, jego siwe włosy wystające spod czapki, którą dostał na ostatnie święta od którejś z wnuczek, równie siwą, lekko zmierzwioną brodę i stare ręce.

– W lizaki – odpowiedział.

„Strzelnicowy" wymienił cenę za dziesięć strzałów i uśmiechnął się krzywo.

– A jak trafię dziesięć razy, to możemy wziąć dziesięć zabawek albo lizaków? – spytał, szacując, że koszt strzelania to tyle samo co ćwierć kilo kiełbasy.

– Taaa… – Tamten smarknął ironicznie i popatrzył na Ryszarda z wyższością.

Ryszard zdjął czapkę, oddał dziewczynkom siatkę i rozpiął górny guzik kurtki. Potem wycelował i zaczął strzelać. Kiedy były żołnierz AK, najlepszy snajper w całym pułku, skończył, strzelnicowy miał otwarte usta ze zdumienia, dziewczynki stały, jakby je ktoś przyspawał do podłoża, a z lufy karabinu unosił się dym.

– To poprosimy te dziesięć wygranych rzeczy. Dziewczynki, wybierajcie, co chcecie…

– Momencik… – odzyskał mowę strzelnicowy. – Strzelał pan w lizaki, więc się nie należy.

– Zaraz w ciebie strzelę, spekulancie jeden… – powiedział Ryszard cicho i tamten bez słowa zaczął podawać dzieciom żądane zabawki i słodycze.

– Dziadzio to jest normalnie bohaterem – opowiadała Ula potem w domu, a Julia jej wtórowała, opisując, jak dziadek za każdym razem trafiał w środek tarczy, co pozwoliło na przytarganie do domu dwóch paczek lizaków, dwóch sporych misków, cukierków, a nawet dwóch czekolad, które po otwarciu okazały się całkiem białe, jakby pokryte szronem, ale smakowały wybornie.

– Podzielcie się z Małgosią, Pauliną i Kacprem, dobrze? – przypomniała im Basia, a one obruszyły się, bo i tak miały zamiar to zrobić.

Ula swojego miśka oddała Paulince, a Julia wielką rudą wiewiórkę postanowiła zanieść Adriankowi, najmłodszemu bratu

Jarka, który w kółko siedział w domu, bo dzieci się z niego śmiały, że jest „dziwny". Ula pokpiwała z siostry.

– Wiedziałam, że ze swoimi rzeczami polecisz do Wiśniewskich. Mama, ona się kocha w tym Jarku od przedszkola!

Julia stanęła w progu pełna oburzenia, że siostra mogła tak zszargać jej chęć podzielenia się dobrem z przyjacielem.

– Ulka, przestań! – włączył się tata do rozmowy, widząc, że Julia prawie płacze. – Odprowadzę cię, skarbie, bo już ciemno, dobrze? I poczekam pod blokiem.

Julia pokiwała głową i wyszli razem z tatą.

– Naprawdę dziadek tak dobrze strzela? – spytał tata, kiedy owiało ich mroźne powietrze.

– No, jak Janek z „Czterech pancernych". – Pokiwała głową. – Gdzie on się tego nauczył?

– Dziadek walczył w czasie wojny, ale niechętnie o tym mówi... – wyjaśnił jej tata. – Dziadek, wujek Michał, babcia Ania... Nie mówiąc o wujku Janku z Ameryki i Tadziku z Francji... No, a rodzony brat babć, Wacław...

– Wiem – przerwała mu Julia. – Zginął we Francji, broniąc naszej ojczyzny. A czemu twoi rodzice i dziadkowie nie walczyli?

– Przecież wiesz, że mój dziadek zmarł przed wojną – łagodnie wyjaśnił tata. – A ojciec miał na utrzymaniu rodzinę. Nie zgłosił się do wojska. Jeśli masz w sobie geny walki, to raczej po Winnych niż po mojej rodzinie.

– Tylko babcia Mania była mało waleczna... – Uśmiechnęła się Julia. – A za to jej siostra...

– Babcia Ania nie przestanie nas nigdy zadziwiać. – Uśmiechnął się do siebie Tomasz, który bardzo lubił swoją teściową, ale jej siostra hipnotyzowała go swoim dostojeństwem, inteligencją, oczytaniem i moralną postawą. Nie znał drugiej takiej kobiety i czasem myślał, że Michałowi musi być ciężko, dzielić życie z kimś takim. Zatęsknił za swoimi rodzicami, którzy mieszkali w Warszawie i rzadko przyjeżdżali do Pruszkowa, a on z żoną z kolei byli ciągle zajęci i ciężko im było z trójką dzieci tłuc się kolejką WKD, potem autobusem albo tramwajem, żeby po dwóch godzinach siedzenia przy stole wracać w ścisku do domu.

– O czym myślisz, tatusiu? – Córka szarpnęła go za rękaw.

– Leć na górę, a ja tu poczekam. Tylko nie siedź długo, bo zimno.

Jeremi przetarł oczy ze zdumienia, kiedy zobaczył paczkę żelków-misków, a Adrianek wydał serię gulgoczących dźwięków na widok pluszowej wiewiórki. Julia pokrótce opowiedziała historię zdobytych skarbów.

– Chodź na herbatę – powiedział wzruszony, patrząc na przyjaciółkę, która z radością w oczach bawiła się z jego upośledzonym bratem.

– Nie mogę, bo tata na mnie na dole czeka i prosił, żebym długo nie siedziała. A przyjdziesz do nas w sobotę? – spytała.

– Dawno nie byłem... – bąknął.

– To przyjdź... – poprosiła.

Uśmiechnęła się i już jej nie było, a on został ze smutkiem w sercu i paczką żelek w dłoniach.

Ale w sobotę poszedł w gościnę, bynajmniej nie z pustymi rękoma. Zszedł do piwnicy, gdzie w jednym pomieszczeniu na rogu od góry była przerwa w deskach. Wyciągnął stamtąd kilka słoików, jak się później okazało, pikli, buraczków i kompotu jabłkowego. Wytarł słoiki starannie z kurzu, włożył w siatkę i wręczył pani Basi, przepraszając, że nie ma kwiatów.

– Nic nie szkodzi, naprawdę... – powiedziała ze śmiechem ta najmilsza z matek, jakie Jeremi kiedykolwiek widział, i poprowadziła go do dużego pokoju, gdzie przy stole siedziało mnóstwo ludzi. Jeremiego to nieco onieśmieliło, przestraszył się, że nie będzie umiał się odpowiednio zachować, ale zaraz pomyślał sobie, że co tam, westchnął, spytał, czy może najpierw umyć ręce, co spotkało się z aprobatą większości zebranych, a potem zasiadł przy stole obok dwóch staruszek podobnych do siebie jak dwie krople wody, które okazały się babciami Andruszkiewiczówien.

– Jesteś kolegą Julii i Uli? – spytała babcia, która miała kręcone ognisto-srebrne włosy.

– To przyjaciel Julii – odpowiedziała za niego druga babcia, która była od tej pierwszej znacznie szczuplejsza, miała trochę więcej zmarszczek, ale też więcej czerwonych włosów uczesanych starannie w niski, gruby kok.

Jeremi wpatrzył się w tę drugą babcię, zastanawiając się, skąd wie o jego do Julki przywiązaniu. Wyglądała, jakby wszystko o nim wiedziała, a swoim wzrokiem przenikała go na wylot. Od razu pomyślał o tym, że ona pewnie wie, jak zdobył ogórki i buraczki, które pani Basia właśnie stawiała na stole z prośbą o „podziękowanie mamusi" za tak cenne dary. Starsza pani wydawała się wiedzieć, że ogórków nie kisiła mama Jeremiego, tylko pani Irenka, ale w jej oczach nie zobaczył nagany, tylko zrozumienie i coś na kształt ciekawości.

– Znamy się od urodzenia – wtrąciła się Ula. – Urodziliśmy się tego samego dnia. U wujka…

Wszystkie oczy zwróciły się w kierunku posiwiałego przedwcześnie mężczyzny, który właśnie nakładał sobie porcję kradzionych ogórków Jeremiego na talerz.

– Naprawdę? – spytał.

– Naprawdę – potwierdził Jeremi, któremu wreszcie udało się coś powiedzieć.

– Ale ja urodziłam cięciem, a mama Jarka normalnie – powiedziała pani Basia tonem, jakby ucinała wszelką dyskusję na ten temat.

Potem spojrzała niespokojnie na swoją siostrę Kasię, która niby przypadkiem dotknęła ramienia swojego przegranego męża Juliana. Julian nie mógł wiedzieć, że to matka Jeremiego była przyczyną aresztowania, po którym nie tylko stracił prawie dziesięć lat życia w więzieniu, ale także prawo wykonywania zawodu, dochody i honor. Wprawdzie piękna żona Kasia go nie opuściła, ale i tak Julian czuł, że jego życie się w pewien sposób skończyło. Wszystko, co mogło wywołać wspomnienia tamtych czasów, kiedy jako lekarz był bogiem na oddziale i o wszystkim decydował, było skrzętnie pomijane, dlatego teraz także nie rozwinięto dyskusji o tamtych trzech porodach pod koniec czerwca siedemdziesiątego pierwszego roku.

– Babcie urodziły się tego samego dnia co my, wiesz? Też są bliźniaczkami. – Ula wyraźnie starała się naprowadzić dyskusję na atrakcyjne dla siebie tory.

– Niezupełnie – powiedziała tęższa babcia. – Tylko ja urodziłam się tego samego dnia co wy, a Ania dzień później.

– To tak można? – spytał Jeremi, który o rozmnażaniu nie wiedział zbyt wiele, ale zawsze w telewizji słyszał, że bliźniaczki rodzą się w odstępie kilkuminutowym. Nie przyznał się głośno, że rodzenie dzieci kojarzy mu się z nieobecnością matki, ciasnotą w mieszkaniu i męką wychowawczą, chociaż jego siostra Magda jeszcze w tamtym czasie nie powiła nieślubnej córki.

– Można. – Uśmiechnęła się młodsza babcia. – Tak po prostu było...

Nadal przyglądała mu się uważnie, jakby chciała się czegoś więcej o nim dowiedzieć. Jeremi już przy zupie poczuł nieodpartą chęć zwierzenia się tej kobiecie ze swoich planów matrymonialnych wobec Julii, ale nie wiedział, jak zacząć. Potem pomyślał, że najpierw powinien powiedzieć o wszystkim samej zainteresowanej, potem jej matce, ojcu, a wreszcie babci. Tyle że ona zdawała się wiedzieć, co siedzi w głowie Jeremiego bez jego zwierzeń, jakby miała radar. Jeremi nie bardzo wiedział, jakie urządzenie odczytuje ludzkie myśli, ale był pewien, że babcia Ania nim dysponuje.

Tymczasem wokół toczyły się rozmowy, jakie zwykle były udziałem Polaków przy stole, a mianowicie skąd pochodzi jedzenie, które leży na białym obrusie.

– Ryszard zachęcony sukcesem na strzelnicy postanowił zdobyć dla rodziny mięso… – zaczęła opowieść babcia Mania, a reszta rodziny spojrzała na nią i jej męża z zaciekawieniem.

– A mój Michał postanowił mu pomóc w ramach solidarności szwagierskiej… – dodała babcia Ania i przytuliła się do boku starszego pana, który uśmiechnął się i pocałował ją w czoło.

Jeremim to wstrząsnęło. Nigdy nie widział, żeby jego rodzice okazywali sobie czułość, o dziadkach nie wspominając. Rodzina nie była dla niego żadnym oparciem, dawała mu jedynie kąt, w którym mógł mieszkać, i jedzenie, które mu często wypominano. W tym domu było zupełnie inaczej. Tak bardzo mu się spodobało to siedzenie przy stole i zwyczajne rozmowy, że postanowił przy zupie, że on też będzie taki dobry i miły dla Julii. Oczywiście, jeśli ona go zechce.

– Daj spokój, kochanie, po co to wywoływać? Żałosne to było, doprawdy… – Uśmiechnął się „mój Michał", a Jeremiemu spadła kluska z rosołu na spodnie.

– Pojechaliśmy na resztce benzyny do Brwinowa… – zaczął Ryszard.

– Benzynę dostali za wódkę kartkową od Swobodziaka… – wtrąciła się babcia Mania.

– Tak, ale Swobodziak musiał coś dolać do tej benzyny, bo niestety pod Koprkami silnik siadł… – Skrzywił się mąż babci Ani.

Julia, Ula oraz ich brat Karol, a nawet mała Paulinka zaczęli chichotać, co oburzyło nieco babcię Manię.

– Nie śmiejcie się, dzieci… – skarciła je, grożąc palcem. – Dziadek najpierw dostał wódkę na kartki, a potem sprytnie chciał zamienić ją na benzynę. Skąd miał wiedzieć, że Swobodziak ją ochrzcił.

– Dajcie mu wódkę też chrzczoną… – poradziła babcia Ania, zanosząc się od śmiechu. – Niech zobaczy, jak to jest…

Skołowany Jeremi pomyślał, że ta wódka miała być na chrzciny, ale coś się nie udało, tylko nie bardzo wiedział, kogo mieli ochrzcić. Julia i Ula były ochrzczone, podobnie ich brat Karol. Może córka tej aktorki, najpiękniejszej kobiety, którą Jeremi w życiu widział, nie była ochrzczona, ale kto to wie, jak to jest u tych aktorek.

– No i pchaliśmy malucha do Koprków, a tam daliśmy w łapę jakiemuś magikowi, który pogmerał coś w silniku i fiacik zaskoczył – opowiadał tymczasem „mój Michał". – Jakoś dotelepaliśmy się do tej wsi, co to miało na nas czekać pół świniaka.

– Wchodzimy do tej zagrody, a tam ryk potworny... – kontynuował dziadek Ryszard. – Wychodzi do nas chłop, my z Michałem mówimy umówione hasło, jak na wojnie, a on nam na to, żeby poczekać godzinę, bo on właśnie świniaka będzie teraz bił.

– To daliśmy mu w łapę, żeby go nie zabijał – podsumował historię Michał. – Kupiliśmy kiełbasę i kawał mięsa, które już miał, tego... zabite... I wróciliśmy.

– Przecież ten chłop i tak zabiłby tę świnkę – wtrąciła się Ula, rodzinny głos rozsądku, a Jeremi pokiwał głową, bo pomyślał dokładnie o tym samym. Już na tyle znał życie, że był pewien, że chłop dał na mszę za tych naiwnych panów, którzy zostawili mu pieniądze, nie biorąc towaru, a potem i tak zwierzaka ubił.

– To samo powiedziałam... – westchnęła babcia Ania.

– Nazwała nas hipokrytami – dodał dziadek Ryszard. – A moja żona oczywiście się z nią zgodziła...

– Bo w pewnym sensie... – Skrzywiła się pani Basia, a Jeremi postanowił zapamiętać to słowo, a potem w bibliotece zajrzeć do encyklopedii i sprawdzić, co ono znaczy.

– Ale to nie koniec historii... – Babcia Mania pogłaskała czule męża po brodzie. – W drodze powrotnej zatrzymała ich milicja i skonfiskowała mięso.

– To szynka była... – westchnął pan Michał. – Różowa, piękna szynka. Można ją było obłożyć przyprawami Adeli i upiec...

– Ale teraz jakaś milicyjna żona ją je, miejmy nadzieję, że razem z piątką głodnych dzieci. – Roześmiała się pani Kasia, a Jeremi znów wpatrzył się w piękny profil kobiety.

– Gdzie u milicjanta głodne dzieci? – tata Julki wyraził głośno to, o czym pomyślał Jeremi.

– Została kiełbasa, której nie zabrali – przypomniała babcia Mania.

– No, ale babciu, myśmy nie chciały… – Julia powiedziała proszącym tonem.

Jeremi był ogromnie ciekaw, co się stało z kiełbasą, i spojrzał pytająco na Julię.

– Bo myśmy powiesiły całe pęto na rurze, żeby się zasuszyło… – powiedziała cicho, a potem zaczęła się śmiać. – Kruczek… I Kruczek w nocy zjadł wszystko, a rano się pochorował.

Śmieli się już wszyscy, od babć począwszy, po małą Paulinkę. Śmiał się też Jeremi, który wyobraził sobie całą tę sytuację, a już jak spojrzał na Kruczka, który warował u jego boku, patrząc prosząco, to nie mógł się powstrzymać.

– Śmiejemy się, a tu taka tragedia w Polsce się rozgrywa… – upominał wszystkich Ryszard, ale sam chichotał jak dziecko i obejmował ramieniem swoją żonę. – I u nas w rodzinie takie straty…

– To dobrze, że możemy się jeszcze śmiać – wtrącił pan Michał. – Za okupacji tak sobie radziliśmy. Śmialiśmy się z hitlerowców. Było nam lżej. Teraz też. Mimo wszystko jest lżej, chociaż bardzo ciężko bez taty, Andzi… Ze świadomością, że Jerzyk i Michele z Januszem przesiedzieli kilka miesięcy…

Zaległa cisza. Jeremi zastanawiał się, skąd zatem pochodzi mięso, które niewątpliwie miał na talerzu. Ale babcia Ania, która jakby czytała w jego myślach, odpowiedziała.

– To brwinowska kaczka, która oddała życie za tego wieprzka. Prawdziwa bohaterka…

– Tak. – Uśmiechnęła się pani Basia. – Piekłam ją cztery godziny, a i tak jest twarda jak podeszwa.

– Romanek nie w ciemię bity – podsumowała rozmowę babcia Mania. – Chyba nie sądzisz, że poświęciłby młodą kaczkę dla kogoś obcego. I tak go z trudem wybłagałam, żeby dał...

A potem to już słuchał opowieści, jak podczas poprzedniej wojny prapradziadek Julii i Uli wrócił z obozu i praprababcia kurę zabiła, bo czuła, że mąż wróci. Albo o tym, że ta miła babcia Ania umiała przewidywać przyszłość i wiedziała, gdzie bomby uderzą i wszyscy ją pytali, czy przeżyją.

Wreszcie dzieci wygoniono do zabawy i dorośli mogli spokojnie kontynuować rozmowy przy stole. Rozpoczęto od toastu.

– Za Juliana, który znów jest z nami – uniosła kieliszek Basia.

W kieliszku było wino porzeczkowe zrobione z brwinowskich czarnych porzeczek zbieranych przez Anię i Manię, czyszczonych przez Kasię i Basię, wreszcie destylowane przez Ryszarda i Michała, korkowane pomysłowo przy pomocy starych korków zalewanych lakiem. Andzia, kiedy jeszcze żyła, utyskiwała, że ten trunek nie jest godzien miana wina, które powstaje z wypłowiałych od słońca włoskich winogron i jest ambrozją. Odmawiała picia „tego czegoś" i upominała ich za każdym razem, że kto jak kto, ale Winni powinni pić prawdziwe wino.

– Za Juliana. – Wszyscy unieśli kieliszki, a Kasia otarła łzy z oczu.

– Dziękuję wam, kochani – powiedział cicho były doktor i upił łyk. – Teraz muszę wrócić do życia, do pracy...

Podczas tamtego przyjęcia tylko Ania czuła, że za Julianem stoi mrok. Pozostali cieszyli się, że biedna Kasia znów będzie mogła spokojnie żyć.

– I za Jerzyka, żeby wyzdrowiał. – Wzniosła kieliszek Mania.

A potem Ania przechyliła mały kieliszek wódki i wylała nieco na talerz.

– Za ojca i Andzię. Niech Bóg wybaczy im grzechy i przyjmie do siebie... – powiedziała cicho.

– Niech wybaczy też tym, którzy są winni ich śmierci – dodał Michał i objął żonę.

Wszyscy, którzy mieli wódkę w kieliszkach, uronili kilka kropel.

– I wreszcie – drżącym głosem dodał Michał – za Ewę, która na szczęście do nas wraca...

Na razie wszyscy wierzyli, że przyszłość może być tylko lepsza. Niespełna rok później, kiedy wreszcie udało się odkręcić całą sytuację oraz przywrócić doktorowi prawo wykonywania zawodu, Juliana zaczął boleć żołądek. Wrócił do pracy przywitany przez jednych kolegów z entuzjazmem, innych z rezerwą, ale po tym, co przeszedł, mało co było w stanie go urazić. Czuł się znów jak mężczyzna, a nie tylko utrzymanek pięknej i sławnej żony. Brał leki, ból zrzucając na stres, ale mimo medykamentów i starannie dobranej diety przeciwwrzodowej bolało go coraz bardziej. Bolało przed jedzeniem, po jedzeniu i w trakcie. Kiedy schudł ponad dziesięć kilo, stało się jasne, że to żaden stres, tylko pewnie choroba.

Został przyjęty na oddział, na którym znów po swoim powrocie z Izraela pracowała Ewa, a następnie zoperowany. Operacja polegała na otwarciu powłok brzusznych Juliana, stwierdzeniu, że rak rozpanoszył się po całej jamie brzusznej i zaszyciu go z powrotem. Wypuszczono go do domu, gdzie leżał, patrząc albo w sufit, albo w telewizor. Kasia ponownie miała na głowie cały dom, prócz tego chorego męża, i świadomość, że prędzej czy później po raz kolejny zostanie sama. Krucha równowaga, którą zbudowała dzięki własnym sukcesom oraz przy pomocy rodziny, w jednej chwili runęła.

Julian umarł tego dnia, w którym generał Jaruzelski ogłosił koniec stanu wojennego, a Kasia w dniu jego pogrzebu wypiła jedną setkę wódki przed pójściem do kościoła, drugą przed stypą, a trzecią, żeby zasnąć. Od tego dnia codziennie wieczorem wypijała lampkę koniaczku, whiskey, likieru czy czegokolwiek, co miało procenty. Nie była przy tym ani pijana, ani nawet na rauszu. Wręcz przeciwnie, czuła się na tyle dobrze, żeby wyjść na scenę, uczyć się roli albo odrobić z Małgosią lekcje. Mogła nawet żartować.

Po tamtej rodzinnej kolacji Ania, już w domu, rozczesała długie włosy i zebrała je w luźny kok, uśmiechając się do swoich myśli.

– Czemu mi się tak przyglądasz? – spytała Michała.

– Przyglądałaś się temu chłopcu z bystrymi oczami. – Mąż uśmiechnął się do niej. – Ciekaw jestem, czy podobał ci się jego sweterek, czy może chodzi o coś innego…

Michał miał rację. Ania jeszcze przy stole poczuła, że losy Julii i Jeremiego będą ze sobą połączone, nie tylko za sprawą wspólnej daty urodzenia. W tym przypadku nie umiała zupełnie określić, jak bardzo się zazębią. Z jednej strony widziała coś mrocznego wokoło tego sympatycznego dzieciaka, z drugiej strony było tam także światło i coś bardzo dobrego, co biło z jego sympatycznej okrągłej buzi. Ania myślała o tym, słuchając jednym uchem podziękowań za pomoc finansową, jakiej wszyscy Winni udzielili Kasi, kiedy jej mąż był w więzieniu, a ona nie grała z powodu bojkotu teatru i filmu przez aktorów.

– Idą ciężkie czasy, Michał – powiedziała, kładąc się do łóżka. – O tym myślałam, patrząc na te dzieci…

Pierwsze objawy zauważył już dawno. Kilka razy trzeba mu było powtarzać to czy tamto, żeby zapamiętał. Z reguły chodziło o drobiazgi i nie dotyczyły jego posługi. Zapominał, gdzie położył okulary, co było w artykule, który właśnie przeczytał w gazecie. Kiedy zaczął zapisywać kazania, sam wiedział, że ma problem. Pilnował się jednak i poza gospodynią utyskującą, że „księdzu to pięćdziesiąt razy trzeba powtarzać jak mojej ciotce z lubuskiego", nikt nie zauważał, że coś się zmieniło.

Przyszedł jednak moment, kiedy jego problem dał o sobie znać podczas pełnienia obowiązków kapłańskich. Tego dnia podczas mszy świętej miał zaśpiewać fragment liturgii i nie mógł sobie przypomnieć słów. Organista trzy razy grał temat, a Ignacy gorączkowo szukał w pamięci odpowiedniego cytatu. Gdyby zajrzał do otwartej księgi, która leżała na stojaku, byłby przeczytał, co trzeba, ale w zdenerwowaniu zapomniał o takiej możliwości. W końcu podszedł ministrant i zaśpiewał, a ludzie z ulgą odśpiewali, co trzeba. Msza potoczyła się wartko do końca, nikt nie zrobił najmniejszej aluzji do tego błahego w sumie wydarzenia. Ignacy jednak tego zdarzenia nie zapomniał, po mszy zamknął się w swoim mieszkaniu w plebanii i poszedł spać. Czuł się ogromnie zmęczony. Zbudziła go dopiero gospodyni, która energicznie zapukała do drzwi, pokrzykując, że obiad na stole, wszyscy się zgromadzili, tylko księdza Ignacego jeszcze nie ma, może chory, bo przecież zawsze taki punktualny.

– Zaraz przyjdę! – odkrzyknął, szybko włożył marynarkę i okulary na nos, a następnie poszedł w kierunku jadalni.

– Chyba jakiś wirus mnie dopadł – powiedział, chcąc wytłumaczyć incydent, który miał miejsce podczas mszy.

Spojrzał na twarze współbiesiadników i wydawało mu się, że szukają odpowiedzi na pytanie, co takiego wydarzyło sie podczas sprawowania eucharystii. Gospodyni za to patrzyła jawnie podejrzliwie, jakby oceniała Ignacego. Nalewając zupę, nie przestawała utyskiwać, że ksiądz Ignacy mimo wieku bez czapki chodzi, a wiosna zdradliwa, przeziębić się łatwo i potem same nieszczęścia. Ksiądz Maciej i Grzegorz nie wydawali się mieć do niego pretensji, wyrazili tylko zaniepokojenie potencjalną chorobą księdza. Zbliżał się czas rekolekcji, ludzie potrzebowali w tamtych czasach szczególnego wsparcia. Nikt tak jak Ignacy nie wygłaszał katechezy, nie niósł ludziom pocieszenia, którego potrzebowali na co dzień. Mleko w proszku, solone masło, czekoladę i inne dary, przychodzące do kościoła, mógł dzielić między dzieci ktoś inny. Nawet kazania na mszach z powodzeniem można by scedować na księdza Macieja, Henryka czy Grzegorza. Tyle że myśl o zastąpieniu Ignacego kimkolwiek przy rekolekcjach była nie do pomyślenia.

– Może ksiądz odpocznie przez kilka dni – zasugerował ksiądz Grzegorz, patrząc z najwyższym szacunkiem na swojego proboszcza. – Blado coś ksiądz proboszcz wygląda...

Ignacy się zdenerwował. Podejrzewał, że wszyscy obecni na mszy świętej w domach omawiają jego zachowanie przy rodzinnych obiadach. Przy rosole dziwią się, co to się stało, że proboszcz zapomniał tekstu. Zjadając kartkowe kotlety wystane w kolejkach, wyrażają zaniepokojenie, czy aby nie jest chory, a pijąc kompot, przypuszczają, że może starość już go dopadła i nie jest w stanie kontynuować posługi. „Co za niewdzięczność", myślał, gryząc kawałki kury w potrawce przygotowane przez gospodynię, która z ćwierć kilo mięsa potrafiła przyrządzić pożywny posiłek dla pięciu osób. Tyle lat służby, praktycznie bez wytchnienia, słuchania grzechów, chowania zmarłych, witania nowych katolików, a tu taka niewdzięczność.

– Niech ksiądz z łaski swojej zajmie się swoimi sprawami – mruknął, łykając domowy makaron, za którym przepadał i zawsze chwalił Florentynę za jego przygotowanie, a tym razem nie powiedział ani słowa. Milczał zawzięcie, aż gospodyni było bardzo przykro, bo przecież zawsze tak się starała, żeby smakowało i wystarczyło dla wszystkich.

Powyższa uwaga, wygłoszona tak niepodobnym do Ignacego tonem, wywołała w parafii szepty. Florentyna przypomniała sobie, ile to razy wcześniej bywało, że księdzu Ignacemu ze cztery razy musiała coś powtarzać, a i tak on mówił, że pierwsze słyszy.

– A jak się gniewa, kiedy mu się coś przypomina – wyszeptał nieśmiało ksiądz Grzegorz, który był delikatny i bardzo łagodny z natury, a słowa Ignacego wygłoszone przy stole bardzo go zabolały.

– Właśnie... – powiedziała Florentyna, sprzątając ze stołu. – Ja za księdza Ignacego to bym obie ręce dała sobie uciąć. Moją córkę chrzcił, bierzmował, za mąż wydawał i jeszcze moje wnuki też...

Ksiądz Henryk pokiwał głową.

– Parafianie mi kilka razy mówili, że ksiądz Ignacy niemiły przy spowiedzi – wyznał.

Siedzieli, rozmawiając cicho w jadalni, podczas kiedy proboszcz wymówiwszy się przeziębieniem i bólem głowy, poszedł się położyć do siebie.

– Może do doktora trzeba z nim pójść, tylko kto mu to powie? – jeszcze ciszej spytał ksiądz Grzegorz.

Tyle że Ignacy u doktora już był wtedy, kiedy jego problem stał się na tyle poważny, że tylko mszę świętą był w stanie prowadzić, tylko na trzy kwadranse się skupić i pilnować tekstu z księgi świętej. Wtedy postanowił zasięgnąć rady lekarza. Nie zgłosił się do Basi, Tomka czy Ewy, chociaż wiedział, że obowiązuje ich tajemnica lekarska i nie powiedzą nikomu o jego przypadłości. Zapominanie było niebezpieczne. Formuły, cytaty... Słowa zawsze można było uzupełnić, zajrzeć do odpowiedniej księgi, natomiast pamięć o ludzkich czynach była nie do odzyskania. Ani Florentyna, ani pozostali księża z parafii nie wiedzieli, jak to jest, kiedy boisz się, że każdy następny dzień będzie wielką niewiadomą. Ignacy śmiał się nawet na początku, bo bywało, że musiał wracać się dwa razy po jedną rzecz do pokoju albo zapominał, gdzie skończył czytaną książkę. To nie było nic takiego, zwłaszcza że pamięć do tego, co było dawniej, miał znakomitą. Potrafił ze szczegółami opowiedzieć o powstańczych walkach, przywoływał osoby, które już dawno obróciły się w proch, z łatwością przypominał sobie rozmowy i dawno przebrzmiałe zdarzenia. Przeszłość, zwłaszcza ta bardzo daleka, była jego sprzymierzeńcem, obecne czasy i ludzie, którzy żyli z nim tu i teraz, bywali jego wrogami.

Podczas jednej z wizyt u rodziny spóźnił się godzinę, ponieważ zapomniał, jak nazywa się stacja, na której miał wysiąść. Na szczęście przypomniał sobie, że w notesie ma adres Mani i w ten sposób odzyskał nazwę miejscowości, w której się urodził i w której mieszkała większość jego krewnych. Długo walczył, żeby choroba nie przeszkadzała mu w posłudze. Najgorsza była świadomość, że on jeden wie o pochodzeniu Łucji i jeśli niczego z tą tajemnicą nie zrobi, zabierze ją ze sobą do grobu. Tyle razy chciał wyjawić prawdę Stanisławowi, ale na początku nie mógł, potem wuj ożenił się z Andzią i Ignacy nie chciał psuć rodzinnego szczęścia. Z upływającym czasem znów miał obiekcje, bo Stanisław był coraz bardziej sędziwy i taka wiadomość mogła go zabić.

– To choroba Alzheimera – powiedział lekarz z prywatnego gabinetu, nie taki zwykły, tylko profesor, do którego poszedł po cywilnemu, żeby przypadkiem nie zapamiętał go jako księdza i nie doniósł w parafii.

Te słowa uderzyły Ignacego prosto między oczy. Straszna choroba, na którą nie ma lekarstwa, przez którą człowiek nie jest sobą i umiera jako umysłowy ludzki strzęp, miała stać się jego udziałem. Przeraził się, bo przypomniał sobie Antoniego, który pod koniec życia był jedynie cieniem tego dzielnego człowieka dokonującego bohaterskich czynów, żeby uratować rodzinę. Owszem, Antoni miał przebłyski, jak choćby ten w czasie ostatnich minut swojego życia, ale choroba zabierała go kawałek po kawałku, najpierw pokonując umysł, potem ciało.

– Mój dziadek na to chorował – powiedział Ignacy lekarzowi. – Babcia tak strasznie się starała, żeby jak najmniej cierpiał.

Lekarz popatrzył na niego przenikliwie.
– Jaki jest pana zawód? – spytał.
Ignacy zawahał się chwilę.
– Jestem księdzem – powiedział. – Bardzo proszę o dyskrecję.
– Naturalnie. – Lekarz uśmiechnął się współczująco. – Proszę się nie obawiać.
– Czy jest na to lekarstwo? – spytał Ignacy z nadzieją. – Jakiekolwiek lekarstwo... Mam kuzyna w Stanach Zjednoczonych, poprosiłbym go...
Lekarz przecząco pokręcił głową.
– Będzie ksiądz potrzebował opieki. Trudno mi powiedzieć kiedy, ale przyjdzie taki czas...
– Wiem, trochę czytałem na ten, ten... – Zabrakło mu słowa. – Temat. Mam rodzinę, która zajmie się mną, kiedy przyjdzie na to czas.
– Rozumiem. – Z oczu profesora biło współczucie. – Przepiszę panu witaminy, ale...
– Witaminy przecież nie pomogą – Ignacy mówił tonem pełnym rezygnacji. – Proszę powiedzieć, ile mi zostało.
– Zwykle pacjenci chorzy na raka zadają mi takie pytanie i oczekują dokładnej odpowiedzi. Nie jestem panem Bogiem... Niech ksiądz wybaczy...
Ignacy przecząco pokręcił głową.
– Ja nie pytam pana o daty. Chciałbym wiedzieć, kiedy powinienem zrezygnować z kapłaństwa. Kiedy nie będę mógł nieść posługi duszpasterskiej?
– To początki – wyjaśnił lekarz. – Ale nie mam wątpliwości, że mówimy o tej właśnie chorobie. Będzie ksiądz walczył, zapisywał, pilnował się... W pewnym momencie to nie wystarczy. Zauważy to ksiądz prędzej czy później.
– Dziękuję... – Ignacy skierował się do wyjścia.
Ta rozmowa odbyła się trzy lata wcześniej. Tak, jak powiedział tamten lekarz – Ignacy walczył bez nadziei, że tę walkę wygra.

Był głęboko przekonany, że zanik pamięci wiąże się z grzechami, które dźwiga na plecach. Kiedy zapominał słów modlitwy, a nie chciał szukać kartki, mówił do Boga własnymi słowami albo fragmentami wierszy, które akurat przychodziły mu na myśl. Czasem przemawiał do Boga ze złością.

– Czemu, panie, zabierasz mi pamięć? Nie lepiej dla ciebie, żebym pamiętał o złu, które wyrządziłem, o grzechach, z których się nie wyspowiadałem? Nie lepiej?

Za późno napisał list do Łucji i Jana. Trzymając długopis nad białą kartką papieru, czuł, że słowa, które dawniej przychodziły mu bez trudu, uciekają z jego głowy. Nie umiał sklecić kilku zdań wyjaśnienia, usprawiedliwienia i prośby o przebaczenie. Męczył się przez kilka dni, poddawał i znów zaczynał, głęboko wierząc w to, że jest to Łucji winny. Nie pamiętał jej za dobrze, widział ją może raz lub dwa, więcej słyszał o niej od babci Broni czy wuja Stanisława. Janek nigdy o niej nie mówił. Dopiero kiedy napisał do Winnych, że są po ślubie, Ignacy wypytał Bronię o tę dziewczynę. Usłyszał wtedy historię z Jaśkiem i prądem w Wieruszówce, Bronia opowiedziała, jak Łucja trafiła do bogatego domu i jak zachowywał się Jasiek, kiedy wyjechała na zawsze za ocean. Wiedza dotycząca pochodzenia Łucji za nic nie mogła utknąć w jego chorym mózgu na dobre, musiała ujrzeć światło dzienne, tak Ignacy postanowił, kiedy tylko usłyszał diagnozę gorszą niż rak. Zanim odbierze mu ona tożsamość, musi powiedzieć Łucji prawdę. Byłby przeciwny tajemnicom, gdyby te dotyczące jego samego nie były tak bolesne. Zgadzał się z Bronią, że w życiu trzeba kierować się uczciwością. Tyle że uczciwość mogła w takim przypadku zabić. Poza tym zbyt wiele miał w życiu sekretów, żeby uważać się za człowieka uczciwego. Przeciwnie, uważał, że Pan Bóg ma w nim złego sługę i może dlatego zesłał na niego chorobę, która ukaże go za cielesną miłość, grzechy ojca, matki i własne. Wysłał list, wierząc, że Bóg zdecyduje o tym, czy Łucja ma się dowiedzieć, z jakiej rodziny pochodzi czy nie. Zanim zabrano mu pamięć, nie nadeszła żadna odpowiedź, ani od Janka, ani Łucji. Uznał zatem, że list nie doszedł.

– Wielkanoc to tajemnica – mówił podczas rekolekcji do młodzieży. – Tej nocy, podczas której Chrystus zmartwychwstał, dokonała się przemiana całego świata. Na wydarzeniach tej nocy opiera się nasza wiara i nasza chrześcijańska tożsamość. Lubimy w Polsce porównywać się do Chrystusa. Znacie to z lekcji polskiego, prawda? – dodał, słysząc szmer przebiegający przez kilka pierwszych rzędów.

Dzieci stały i patrzyły na niego ze zrozumieniem. Przez chwilę zabrakło mu słów, ale zerknął na kartkę, na której wynotował sobie najważniejsze tematy do poruszenia, i kontynuował spokojnie.

– Pewne myśli i działania są łatwe, wygodne... Jak droga na skróty. Może wrócisz do domu szybciej, ale po drodze ubrudzisz się błotem. Pamiętajcie o tym. Tajemnica... Może zabić was albo tego, komu zdecydujecie się ją ujawnić. Tajemnica zabiła Chrystusa, ujawniona – Judasza. Kto miał rację?

– Chrystus? – pisnęła blondyneczka z pierwszego rzędu.

– Chrystus. – Pokiwał głową. – Niewielu mu wierzyło, chociaż na początku porywał tłumy. Ci, którzy usłyszeli jego głos, zostawiali rodziny, pracę i domy... To było okrutne, jak myślicie?

– Nie... – powiedział chłopiec stojący obok blondyneczki. – Bo szli za Chrystusem.

– Nie masz racji. – Uśmiechnął się Ignacy, wywołując konsternację wśród młodzieży. – To było okrutne. Nie wiecie, co ci ludzie czuli. Ci, którzy zostawali w pustych domach. Czy nie umierali z głodu, rozpaczy i tęsknoty za bliskimi? Skąd możecie to wiedzieć.

W kościele słychać było bzyczenie muchy.

– Tajemnica chrześcijaństwa wymagała ofiar – kontynuował Ignacy. – Ofiary są zawsze. Ofiary historii, wiary, wielcy, o których uczycie się w szkole, męczennicy za wiarę, których wyniesiono na ołtarze. A co ze zwyczajnymi ludźmi, o których historia milczy?

Pilnująca młodzieży siostra Marta zmarszczyła brwi. Nie znała takiego księdza Ignacego. Nie była także pewna, czy to kazanie aby na pewno zmierza w dobrym kierunku.

– O czym mówiliśmy? – Ignacy wskazał dwie dziewczynki, które miały identyczne grube okulary i wełniane, robione na drutach czapki.

– O ofiarach... – powiedziała jedna.

– O tajemnicy – w tej samej chwili rzuciła druga.

– Właśnie. – Ignacy z mikrofonem w ręku wszedł między dzieci. – Chciałbym, żebyście sobie uświadomili, co stoi za śmiercią Chrystusa. Co złożyło się na to, że jemy jajka, sałatkę jarzynową i polewamy się wodą, a wy nie chodzicie przez tydzień do szkoły.

Rozległy się śmiechy.

– Ofiara i tajemnica. Właśnie...

Takimi rekolekcjami pożegnał się z parafianami. Oficjalnie ogłoszono, że ksiądz Ignacy Winny z powodów zdrowotnych odszedł z parafii. Życzliwi chcieli się dowiedzieć, o jaką chorobę chodzi. Proponowano księdzu zioła, głównie aloes, dobry na wszystko, ale też zagraniczne witaminy, specjalne potrawy, wreszcie modlitwę. Ignacy dziękował, obiecywał modlitwę i prosił o nią, wreszcie pojechał do domu. Wcześniej powiedział rodzinie prawdę i poprosił o pomoc. Winni jak zwykle zrobili naradę rodzinną, chociaż Ignacy prosił, żeby nie przejmowali się nim, tylko udzielili wsparcia bardziej psychicznego niż konkretnej opieki.

Uciął poza tym wszelkie dyskusje na temat, z kim ma mieszkać. Zdecydował, że będzie mieszkał w swoim dawnym domu, który stoi pusty. Jest przecież po remoncie przeprowadzonym kilkanaście lat wcześniej, ale gruntownym, argumentował. Mania nie chciała o tym słyszeć, przekonywała, że gaz, prąd, mogą być różne problemy, ale Ignacy był nieugięty. Wtedy Ania wzięła go na sposób i spytała Ignacego, czy Michele i Janusz nie mogliby z nim zamieszkać. Ania była świeżo po rozmowie z bratanicą, która miała już dość Gdańska i chciała wracać do Warszawy, zwłaszcza że proponowano jej stałe pisanie do paryskiej „Kultury". Ze stolicy znacznie łatwiej było jej wysyłać teksty pocztą kurierską, zamiast tkwić w kółko na poczcie w Gdańsku, modląc się przy każdym wysłanym liście, żeby doszedł na czas i nieotwarty. Janusza także przekonała, że Gdańsk był ich domem do pewnego czasu, a teraz powinni wrócić na stałe. Już widziała, jak w Gdańsku tworzy się historia, opisała wydarzenia w stoczni, historię Anny Walentynowicz i Henryki Krzywonos. Siedząc obok Lecha, patrzyła w telewizji, jak Danuta odbiera Nagrodę Nobla i była z niej dumna. „W Warszawie ludzie też są biedni i poturbowani przez socjalizm, też potrzebują pomocy prawnej, a ja potrzebuję swojej rodziny", przekonywała męża.

Janusz uległ, ponieważ miał już dość gdańskiego aresztu, a Lech Wałęsa już go nie potrzebował tak bardzo jak jeszcze rok wcześniej. Opuścili więc norę, którą przywykli nazywać swoim domem, i wrócili do Brwinowa. Ignacy, który mimo postępującej demencji był jeszcze na tyle sprawny umysłowo, żeby wyczuć intrygę rodzinną, udawał zadowolenie z takiego, a nie innego obrotu rzeczy. Domek wcale nie był taki mały, wszyscy zdołali się pomieścić. Michele i Janusz zajęli dwa pokoje na piętrze, a Ignacy został na parterze. Po pierwszych kilku spędzonych pod jednym dachem nocach przekonał się, że wspólne mieszkanie było dobrym pomysłem. Na wszelki wypadek zapisał w widocznym dla siebie miejscu: „Michele i Janusz mieszkają ze mną. Nie chcą mnie okraść ani zdenerwować. Michele to córka Tadeusza". Ile razy budziło go stukanie maszyny do pisania Michele albo wydawało mu się, że w domu czegoś brakuje – czytał kartkę i uspokajał się.

Mecz się przedłużał. Co chwila ktoś popełniał błąd, a sędzia zatrzymywał grę. Przegrywali trzema koszami, a mieli tylko dwie minuty czystej gry przed sobą. Wszyscy byli bardzo zmęczeni, a trener wydzierał się, jakby grali w pierwszej lidze, a nie w młodzikach. W dodatku Jeremi zapomniał zabrać ze sobą kanapki i picie, więc skręcało go z głodu i pragnienia, bo był zbyt honorowy, żeby powiedzieć do kogoś „daj gryza".

– Gramy do końca! – wrzasnął trener w jego kierunku.

Sędzia zagwizdał. Jeremi ruszył spod własnego kosza i błyskawicznie podał piłkę Jurkowi Trzcińskiemu, który szybko rzucił do Bartka, a ten po kilku kozłach znów podał ją Jeremiemu. Po dwutakcie piłka wylądowała w koszu. W dodatku miał szczęście, że jeden z wysokich, bezczelnych chłopaków uderzył go w ramię na tyle otwarcie, że miejscowy sędzia nie mógł nie zauważyć faulu i odgwizdał dwa osobiste. Jeremi stanął na linii rzutów osobistych, skupił się i gładko posłał piłkę dwa razy z rzędu do kosza. Teraz brakowało im już tylko dwóch punktów.

– Uuuu – zawyli kibice gospodarzy, a garstka kibicujących drużynie Jeremiego próbowała ich przekrzyczeć.

Wysoki chłopak z Huraganu Wołomin dotknął piłką ściany i podał daleko przed siebie. Jeremi, który krył zawodnika z numerem piętnaście, odsunął się nieco, odsłaniając tamtego, i w ostatnim momencie zanurkował przed zawodnika i złapał piłkę. Zanim rozzłoszczony chłopak kopnął go w nogę, zdążył jeszcze podać piłkę do przodu, a koledzy posłali ją do kosza. Teraz był remis i dziesięć sekund do końca gry.

– Faul! – wrzasnął ich trener.

Sędzia po chwili namysłu odgwizdał jeden rzut osobisty. Maciek Janko stanął na linii. Jeremi popatrzył na chłopaka, który go sfaulował, z odcieniem satysfakcji i pochylił się do przodu, skupiając na tym, żeby ewentualnie przejąć piłkę. Maciek nie trafił. Jeremi kątem oka dostrzegł grymas triumfu na twarzy tamtego, więc skoczył najwyżej jak mógł i zebrał piłkę. Natarło na niego dwóch zawodników, musiał się cofnąć, dość daleko poza linię osobistych. Nie miał komu podać, w dodatku tamci nacierali na niego we trzech. Musiał cofnąć się jeszcze kilka metrów. Tamci odpuścili, patrzyli na niego z lekką kpiną na twarzach. Jeremi wycelował starannie i rzucił. Pomarańczowa piłka trafiła w kosz, zrobiła kilka kółek na blaszanej obręczy i wpadła do środka. Sędzia podniósł trzy palce. Rozległ się sygnał końca meczu. Wysoki chłopak podał mu rękę.

– Znajdę cię, ty wszarzu, i zabiję... – powiedział cicho.

– Wygraliśmy mecz, wygraliśmy mecz! Mistrzem Polski nasz Pruszków jest! – darła się cała ławka zawodników Pruszkowa.

Trener poklepał go po plecach.

– Dobrze jest, Jeremi! – podsumował.

Wrócili do Pruszkowa w glorii chwały, a Jeremi został bohaterem meczu. Zawodnicy Huraganu Wołomin byli starsi o rok i znacznie wyżsi niż pruszkowianie. Tym lepiej smakowało zwycięstwo.

Jeremi uwielbiał koszykówkę. Na boisku czuł się jak ryba w wodzie. Nie był najwyższy z chłopaków i raczej wolał grać jako rozgrywający, ale prawda była taka, że świetnie radził sobie na wszystkich pozycjach. Trenerzy go uwielbiali, podobał się dziewczynom, nauczyciele innych przedmiotów traktowali go nieco bardziej ulgowo niż pozostałych uczniów, zwłaszcza że już w siódmej klasie zaczął reprezentować szkołę na międzymiastowych zawodach.

Uprosił ojca i matkę, żeby pozwolili mu iść do klasy sportowej. Chodziło właściwie o to, że ona tam się wybierała, a Jeremi potrzebował Julii jak powietrza. W pierwszej klasie przeżył ogromne rozczarowanie, kiedy dowiedział się, że Julia i Urszula zostały przydzielone do klasy „A". On sam zaczął edukację w „C". Do „A" chodzili sami szczęśliwcy. Zajęcia zaczynały się o godzinie ósmej rano, kończyły o dwunastej albo o pierwszej. Klasa „B" zaczynała o jedenastej, natomiast takie niedobitki jak on całe ranki ganiały po podwórku, za to o dwunastej, a nawet o trzynastej, kiedy reszta zapominała na pół dnia o szkole, Jeremi i trzydziestu trzech innych nieszczęśliwców dopiero zaczynało edukację.

Przez cztery lata mało się widywał z bliźniaczkami. Czasami do nich chodził po szkole, niby zapytać o coś albo pożyczyć lekturę, ale musiał szukać pretekstu. Zdarzało się oczywiście tak jak wtedy w tamtą noc, kiedy wprowadzono stan wojenny, a Jeremi spędził w domu Andruszkiewiczów cały dzień. Ale to była rzadkość.

W piątej klasie miało się to zmienić. Byli w jednej klasie sportowej. Jeremi siedział w ostatniej ławce z Maćkiem Trzcińskim. Julia z siostrą w rzędzie przy ścianie. Lubił patrzeć, jak zakładała włosy za ucho. Pierwszego dnia szkoły pobił się o nią właśnie z Maćkiem.

– Hej, ale fajnie mieć jedno oko po matce, drugie po listonoszu... – powiedział Maciek, a Ulka podeszła i zdzieliła go po głowie.

– Ty łajzo... – wrzasnął Jeremi i rzucił się na kolegę.

Kiedy już skończyli się bić, jeden miał podbite prawe oko, a drugi lewe. Uli ani Julii nie było wśród sekundujących. Jeremi odebrał lekcję i więcej się nie bił o dziewczynę. Przynajmniej nie publicznie – w szkole. Z tej bójki wynikło coś dobrego, bo zaprzyjaźnił się z Maćkiem, siedzieli razem w ławce i ściągali od siebie, ile się dało. Maćkowi podobała się Ula, chociaż udawał, że wcale nie, a na jej widok mówił „ulalaaa". Nie rozmawiał z nim ani razu o Julii, ale Maciek widocznie zauważył, że kolega gapi się na drugą bliźniaczkę i skomentował to po swojemu.

– Chcesz w zęby? – zaproponował mu krótko Jeremi.

– Coś ty, stary. – Maciek wzruszył ramionami. – Może chodzić, z kim chcesz, tylko ona taka dziwna z tymi oczami... Ta Ulka to lepiej w kosza gra, bardziej tego... kontaktowa i w ogóle... bracie, trochę bardziej do rzeczy...

Jeremi pokiwał głową, bo nie chciało mu się tłumaczyć co i jak, ale w sumie był zadowolony, że Julka nie ma takiego powodzenia wśród chłopaków jak jej siostra. Ona sama traktowała go po dawnemu, jak najmilszego towarzysza zabaw, z którym w końcu po latach rozłąki znów może porozmawiać. Często wracali razem ze szkoły, tylko we dwoje, podczas gdy Ula chodziła z Maćkiem. Julia i Jeremi szli okrężną drogą i nie chcieli żadnego towarzystwa, nawet siostry i przyjaciela. Kupowali wtedy oranżadkę w proszku na spółkę, raz zieloną, raz pomarańczową, dzielili się po bratersku pół na pół i zlizywali po drodze do domu Julii.

Tam odrabiali razem lekcje, sami albo z Ulą, o ile ta gdzieś nie biegała albo nie przesiadywała u innych koleżanek. Jeremi miał trochę kłopotów z matematyką, pomoc Julii była nieoceniona, podobnie jak poprawianie byków w wypracowaniach. Jeremi za to był bardzo dobry z geografii, biologii i techniki. Co chwila na zajęciach technicznych zadawali im jakieś prace, które wymagały zdobywania przez rodziców niedostępnych artykułów, takich jak listewki, skaj, kawałki skóry, bejca czy lakier. Rodzice Jeremiego nie przejmowali się tym zupełnie, za to tata Andruszkiewicz w kółko biegał do składnicy harcerskiej i przywoził wymagane materiały, a dziewczynki dzieliły się nimi z Jeremim. Ten, żeby się odwdzięczyć za zdobyte dobra, sklejał, lepił, zbijał z deseczek i malował bejcą.

– Nasz dziadek był stolarzem – mówił z podziwem pan Andruszkiewicz do Jeremiego. – Piękne rzeczy robił z drewna, do tej pory mamy w domu robione przez niego meble. Ty też masz zdolności manualne. Może w przyszłości zostaniesz konstruktorem albo inżynierem?

Jeremi odłożył trzy karmniki dla ptaków, które zrobił dla siebie i dziewczynek, i uśmiechnął się z ufnością.

– Ja bym mógł być lekarzem, jak pan... – powiedział.

– No no... – Tatę Andruszkiewicza zatkało odrobinę, ale popatrzył z podziwem na zręczne palce chłopca i pomyślał, że może to nie jest taki głupi pomysł. – Chirurgiem pewnie...

– Albo kucharzem mógłbym zostać. – Jeremi odłożył polakierowane karmniki do wyschnięcia. – Też bym chciał... Jeszcze się nie zdecydowałem.

Tymczasem największe osiągnięcia miał na parkiecie, gdzie na długo przed popularnością ligi NBA w całym Pruszkowie grano w koszykówkę. Po pierwszych czterech latach podstawówki, kiedy nie był z Julią w jednej klasie, teraz po wyodrębnieniu klasy sportowej mogli być wreszcie razem. Julia wprawdzie nie była najlepszą koszykarką, znacznie ustępowała refleksem innym dziewczynom, choćby siostrze, ale bardzo się starała, ćwiczyła i co najważniejsze – była wysoka.

– Nie wychodzi mi dwutakt z lewej – narzekała.

Pocieszał ją, że zawsze może robić dwutakt z prawej, poza tym jest wysoka, ma refleks i świetnie gra.

– Tak myślisz? – Uspokajała się wyraźnie i zaczynała chwalić jego grę.

Jeremi był stworzony do uprawiania sportu. Nie męczyły go ani ćwiczenia siłowe, ani bieganie, ani też długie, mordercze ćwiczenia na boisku. Grał w koszykówkę instynktownie, chociaż umiał słuchać trenera i rozumiał, czym jest gra zespołowa. Już od szóstej klasy trenerzy brali go do starszych klas, gdzie grał jak równy z równym z chłopakami starszymi od siebie o rok albo dwa.

– Ale ten mecz w Wołominie – powiedziała Julka po tamtym pamiętnym spotkaniu. – To musiała być jazda. Wszyscy o tobie mówili...

Chciał jej zaimponować i bardzo się starał. Nie był przecież najlepszym uczniem, ale problemy z matematyką były pretekstem do tego, żeby wspólnie odrabiać lekcje. Z czasem tak się przyzwyczaili do wspólnej pracy, że praktycznie codziennie po szkole szli do Andruszkiewiczów, gdzie zgodnie odrabiali zadania domowe. Bywało, że bliźniaczki musiały pilnować kuzynki albo Jeremiemu matka kazała iść do kolejki i stać za cukrem czy mięsem, ale generalnie trzymali się blisko.

– Kryzys to syf – wygłosił Jeremi któregoś dnia, a dziewczyny podchwyciły i zaczęły opowiadać o tym, że na Zachodzie jest wszystko, można kupić tyle cukierków, ile się chce, a w Polsce wiadomo, jak jest.

– Ciocia Michele mówiła, że we Francji można normalnie kupić książki i one są takie kolorowe. Każdy może pójść do księgarni... No co się tak patrzycie? – spytała Julia, widząc, że Jeremi i Ula śmieją się w kułak. Wstała i urażona przyciszyła radio, w którym Kora śpiewała „Boskie Buenos"

– Nie ściszaj! – zakomenderowała Ulka i podkręciła gałkę radioodbiornika, a potem zwróciła się do Jeremiego: – Czy ty wiesz, że ona w sobotę ogląda film, a ja słucham Listy Przebojów Programu Trzeciego?

Julia mówiła mu o tym filmie i książce, którą zdobyła, czekając dwa miesiące zapisana w bibliotece cierpliwie na swoją kolej.

– To nie był jakiś film, tylko „Na wschód od Edenu" – odezwał się, przyjmując pełne wdzięczności spojrzenie Julii i przeciągłe gwizdnięcie jej siostry.

– A widziałeś „Przesłuchanie"? – spytała Ula.

Obie dziewczynki razem z rodzicami i Karolem oglądały ten wstrząsający film u znajomych ciotki aktorki, która grała w tym filmie jedną z więźniarek. Kopia była piratowana wiele razy, miejscami na ekranie tańczyły ciemne plamy, a głosy aktorów nakładały się na taśmę z opóźnieniem. Niemniej jednak wrażenie było porażające, tym bardziej że dziadek dziewczynek siedział w takim właśnie więzieniu.

– Słyszałem tylko, ale gdzie miałem obejrzeć? – mruknął Jeremi, który nie miał takich znajomości jak dziewczynki.

Zaczęły mu opowiadać fabułę, a potem przeskoczyły na własne podwórko i wspomniały o cioci, która siedziała w więzieniu ponad rok, i wujku, który też został aresztowany.

– Jakaś waleczna ta wasza rodzina – podsumował Jeremi, kiedy dowiedział się, ile tych cioć i wujków siedziało w więzieniu.

– No. – Ula z dumą potrząsnęła lokami. – My się władzy nie boimy...

– Ty szczególnie się nie boisz... – Skrzywiła się Julia. – A do kolejki nie pójdzie za nic – rzuciła w stronę Jeremiego. – Ostatnio mi zjadła cukierki, które miały być do podziału.

– Mogę ci oddać swoje – powiedział szybko i udał, że nie widzi ironicznego spojrzenia Uli. – Ja nie lubię słodyczy...

To nie była prawda. Jeremi przepadał za cukierkami wszelkiej maści, czekoladkami wypełnionymi białym, słodkim nadzieniem, miśkami-żelkami, które Celestynka wciąż sprzedawała za dwa złote od sztuki, ptasim mleczkiem, nawet landrynkami, które kupował kiedyś na Kraszewskiego i ssał powoli, wybierając same czerwone i pomarańczowe.

– No coś ty. – Julka zamachała rękoma. – Przepadasz za słodyczami... Przecież ja to wiem.

I uśmiechnęła się tak, że gotów był stać w kolejce po przydziałowe dziesięć deko czekoladek, schować przed Maćkiem pod materacem albo nawet pod poduszkę, byle nie zabrał ani on ani reszta braci, i oddać je dziewczynie, za którą był gotów wskoczyć w ogień.

Michał nasmażył ponad dwadzieścia kotletów z karkówki i ugotował trzy kilo ziemniaków. Razem z Anią natarli surówki z marchewki, otworzyli słoiki z buraczkami, sałatką z zielonych pomidorów i beczkę z kiszoną kapustą.

– Ja myślę, Michałku, że tego jest za dużo – powiedziała Mania, która przyszła razem z Ryszardem pomagać w przygotowaniach do wizyty Winnych z okazji urodzin Ani, Mani, Julki z Ulką oraz Ewy.

– Dużo zrobiłem, ale nie po to kupowałem mięso od Janiaka, żeby się zmarnowało. Zresztą zobaczysz, jak przyjdą wszystkie dzieci, cała rodzina, która została, będzie akurat.

Rok szkolny właśnie się skończył, młode pokolenie Winnych ściskało w rączkach świadectwa z czerwonymi paskami, chwaliło się wzorowym zachowaniem i nagrodami książkowymi. Dzieci miały zostać w Brwinowie u babć na wakacje, dziadkowie już zacierali ręce, że będą mieli pretekst do chadzania do kina, muzeów techniki, ziemi, kolejnictwa. Kto wie, dywagowali razem, może nawet do Narodowego uda się je zaciągnąć, żeby obejrzały „Bitwę pod Grunwaldem". „Koniecznie też do Muzeum Literatury", przypominał Michałowi Ryszard, dodając, że potem mogą iść na lody do Kamiennych Schodków, zobaczyć warszawską Syrenkę i pomnik Nike. Ania i Mania wiedziały, jak bardzo ich mężowie lubią zajmować się wnukami podczas wakacji i miały nadzieję, że jeszcze przez parę lat dzieciaki nie wyrosną z wypraw do Warszawy na zwiedzanie i lody.

Od kilku lat wakacje zaczynały się uroczystym obiadem, chwaleniem świadectw oraz nagrodami. W tym roku było szczególnie uroczyście, gdyż do wakacyjnej gromadki miała dołączyć Anna Maria. Poprzedniego dnia Ania pojechała na grób Kazimierza, na który zawsze jeździła przy okazji swoich urodzin, nie wiedzieć czemu dokładnie tego właśnie dnia. Michał podejrzewał, że była w tym taka sama symbolika jak jego urodzinowe wizyty na grobie małej i dużej

Oli. Kasia także jeździła na grób Juliana, ale ona z kolei chciała upamiętnić dzień, w którym się poznali. Trzeba jej było zresztą od rana pilnować, czerwiec kojarzył jej się z nazwiskiem zmarłego męża, latami trwania u jego boku w szczęściu i nieszczęściu, więc była szczególnie podatna na pokusę sięgnięcia po alkohol.

W dodatku w zeszłym roku nagle zmarła matka Juliana, z którą ostatnimi czasy Kasia była dość mocno związana, więc odejście teściowej zasmuciło ją ogromnie. Podczas porządków w mieszkaniu zmarłej wzruszyła się ogromnie, kiedy zobaczyła dwie wielkie teczki wycinków dotyczących jej premier, występów teatralnych, filmowych i telewizyjnych. Znalazła także różne pamiątki i listy do syna pisane po jego śmierci, których nie była w stanie czytać bez łez. Do śmierci teściowej jeździły na grób razem, we Wszystkich Świętych i właśnie w dzień urodzin Julki i Uli. Mania i Ania z kolei nie świętowały jubileuszu hucznie, pamiętając, że ich urodziny były jednocześnie ostatnim dniem życia ich matki. Tego dnia wszyscy Winni smucili się i cieszyli na przemian, wspominali, przeżywali i starali się bezskutecznie zapomnieć o przeszłości.

– Pyszna ta sałatka z zielonych pomidorów, babciu – chwalił Karol, który rósł na potęgę, co stanowiło dla jego rodziców wielki kłopot. Wszystko mu smakowało, byleby było podane w dużych ilościach, z sosem i koniecznie kompotem gruszkowym.

– A to przepis pani Gumowskiej – wyjaśniła Mania. -- Lata ostatnio są zimne, pomidory nie dojrzewają na krzaku, stąd taka właśnie sałatka. W ten sposób nic się nie marnuje.

– A my z przepisu pani Gumowskiej robimy czekoladę na dyskoteki do szkoły – wyznała Ula, a jej babcia pokiwała głową z aprobatą.

– Jedzcie w takim razie – nie wytrzymała Ania, która zżymała się za każdym razem, kiedy słyszała o przepisach na ciasta z użyciem jednego jajka albo sałatkach z niedojrzałych warzyw, żeby tylko nie zmarnować niczego w tym kryzysie, który zmuszał

Polaków do kombinowania, łatania, przerabiania i zdobywania w pocie czoła i kolejkach najprostszych artykułów.

– Jemy, jemy. – Ula uważnie spojrzała na babunię, widząc, że na jej twarzy maluje się cała gama uczuć. – A mówiłyśmy, jakie śliczne książki dostaliśmy na koniec roku?

Ania ożywiła się jak zwykle wtedy, kiedy była mowa o książkach.

– Jakie? – spytała.

Dziewczynki jednocześnie sięgnęły do swoich torebek, uszytych przez nią z kawałka gabardyny, farbowanego na czerwono barwnikami do jajek wielkanocnych. Ania westchnęła na ten widok. Torebki także były świadectwem ogólnokrajowego kryzysu. Na każdym kroku było widać szarość i biedę, niczego nie można było dostać. Trzeba było kombinować, przerabiać i łatać. Kolorowe woreczki uszyła ciotecznym wnuczkom na urodziny, a one tak się cieszyły, jakby nie widziały ładniejszych. Wielokrotnie rozmawiała na ten temat z rodziną, znajomymi, wszyscy potwierdzali, jakie to żałosne, że wszelkie przejawy inwencji, takie jak samodzielne szycie ubrań, ozdabianie domów rękodziełem przydawały Polakom jedynie rys szlachetnego ubóstwa niż rzeczywistej urody. Najlepiej podsumował to Zbigniew Herbert, który napisał w jednym ze swoich wierszy: *...To wcale nie wymagało wielkiego charakteru/ nasza odmowa, niezgoda i upór/ mieliśmy odrobinę koniecznej odwagi/ lecz w gruncie rzeczy była to sprawa smaku/ Tak smaku...* *

– Aneczko, czy ty się dobrze czujesz? – spytał jej mąż Michał, wpatrując się w żonę intensywnie.

Dziewczynki trzymały w rękach książki i spoglądały pytająco.

– Zamyśliłam się – powiedziała tonem usprawiedliwienia. – Pokażcie, kochane...

Jedna przez drugą pokazywały jej swoje lektury. Ula pochwaliła się *Godziną pąsowej róży*, a Julia ściskała w rączce pięknie

* *Potęga smaku*, Zbigniew Herbert.

wydany egzemplarz *W pustyni i w puszczy*. Karol też wyciągnął rękę z książką.

– *20 tysięcy mil podmorskiej żeglugi* – przeczytała i spojrzała z uznaniem na wnuka. Karol zawsze był cichym dzieckiem i przy swoich głośnych, wesołych siostrach bliźniaczkach sprawiał wrażenie, jakby go było znacznie mniej w tej rodzinie. – Verne... to jeden z moich ulubionych pisarzy.

Karol uśmiechnął się i nałożył sobie kolejną dużą porcję ziemniaków, a po namyśle dołożył dwa kotlety.

– Karol!– oburzyła się Basia. – Może dla innych zostawisz, co?

– Daj dziecku spokój, bo rośnie przecież. – Mania zmierzwiła wnukowi włosy.

– Rośnie, a noga już dwunastka. Buty dostać to jest dopiero wyzwanie... – westchnął Tomasz.

Karol wbił w drugi kotlet przepraszające spojrzenie.

– Nasz Karol do Florka jest podobny – powiedziała Mania, przyglądając się uważnie wnukowi.

– Ja bym raczej powiedziała, że do Janka. – Ania zlustrowała chłopca spojrzeniem równie uważnym jak jej siostra.

– Pewnie już nie porównacie – powiedział Ryszard z lekkim sarkazmem w głosie. – On tu nigdy nie przyjedzie.

Ania pokiwała głową. Kiedyś wydawało się jej, że Janek przyjedzie z Łucją, potem tak nieoczekiwanie Winni dowiedzieli się, że już nie są razem z Wieruszówną. Janek niczego nie tłumaczył, tylko napisał, że przyjedzie z nową kobietą. Wizytę po latach uniemożliwiło wprowadzenie stanu wojennego. Kiedy w zeszłym roku oficjalnie go zniesiono, Ania i Mania ponownie zaprosiły Janka do Polski, ale nie pojawił się do tej pory. Nie przyjechał także na pogrzeb swojego ojca ani matki, o żonie swojego brata, Janince, nie wspominając. Ania kilka razy pytała Damiana, czy Janek zapraszał go do Ameryki, ale Damian spoglądał ironicznie i pukając się w czoło, mówił, że Janek ma rodzinę w głębokim poważaniu.

– Beneczku, ty za to nic nie jesz – zmartwił się Michał, który bardzo denerwował się, czy jego potrawy smakują rodzinie. Szczególnie martwił się o Ewę i Benita, którzy spędzili tyle lat w Izraelu, a i przed wyjazdem wychowany na włoskiej kuchni Benek, mimo dobrego wychowania, nie mógł zmusić się do jedzenia ciężkich polskich dań.

– Ależ jem, tato. – Uśmiechnął się do niego zięć. – Pyszne wszystko. Ta sałatka rzeczywiście oryginalna.

– Aniu, spróbuj, córeczko – zachęcała Ewa swoją córkę Annę Marię, która patrzyła na wielki kawałek mięsa rozpłaszczony na talerzu z wyraźną niechęcią.

– Jak się dziadek czuje? – spytała Małgosia, która wiedziała o wrzodowych problemach Michała.

– Jak dziadek nie je smażonego ani innych wynalazków, to się dobrze czuje... – powiedziała Ewa i uśmiechnęła się do Małgosi.

– O, przepraszam cię, moja droga – Michał udał oburzenie. – Ty jesteś lekarzem i wiesz swoje, ale ja zaprzyjaźniłem się z panią Gumowską, na nadciśnienie jem czosnek, na serce co rano sałatkę piękności...

– Dobrze, kochany, dobrze... – mitygowała męża Ania. – Nie denerwuj się. Chcemy, żebyś się dobrze czuł.

– Właśnie, dziadku. – Anna Maria ukradkiem dała kotlet Karolowi, który przyjął dar z wdzięcznością na twarzy.

– A wuj Ignacy gdzie? Bo Michele to wiem, dzwoniła, że na tydzień jedzie do Falaise.

– Janusz odwiózł go do Tworek na jakieś badania – powiedziała szeptem Mania. – Przyjadą wieczorem, może późnym popołudniem, bo jeszcze tam do kościoła mają wstąpić.

– To bardzo dobry pomysł, żeby wuj porozmawiał z księdzem Romanem, bardzo dobry... – powiedziała Kasia, która jak dotąd siedziała, niewiele mówiąc.

– Raczej Janusz ma coś do księdza...– sprostowała Mania. – Chociaż jakby z naszym Ignasiem porozmawiał, to też nie byłoby źle.

Kasia z zapałem pokiwała głową. Dawno nie była w kościółku w Tworkach, gdzie mądry ksiądz Roman, znany opozycjonista, udzielał schronienia prześladowanym, wspomagał biednych i niósł pocieszenie potrzebującym. Kasia nieraz dostała nie tylko rozgrzeszenie, ale słowa pociechy na przyszłość, mądre rady, a bywało, że ksiądz przygarniał małą Małgosię na kilka dni, jeśli nie miała jej z kim zostawić, a swojej matce nie chciała mówić, dokąd jedzie. Odwdzięczała się zwykle śpiewaniem podczas uroczystości i czytaniem pisma świętego, a ksiądz nigdy jej nie oceniał, nie oskarżał, tylko dawał nadzieję.

– Ignaś zupełnie się gubi. – Pokręciła głową Ania. – Zaczyna nas mylić. Myśli, że Michele to Władzia... Krzyczy w nocy. Tylko Jerzyk jest w stanie na niego wpłynąć, chociaż bywa, że Ignaś nie kojarzy, kim on jest.

– Właśnie – zauważyła Basia – Gdzie wujek Jerzyk?

– Wzięliśmy go na trochę do siebie – wyjaśnił Benek. – Tyle lat go nie widziałem, chciałem...

– Jerzyk jest cudowny – pospieszyła z wyjaśnieniem Ewa. – Zawsze taki cichy, stojący na uboczu...

– My też nie wiedzieliśmy, kim jest i co robi – westchnęła Mania. – Człowiek niby oczy i uszy ma otwarte, tak mu zależy na innych, na rodzinie szczególnie, a wszystko to na nic...

– Gdzie na nic?– spytała Małgosia, która nic nie rozumiała z tej rozmowy.

– Mama kompletnie go zdominowała. – Roześmiał się Benek. – I Jerzyk wolał się nie odzywać. Robił swoje, tylko nikomu nic nie mówił.

– Szkoda, że się nie ożenił... – westchnęła Ewa. – Taki dobry człowiek...

Wiele lat później, na pogrzebie Jerzyka, ujrzawszy silnie wzruszonego starszego pana, który nie mógł odejść od grobu, Ania i Mania zrozumiały, czemu Jerzyk nie miał kobiety.

– Jak Michele i Janusz dają sobie radę z opieką nad wujkiem? – spytała Kasia. – Chciałabym pomóc...

Teraz Basia rzuciła siostrze niezbyt przychylne spojrzenie. Kasia schyliła ramiona. Niech by jej tylko dali szansę, a udowodni, że umie być pomocna.

– Gdybyś odciążyła czasem Michele, przyjechała poczytać Ignacemu. – Ania wzięła siostrzenicę za rękę. – Byłoby wspaniale...

– Tak zrobię – obiecała. – Ja wiem, że... Ja chciałabym...

Zapadło niezręczne milczenie, które znów wykorzystał Karol, wyjadając resztkę buraczków z półmiska.

– Tak się cieszę, że was tu wszystkich widzę... – rozczulił się Michał, przerywając ciszę, i objął swoją córkę ramieniem, a ta przytuliła się do niego.

– Przecież wujek Michał wyjechał... – przypomniała wszystkim Małgosia, która była bardzo dokładna.

– Ewa wróciła, on wyjechał, tak... – Posmutniał Michał. – Tak bywa...

Ryszard zgromił wzrokiem Małgosię, a ta wbiła wzrok w talerz.

– Ja nie chciałam...– wybąkała.

– Pewnie, że smutno, ale pojechał przecież grać na skrzypcach w orkiestrze. Filharmonia w Madrycie ma szczęście.

– Z jego zdolnościami mógł pojechać do Nowego Jorku – zauważyła Ewa, a Ania pokiwała głową.

– Chciał pojechać – powiedziała. – Prosiliśmy nawet Janka o pomoc i on udał się gdzie trzeba, wyrabiał mu jakieś zaproszenia... W Pagarcie udało się nawet sprawę pchnąć do przodu, Kasiunia pomogła, ale... Jechać za ocean – marzenie ściętej głowy.

– A w Madrycie źle? – spytała Mania. – Z całą rodziną pojechał, a to ważne.

– Taki był warunek – wtrącił się Michał. – Chciał pojechać z Joasią i Magdą. Do Ameryki, nawet gdyby się udało, musiałby pojechać sam, a potem próbować sprowadzać rodzinę...

– Jak jechać, to z całą rodziną – powiedziała Ewa i umilkła pod przeszywającym ją wzrokiem Mani.

Ewie nie było łatwo, pewnie dlatego, że sama się obwiniała za tamtą decyzję. Wtedy nie umiała określić własnej tożsamości. Odrzuciła swoją rodzinę, najbardziej matkę. Była oszalała z gniewu i nienawiści. Chciała ranić i karać. Musiała wtedy wyjechać. W innym wypadku rozpadłoby się jej małżeństwo, straciłaby rodzinę, kto wie, czy nie zrobiłaby sobie czegoś złego. Wiedziała, że skrzywdziła bliskich. Rodzina ją oskarżała, ale nigdy matka ani ojciec. Oni kochali ją, rozumieli i wspierali. Musiała przebyć długą drogę, żeby znaleźć na nowo swoje miejsce. Powiedziała matce o koszmarze, jaki stał się jej udziałem w Izraelu. Obca dla rdzennych mieszkańców, nigdy nie była u siebie.

Benek zamknął się w sobie natychmiast. Początkowo wydawał się akceptować jej decyzję o wyjeździe, co więcej – przyklaskiwał jej, jednak na miejscu okazało się, że wcale nie chciał jechać. Kiedy umarła jego matka i Stanisław, a oni nie mogli przyjechać na pogrzeb, oskarżył ją o egoizm, chociaż zrobiła wszystko, żeby chociaż on mógł przyjechać. Mimo to ją obwiniał, a w końcu odrzucił. Przez rok nie sypiali ze sobą. Miał wymówkę w postaci Anny Marii, najpierw ciąży, potem dziecka, do którego trzeba było wstawać w nocy. Nie mógł znaleźć pracy, więc został w domu, opiekując się małą. Ewa pracowała i mimo nieprzychylnej atmosfery robiła specjalizację, pięła się mozolnie, ale konsekwentnie po szczeblach kariery. Oboje chcieli wrócić do Polski, Benek, bo stracił kilkanaście lat i nie chciał tracić więcej, Ewa, bo tęsknota za matką i ojcem prawie zniszczyła jej życie. Wrócili do domu i jak za dotknięciem czarodziejskiej różdżki wrócili do siebie. Wszystko stało się proste, oni, Anna Maria, ich uczucie, które na szczęście nie wygasło. Bliskość rodziny była jak plaster na wszelkie rany.

– To jak z naszymi wakacjami? – Michał zwrócił się do dzieci. – Jutro idziemy do kina czy do Muzeum Techniki?

– Do muzeum! – krzyknął Karol.

– Do kina! – wrzasnęły Julia i Ula.

– Do kina, muzeum i na lody! – pisnęła Anna Maria.

Ryszard z Michałem zaczęli się śmiać.

– Widzicie, moi drodzy – podsumowała sprawę Mania. – Nie dogodzisz…

– Losujcie – zaproponowała Ania. – Albo dajcie dziadkom zdecydować.

Karol wcisnął do ust ostatniego ziemniaka i dostał czkawki. Ula uderzyła brata tak mocno w plecy, że wypluł ziemniak na talerz Anny Marii, która zaczęła pomstować na niewychowanego kuzyna. Karol w odwecie popchnął Ulkę, aż ta wywróciła się razem z krzesłem. Julia wrzeszcząc, chciała pomóc siostrze, Anna Maria przytuliła się do matki niepewna, czy przypadkiem nikt jej nie oskarży o rozpętanie awantury. Michał i Ania zaczęli podnosić Ulę, pocieszać Karola i uspokajać pozostałe zdenerwowane wnuki.

– Widzę, że u was jak zwykle wesoło – powiedział Damian, który dotarł spóźniony. Po chwili pojawili się też jego synowie.

– Pewnie, że wesoło. – Roześmiała się Mania i poszła dorobić ziemniaków i wyjąć ostatnie schowane dla nich kotlety. – Siadajcie, kochani.

Damian omiótł spojrzeniem puste półmiski i pokiwał głową. Ania przypomniała sobie jak lata temu, po śmierci Janinki bardzo często zapraszała Damiana z synami na niedzielne obiady. Piotrek i Robert zawsze rzucali się na przygotowane przez Anię potrawy, jakby od dawna nie jedli. Damian robił wszystko, co mógł, ale wiadomo, jak gospodaruje mężczyzna bez pomocy kobiecej ręki.

Ania i Mania starały się pomagać bratu. Nie raz cerowały Piotrkowi i Robkowi skarpetki lub zabierały chłopców do krawca żeby uszyć im spodnie, z których ciągle wyrastali.

– Jak Heniek? – spytała Ania.

Damian machnął ręką.

– Źle, ale nie chce dać sobie pomóc...

– To prawda, że jakaś pani się koło niego kręci? – spytała Mania.

– Kręci się. – Damian nigdy nie był specjalnie rozmowny. – Nie wiadomo, o co jej chodzi, bo przecież nie o Heńka...

– Czemu tak mówisz? – oburzyła się Ania. – Skąd wiesz, co ktoś w kimś widzi?

Damian pokiwał głową, bo zrozumiał po swojemu, co Ania powiedziała. Cztery lata wcześniej odszedł Jarosław Iwaszkiewicz, co Damian przeżył bardzo ciężko, mimo że nie widział pisarza blisko czterdzieści lat. Stawiał lampki na jego grobie ukradkiem, pod osłoną nocy, za każdym razem ocierając łzę wzruszenia, chociaż twardy z niego był robotnik.

– Faktycznie, nie wiem, niech wam będzie – zgodził się, a Ania położyła rękę na jego ramieniu i zajrzała mu w oczy.

– Rogaty jak zwykle... – Uśmiechnęła się Mania.

Wiele lat później, kiedy Damiana już na świecie nie było, a Robek i Piotrek przenieśli się do wuja Heńka do Siedlec i rzadko przyjeżdżali, Julia wspominała tamto popołudnie jako jedno z najpiękniejszych w jej życiu. Otoczona dziadkami, kuzynami, wujami i ciociami czuła, jak wraz z szumem liści i śpiewem ptaków staje się ważną częścią świata. Pomyślała o Jeremim, który został w bloku na Andrzeja, siedział pewnie teraz na trzepaku albo grał w pikuty z chłopakami, nudząc się setnie. Za dwa tygodnie obydwie z Ulą miały jechać na kolonie, załatwione przez dziadka Ryszarda w Związku Architektów, i cieszyły się obydwie okropnie perspektywą wakacji na Mazurach. Jeszcze rok później znów przyjechały do Brwinowa na wakacje, a babcie zrobiły tort. Po dwóch latach zabrakło Małgosi, która wybrała się na wakacje z koleżankami, a ciocia na to pozwoliła. Po trzech latach z kolei Karol powiedział, że chce jechać na obóz, a nie biegać z dziewczynami po Brwinowie. Piotrek i Robek wtedy mieszkali już daleko, a Anna Maria została wysłana do Rabki, żeby podreperować zdrowie, bo wcześniej mieszkała w ciepłym kraju i tak nie chorowała jak w ojczyźnie. Tamtego lata wszyscy siedzieli przy wspólnym stole po raz ostatni.

– Wszystko się zmienia – powiedziała wtedy Julia, patrząc na jabłonkę-dziczkę, która dawała przez czterdzieści lat owoce na szarlotkę, a którą niespełna miesiąc wcześniej powalił wiosenny piorun.

– Tak musi być – powiedziała babcia Ania i spojrzała na nią tak, jakby rozumiała, co się właśnie w Julii życiu zaczyna dziać. – Nie walcz z tym, moja kochana... Tak ma być...

– Wiśniowiecki, Wiśniowiecki... – Kręciła głową nauczycielka od historii. – I co ja mam z tobą zrobić?

Jeremi zacisnął zęby, bo już słyszał pierwsze śmiechy kolegów za sobą. Nauczycielka historii z uporem maniaka mówiła do niego Wiśniowiecki, pewnie dlatego, że miał na imię Jeremi, a potem chłopaki śmiali się z niego i krzyczeli „Jarema idu!".

– Jestem Wiśniewski – próbował poprawić historycę, ale ta natychmiast powiedziała, że Jarema, tak, właśnie powiedziała „Jarema", jest bezczelny i kazała mu siedzieć cicho. Nie chciało mu się odpyskowywać, czuł się słaby i wątły. Zasypiał zaraz po powrocie ze szkoły, z trudem budził się na odrabianie lekcji i ledwie wytrzymywał na wspólnych modlitwach. Ostatnimi czasy modły rodzinne przybrały na sile po tym, jak w Czarnobylu zepsuł się reaktor atomowy i chmura radioaktywnego pyłu beztrosko fruwała nad północną i środkową Europą. Gdyby nie Szwedzi, nikt by się o tym nie dowiedział, a setki tysięcy ofiar choroby popromiennej zostałyby wywiezione w głąb Związku Radzieckiego. Gdyby ktoś zauważył dużą liczbę zdeformowanych dzieci, zrzucono by pewnie winę na wyrodne matki lub amerykańskich imperialistów.

Przysypiając między wersetami Księgi Apokalipsy, Jeremi dowiedział się, że jest tam mowa o jakimś ziele, które ma się zapalić, poprzedzając zstąpienie na ziemię groźnych aniołów. Czarnobyl zaś miał nazwę owo zielę do złudzenia przypominającą, więc katastrofa reaktora była, według ojca i matki Jeremiego, niczym innym jak początkiem końca świata. Na dodatek w dzień największego potencjalnego promieniowania spadł deszcz. Jeremi szalał wtedy na odziedziczonym po Maćku rowerze wigry 3 i został zmoczony przez radioaktywne opady od stóp do głów. Nie przyznał się do tego rodzinie w obawie, że oddadzą go do szpitala albo będą go omijali niczym zakażonego malarią. Jeremi jednak się bał. Senność przybrała na sile, w szkole gorzej się uczył, na treningach trener krzyczał, że rusza się jak mucha w smole i za każdym razem pytał, co się z nim stało. Chłopak codziennie bacznie oglądał swoją skórę, w obawie, czy coś mu na niej nie rośnie, ale stwierdzał tylko, że wąs mu się sypie i taki ciemny puch na policzkach, że wygląda, jakby był brudny.

Radzieccy przyjaciele tymczasem wydawali się zupełnie nie przejmować katastrofą ani potencjalnym zagrożeniem dla swojego kraju i państw ościennych. Z okazji Święta Pracy spędzono obywateli na tradycyjną manifestację. Dzieci maszerowały w wyprasowanych białych bluzeczkach, pod szyją miały zawiązane pionierskie chusty, a na buziach uśmiechy. Śpiewała Ałła Pugaczowa, udowadniając tym samym całemu światu, że żadnego niebezpieczeństwa nie ma. Ludzie w Polsce jednak się burzyli, więc w szkole rozdawano płyn Lugola. Jeremi miał wspominać tę kurację jako jedną z najgorszych w swoim życiu, gorszą niż nastawianie złamanej ręki po upadku z babcinej jabłonki czy ból skręconej nogi – pamiątki po ucieczce przed ekshibicjonistą. Pani od biologii odkorkowała wielką butlę pełną rdzawego płynu, wręczyła najbliżej stojącym szklanki i zaczęła „leczenie". Strzykawką nabierała dawkę według własnego widzimisię i sympatii do ucznia bądź jej braku, wlewała do szklanki i czekała, aż delikwent doleje sobie wody, wypije, a następnie przekaże szklankę kolejnemu „opromienionemu". Procedura szła niezbyt gładko, bo jedni nalewali sobie za dużo wody, inni za mało, wszyscy głośno komentowali ohydny smak płynu i kłócili się o to, czy pić czy nie.

– Wszyscy mają wypić – powiedziała pani od biologii. – Kto nie wypije, dostanie dwóję.

Groźba była realna, bo nauczycielowi wolno było robić, co tylko chciał, interwencje rodziców praktycznie nie istniały, a rzecznik praw ucznia był zupełnie nieznany. Wiele lat później Jeremi i Julia stwierdzili, że powinni zaskarżyć swoje przedszkole i szkołę do trybunału w Strasburgu, a na pewno wywalczyliby gigantyczne odszkodowanie. Musieli jednak przyznać, że chętnych do składania podobnych pozwów byłoby jakieś kilkanaście milionów, tylko w samej Polsce, więc jedynie pośmiali się serdecznie.

Jeremi zwymiotował pierwszy. Fala mdłości, jaka wraz z płynem Lugola przetoczyła się po jego wnętrznościach, była nie do zniesienia. Próbował myśleć o czymś przyjemnym, przywoływać piękne obrazy, miłe zapachy, w końcu chciał powąchać kwiaty stojące na parapetach, ale paprotka słabo pachniała, kroton wcale, a kaktusem prawie się pokłuł. W końcu do nozdrzy dostał się zapach z akwarium, gdzie mieszkały dżerbile i to był gwóźdź do trumny. Jeremi zwymiotował nie tylko płyn Lugola, ale także obiad ze stołówki, gryza kanapki od Maćka i kawałek gumy owocowej, którą podzieliła się z nim Julia. Wrzaskiem biologicy się wcale nie przejął, wrzeszczała na niego prawie na każdej lekcji, nie tylko na niego zresztą. Po nim rzygnęli jeszcze Agata, Ewka i Ulka oraz Marcin, więc pretensje rozłożyły się na kilka osób. Najgorsza była jednak świadomość, że bez tej odtrutki, antidotum, w które święcie wierzył, miał szansę zachorować na coś poważnego. Tak się tym martwił, aż przyszło mu do głowy coś zupełnie oczywistego, że przecież mama Julii i Uli jest lekarzem i na pewno przepisze mu jakieś odpowiednie leki na niepokojące go objawy.

Przed wakacjami niestety już nie zdążył porozmawiać z mamą bliźniaczek, mimo że wracał z nimi ze szkoły prawie codziennie i razem odrabiali lekcje. Zapytał nawet siostry, czemu ich mamy i taty ciągle nie ma, ale głupio mu się zrobiło, bo dziewczynki zaczęły wzdychać i plątać się w zeznaniach, że wujkowie są bardzo chorzy i mama z babciami dziewczynek pomagają w opiece. Jednemu wujkowi, który jest księdzem, a raczej był nim, coś się stało z pamięcią i teraz nie bardzo wie, kim jest. Jeremi nie bardzo rozumiał, o co chodzi, nikt w jego rodzinie na taką chorobę nie chorował. Ten drugi wujek nie miał kłopotów z pamięcią, tylko z nogami i nie mógł chodzić. Jeremi był pod wrażeniem, jak bardzo pomagano sobie w tej rodzinie. U niego, jak tylko komuś noga się powinęła, mógł liczyć jedynie na pełne wyższości uwagi lub najwyżej dobre rady.

Któregoś październikowego dnia, kiedy Jeremi wracał ze szkoły godzinę wcześniej niż siostry, bo dziewczynki miały dodatkowy trening, z daleka zobaczył panią doktor Andruszkiewicz, jak otwiera drzwi do swojego domu. Pobiegł szybko i zziajany nacisnął dzwonek przy furtce.

– Dzień dobry, Jarku. – Pani Basia zdumiała się na jego widok. – Nie ma dziewczynek. Są jeszcze w szkole.

– Ja do pani, jak można...

– To wejdź w takim razie...

Zdjął szybko buty, gratulując sobie w duchu, że włożył czyste skarpetki, i wszedł do kuchni.

– Jadłem obiad w szkole – powiedział szybko na widok dwóch talerzy z rosołem, do których pani domu właśnie sypała pietruszkę. – Naprawdę dziękuję...

– E tam... – Machnęła ręką. – Rośniesz i pewnie wciąż jesteś głodny. Poza tym ja bardzo nie lubię jeść sama, więc zrób mi tę przyjemność i daj się zaprosić na rosołek.

Kiwnął głową, bo pani doktor miała rację. Jadł wciąż, a chudy był jak wiór. Matka przed nim chowała jedzenie, bo wstawał w nocy i zjadał pół chleba z margaryną, jak nie było nic innego.

– O czym chciałeś ze mną porozmawiać? – spytała, kiedy już skończyli jeść. – Pewnie Ula ci dokucza, tak?

– Nie, skąd. – Prawie się obraził, że ona może go brać za skarżypytę. – Chodzi mi o zdrowie...

– Twój brat ma znów ataki, tak?

– Ma. – Jeremi kiwnął głową. – Ale nie chodzi o niego, tylko... o mnie. Ja się trochę martwię, że jestem na coś chory...

Spuścił głowę i czekał, aż kobieta potwierdzi jego obawy, powie jak na filmach, że zostało mu trzy miesiące życia, a jej jest bardzo przykro.

– A co tobie dolega, kochanie? – spytała z zainteresowaniem w głosie. Na jej miłej, piegowatej twarzy odbiła się troska, jakiej Jeremi nie zobaczył nigdy u własnej matki.

– Ciągle chce mi się spać i jeść. To znaczy nie jem, tylko jak śpię. Chudy przy tym jestem okropnie i nie mam siły. Może mam solitera... albo... – wstrzymał oddech – ...raka?

Pani doktor przeprosiła go na chwilę, potem wróciła ze słuchawką lekarską i ciśnieniomierzem. Kazała mu zdjąć koszulę, potem przyłożyła słuchawkę do jego klatki piersiowej, a potem pleców. Zmierzyła mu też ciśnienie.

– I co? – Nie mógł się powstrzymać. – Da mi pani jakieś lekarstwa?

– Nie ma takiej potrzeby. – Uśmiechnęła się i pogłaskała go po głowie. – Ile urosłeś w ciągu ostatniego roku?

Wzruszył ramionami.

– Nie wiem, ale jak wróciłem z wakacji, to moja mama się załamała, bo spodnie miałem za krótkie i buty za małe, a wie pani, że ciężko dostać...

– I to jest właśnie przyczyna twoich dolegliwości. Bardzo szybko urosłeś i twój organizm nie nadąża. Dlatego chce ci się tak bardzo spać i nie masz siły. Powinieneś dobrze się odżywiać, brać witaminy i przeczekać.

– I to tyle? – spytał i z wrażenia zapiał jak kogut, co mu się często ostatnio zdarzało. To też było w sumie okropne – albo piszczał jak mysz, albo znów basem zagadywał.

– Tyle. – Uśmiechnęła się pani doktor. – Poczekaj chwilę, mam buty po Karolu i ubrania, jeśli się nie obrazisz...

Jeremi się nie obraził, ale ucieszył. Karol miał świetne ubrania i buty, a on sam niespecjalnie lubił chodzić w spodniach sięgających do połowy łydki. Zwłaszcza pod koniec października. Mama Uli i Julii wróciła z pokaźną paczką. Już się miał zbierać, bo nie chciał, żeby dziewczyny go zobaczyły, kiedy zadzwonił telefon.

– Oooo... jakie to straszne... – powiedziała pani doktor Andruszkiewicz do słuchawki i usiadła ciężko na fotel.

– Co się stało? – spytał Jeremi zaniepokojony.

– Znaleźli księdza Jerzego Popiełuszkę. – Z oczu kobiety płynęły łzy. – Zabili go...

Wstrząśnięty Jeremi położył rękę na ramieniu mamy bliźniaczek. Wiedział oczywiście, o co chodzi. Księdza porwano kilka dni wcześniej. Wszyscy mieli nadzieję, że znajdzie się cały i zdrowy. Jednak stało się inaczej. Ponownie zadzwonił telefon.

– Wiem już... – powiedziała doktor Andruszkiewicz do słuchawki, po czym zamilkła. – Kasiu, to ty? Co ty mówisz w ogóle? Co ty mówisz? – krzyknęła wielkim głosem, a potem rzuciła słuchawkę i wybiegła z domu.

Jeremi stał chwilę zdumiony, ale szybko się opanował i wybiegł za mamą bliźniaczek, w przelocie chwytając jej płaszcz z wieszaka, bo wybiegła, tak jak stała, a na dworze było zimno. Zamknął też drzwi do jej domu i pobiegł za nią, aż do domu ciotki dziewczynek. Nie umiał powiedzieć, czemu tam poszedł, może czuł, że będzie potrzebny, może tylko z ciekawości, kto wie.

– Pomóż mi, proszę – powiedziała pani doktor, kiedy wszedł i zaczął mówić, że zapomniała płaszcza.

Piękna aktorka leżała na podłodze, rozczochrana, w pomiętym ubraniu. Białe smugi na swetrze i spodniach wskazywały, że czymś się ubrudziła.

– Ja nie chciałam… – bełkotała.

– Gdzie Małgosia? – Pani doktor klepała siostrę energicznie po twarzy. – W Pałacu Kultury i Nauki na kółku artystycznym? Dobrze, że nie będzie tego świadkiem…

Wyglądała tak jak Maciek po ataku padaczki. Jeremi zrobił więc to, co zwykle w takich przypadkach, czyli podszedł od strony głowy, złapał pod oba ramiona i uniósł kobietę z zamiarem wzięcia jej do łazienki i wymycia. Pani Andruszkiewicz spojrzała z wdzięcznością i wzięła siostrę za nogi. W łazience włożyła jej głowę pod kran z zimną wodą, a on trzymał gwiazdę filmową za ramiona, bo się wyrywała i klęła. Potem podał pani doktor ręcznik i pomógł przenieść kobietę w kierunku sedesu. Bez żadnego obrzydzenia patrzył, jak doktor Andruszkiewicz wkłada siostrze palce do gardła, a potem przytrzymuje głowę przy wymiotach.

– Dziękuję ci, Jarek – powiedziała, kiedy już ułożyli aktorkę na łóżku i przykryli kocem. – Bez ciebie nie dałabym rady.

– Nikomu nie powiem, niech się pani nie boi – powiedział.

– Dziękuję ci bardzo. – Popatrzyła na niego z wdzięcznością. – Moja siostra… jest…

– Chora… – wpadł jej w słowo. – Rozumiem.

– Możesz jeszcze chwilę zostać, aż podłączę kroplówkę?– spytała, a on pokiwał głową.

Dopiero po latach zrozumiał, jaka to była choroba, która wymagała wywoływania wymiotów i podłączania kroplówki w warunkach domowych. Wtedy pomyślał, że ta piękna pani ma może raka albo zaraziła się czymś okropnym, stąd takie zabiegi. Nie pisnął ani słowem, czego był świadkiem, ani wtedy, ani nawet po latach. Uznał, że to ma zostać między panią Barbarą, aktorką i nim. Przez kilka kolejnych dni chodził wieczorami do kościoła św. Kazimierza z Julką i Ulą, Karolem i ich mamą na msze za duszę świętej pamięci księdza Jerzego. Następnego dnia w kościele pojawiła się także siostra pani doktor i przepięknie śpiewała „Barkę", ulubioną pieśń Ojca Świętego. Po mszy, która kończyła się zawsze śpiewaniem „Boże coś Polskę", wszyscy unosili dwa rozchylone palce w kształcie litery V, co oznaczało, że wierzą w sprawiedliwość i mają nadzieję, że oprawcy, którzy torturowali i zabili dobrego księdza, poniosą zasłużoną karę.

Wracali potem wszyscy razem po mszy i Jeremi patrzył z podziwem na aktorkę, która jeszcze dzień wcześniej wyglądała jak obraz nędzy i rozpaczy, a tego wieczoru była pięknie ubrana, jej włosy lśniły w świetle ulicznych latarni, a powieki miała pokryte zielonym cieniem. Odbierała zachwycone spojrzenia i ukłony, jakby to było coś normalnego i należnego jej z racji urody i talentu. Jeremi pomyślał wtedy, że są ludzie, którzy mają dwie twarze. Jedną dla świata, jasną i piękną, drugą dla rodziny – opuchniętą, z rozmazanym makijażem. On sam zamierzał mieć zawsze jedną, choćby nie wiem co.

1987 ROK

*...lecz czemu mnie do raju bram/ prowadzisz drogą taką krętą/ I czemu wciąż doświadczasz tak/ jak gdybyś chciał uczynić świętą...** – śpiewała w Opolu Edyta Geppert, a Kasia, płacząc, zastanawiała się, czy ktoś tak dobrze ją zna, że napisał o niej piosenkę.

Niedawno straciła rolę w spektaklu „Biała bluzka" według tekstu Agnieszki Osieckiej. Przepełniało ją uczucie głębokiej niesprawiedliwości. Dyrektor teatru Ateneum właśnie jej obiecywał główną rolę. To ona miała zaśpiewać takie piosenki jak „Wariatka tańczy". To za nią po całej Polsce mieli jeździć wielbiciele. To ją rok później Jacek Kuroń miał poprosić o to, żeby rozpuściła pogłoskę, że ten opozycjonista, w którym kocha się bohaterka, to właśnie on.

– To nie tak miało być. – Płakała w ramionach swojej dorosłej córki. – To mnie się należała ta rola, nie jej. Tylko mnie!

– Ale co się stało? – pytała Małgosia, chociaż znała odpowiedź.

– Nikt mnie już nie chce – szlochała Kasia.

– Wiesz, że to nieprawda – córka przemawiała łagodnym głosem. – Musisz tylko przestać rujnować swoje zdrowie...

Była przygotowana na to, że matka zacznie zaprzeczać i wypierać się pijaństwa, tłumaczyć, że w tym przypadku wcale nie chodziło o to, tylko spisek autorki z reżyserką, dyrekcją teatru i pewnie samym ministrem kultury i sztuki. Tymczasem Kasia zaczęła szlochać jeszcze mocniej, rozmazując oczy pomalowane tuszem z peweksu.

– Ja nie mogę przestać – wyszlochała. – Próbuję i nie mogę przestać...

* *Zamiast*, Magda Czapińska.

Kiedy przyszła po paru kieliszkach na przedstawienie w Narodowym i pomyliła kilka razy tekst, dyrektor Krasowski wezwał ją na dywanik i poinformował, że nie będzie więcej grała. Próbowała tłumaczyć się chorobą, kłopotami z tarczycą, sercem, migreną, ale to nic nie dało. Rok wcześniej napiła się po premierze. Kiedyś mogła wypić lampkę szampana bezkarnie, co najwyżej już w domu musiała „dokończyć", żeby poczuć się zupełnie dobrze. Ostatnio nie mogła poprzestać na jednym kieliszku. Nawet świadomość nieżyczliwych szeptów wokoło nie działała zniechęcająco. To była jej ostatnia większa rola, nie główna, ale większa. „Jakie to żałosne", myślała, popijając szampana Igristoje. „Co się ze mną zrobiło?". Dyrektor miał zamiar wystawić *Króla Leara*. Tyle by dała, żeby zagrać Kordelię. Jak dobra mogła być w tej roli...

Na szczęście był on. Wspaniały, wreszcie ten jedyny, który miał ją uzdrowić, oczywiście żonaty. Skinął na nią głową, a ona zrezygnowała z trzeciego kieliszka szampana i poszła do garderoby, żeby się przebrać. Mieli wyjechać do Kazimierza na kilka dni. Nie pytała, co powiedział żonie, ona powiedziała Małgosi, że jedzie z teatrem. Szumiało jej w głowie i światło raziło. Zapaliła tylko małą lampkę przy lustrze. Nie chciała widzieć w intensywnym świetle własnej opuchniętej twarzy. Po namyśle przykryła żarówkę kocem. Potem wyszła, zapominając o wyłączeniu światła. Garderobiana nie zauważyła niczego. Nie było już sprzątających. Ogień spopielił większość gmachu.

Nigdy nie ustalono przyczyny pożaru. Oficjalnie podano zwarcie instalacji elektrycznej. Wiedziała, że to jej wina i zastanawiała się, jak mogła tak głupio postąpić. Przecież panicznie bała się ognia. „Całe szczęście, że nas tam nie było", mówiła do kochanka, „mogliśmy zaczadzieć...". On też się cieszył, że nie zostali na miejscu, korzystając z wygodnych pluszowych kanap w garderobach albo kochając się na scenie, przy otwartej kurtynie, jak to miał w zwyczaju nie tylko z Kasią, ale także z innymi aktorkami.

„Tak bardzo boję się ognia", wyznała mu. Budynek remontowano ponad rok, a po jego otwarciu Kasię wyrzucono.

– Właściwie to dobrze – powiedziała, a potem wyszła, trzaskając drzwiami. – Nie będę brała udziału w takim... cyrku...

Teatr podupadał. Po zmuszeniu dyrektora Hanuszkiewicza do odejścia nowa dyrekcja cieszyła się poparciem władz, ale widzowie wyraźnie widzieli braki repertuarowe i zaczęli omijać teatr. Kasia trzymała się macierzystej sceny, ciesząc się, że otrzymuje pensję, a nie musi grać z racji remontu. Coraz trudniej jej było uczyć się ról i udawać trzeźwość. Rodzinie mówiła, że ma teraz więcej czasu na granie w filmach, ale mimo tego, że pojawiała się regularnie u Kondratiuka, Barei, nawet u Wajdy, grała coraz mniej, a piła coraz więcej.

Romans z kolejnym żonatym mężczyzną doszczętnie zrujnował jej psychikę. Znany aktor, podobnie jak jego poprzednicy, zdobył Kasię szturmem, podjeżdżając pod jej dom zagranicznym samochodem, kupując szampana na śniadanie, zabierając na Mazury, gdzie miał łódkę, albo do Kazimierza. Wieczory spędzali w SPATIF-ie, noce w domu w Pruszkowie, popołudnia na zakupach, a wieczory odpowiednio na scenie i na widowni. Tyle że po trzech miesiącach kochankowi znudziło się takie życie i wrócił do żony, która była przyzwyczajona do jego zdrad i powrotów. Kasia pogrążyła się w rozpaczy, a procenty miały jej pomóc przeboleć kolejną stratę.

– Nie, nie próbujesz – mówiła do matki Małgosia, narażając się na jej krzyk, płacz i wyzwiska. – Nie próbujesz, pijesz coraz więcej i ja mam tego dosyć...

Kasia wybełkotała coś o niewdzięczności dzieci w dzisiejszych czasach. Wypomniała Małgosi dżinsową kurtkę i spodnie kupowane w Rembertowie, i to dwa komplety, zwykłe i w kwiaty, buty ze Skry i perfumy z zagranicy. Małgosia pozostała nieugięta i powtórzyła tezę o konieczności zaprzestania picia i podjęcia leczenia. Matka się wściekła, próbowała wstać i wyjść z domu z godnością, ale udało się jej wyłącznie spionizować, po czym runęła na podłogę, rozcinając łuk brwiowy. Pokazała się krew, ale Małgosia miała dość jej pijaństwa do tego stopnia, że nawet nie poszła po ręcznik i plaster. Ranka nie była na szczęście duża, tylko kilka kropel krwi wypłynęło na wytarty ze starości dywan.

– Iść po ciocię? – spytała. – Chcesz kroplówkę?

– Nie, nie... – Kasia dźwignęła się ciężko i poszła obłożyć twarz lodem.

Zadzwonił telefon. Małgosia odebrała. Z westchnieniem wysłuchała przemowy zdenerwowanej babci Mani, która czekała w Brwinowie na jej matkę, bo ta obiecała, że zostanie z Jerzykiem, żeby babcia z dziadkiem mogli wyjechać na dwa tygodnie do sanatorium.

– O Boże, babciu, przepraszam was bardzo... Mama zapomniała, a mnie też wyleciało z głowy – powiedziała tylko. – Za godzinę będziemy obie. Niech dziadek wyjedzie po nas na stację, dobrze?

Potem wzięła walizkę i spakowała trochę rzeczy dla siebie i matki. Następnie poszła do łazienki, gdzie znalazła Kasię siedzącą na sedesie i recytującą monolog Ingi z *Pierwszego dnia wolności* Kruczkowskiego. Rozpoznawała od dzieciństwa jej nastroje na podstawie ról, które odgrywała w łazience. Uznała, że to nie jest zły monolog i dobrze rokuje.

– Obiecałaś babci, że zajmiesz się wujkiem Jerzykiem – powiedziała z wyrzutem. – Babcia z dziadkiem są spakowani i chcą wyjechać do sanatorium. Czekają...

– Odwołaj – mruknęła Kasia. – Jerzyk to nie jest moja rodzina... Niech Baśka się nim zajmie albo... Michele.

– Ciocia Michele zajmuje się już wujkiem Ignasiem, nie pamiętasz? Chciałaś im pomagać, ale ani razu nie poszłaś choćby mu poczytać... A ciocia ma wystarczająco na głowie.

Kasia machnęła ręką i zaczęła recytować fragment *Kotki na gorącym blaszanym dachu*. Małgosia nie czekała dłużej.

– Ruszysz się czy nie, pijaczko?! – wrzasnęła.

Kasia rozszerzyła ze zdumienia oczy.

– Jak ty...?! Jak ty...?!

Małgosia szarpnęła ją za ramię i wywlokła z domu. Tam wciąż szarpiąc matkę jedną ręką, a trzymając walizkę w drugiej, ruszyła w kierunku kolejki WKD.

– Nie chcę – słabo protestowała Kasia.

– Obiecałaś! – twardo powiedziała córka. – Jesteś nieodpowiedzialną egoistką. Myślisz tylko o sobie! Artystka ze spalonego teatru!

Kasia szła ze spuszczoną głową. Córka miała rację. Własne nieszczęście i żale do świata przysłoniły jej prosty fakt – miała dziecko, którym się powinna zająć. Tymczasem Małgosią zajmowali się dziadkowie, siostra i kuzynki. Nawet ksiądz Roman miał dla Małgosi więcej czasu niż ona sama. Córka zbierała puste butelki, przykrywała ją kołdrą i myła pod prysznicem. Jeśli trzeba było, umiała sprzątnąć wymiociny, zaparzyć kawę z cytryną na wytrzeźwienie, zrobić żółtko z miodem, a nawet zamaskować makijażem sińce pod oczami. Kiedy nie mogła poradzić sobie sama, szła po ciocię Basię, która podłączała kroplówkę, pomagała jej sprzątać, a kiedy trzeba było, czuwała w nocy razem z siostrzenicą przy łóżku Kasi.

Na stacji w Podkowie Leśnej czekał na nich lekko zdenerwowany dziadek Ryszard. Po szybkim powitaniu pojechali do Brwinowa, gdzie babcia Mania z zaciśniętymi w wąską kreskę ustami czekała, siedząc w fotelu w garsonce, wyjściowych butach i apaszce na szyi. Na ich widok rozchmurzyła się nieco, wyraziła ogromne zadowolenie, że Małgosia będzie mieszkała u nich razem z Kasią i pomoże matce w opiece nad Jerzykiem.

– Czy my zdążymy, Ryszardzie? – spytała, wkładając prochowiec.

– Manieczko – powiedział łagodnie jak zwykle Ryszard. – Oczywiście, że zdążymy. Na kolację będziemy w Nałęczowie. Może byś zdjęła ten płaszcz, kochanie? Jest tak ciepło.

– Dziewczynki. – Mania była nieco spokojniejsza, ale nadal rozglądała się na boki. – Macie pełną lodówkę. W zamrażarce mielone i karkówka, odgrzewajcie sobie codziennie. Zupka jest jarzynowa, musicie jeść zdrowe rzeczy. Jerzyk też...

– Damy sobie radę, babciu. – Małgosia pocałowała Manię w oba policzki. – A wy macie odpocząć.

– W razie czego jest Ania, chociaż ona teraz ma z Michałkiem kłopot...

– Damy sobie radę, mamo – powiedziała Kasia, ale trochę słabo to wypadło, więc Mania przyjrzała się córce uważnie.

– A ty jakaś chora jesteś czy co? – spytała.

– Nie, nie... – uspokoiła ją przestraszona nieco Kasia. – Źle spałam i tyle...

Mania jako jedyna z całej rodziny udawała, że nie ma pojęcia o Kasi problemie, a reszta Winnych nie naciskała. Tylko Ania próbowała kilka razy rozmawiać z siostrą, uważając, że należy coś zrobić, jeśli nie dla Kasi, to przynajmniej dla Małgosi, ale Mania nie chciała podjąć tematu.

– No dobrze – powiedziała Mania. – To jedziemy z Ryszardem. Jerzyk śpi...

– Babciu – przerwała jej Małgosia. – Do widzenia i bawcie się tam dobrze. I zdejmij ten płaszcz, bo się ugotujesz. Dziadek dobrze mówi.

Mania westchnęła i wreszcie pojechali. Po latach Małgosia wspominała te dwa tygodnie jako jedne z najpiękniejszych wakacji w swoim życiu. Wuj Jerzyk mimo sędziwego wieku i przebytego zawału oraz udaru nie był zupełnie niedołężny. Wymagał jedynie pomocy, nie pełnej opieki. Małgosia już drugiego dnia pobytu u babci Mani zapałała do tego nieśmiałego człowieka wielką sympatią. Wcześniej nie znała go zupełnie. Na uroczystościach rodzinnych bywał, ale zawsze siedział na końcu stołu, nie wtrącając się do dyskusji, niczego nie opowiadając, nie żądając, a już najmniej uwagi zebranych. Małgosia odkryła w nim bardzo mądrego, miłego człowieka, który czytał książki filozoficzne, pasjonował się sztuką i muzyką poważną. Na starym adapterze puszczał Małgosi opery Mozarta i tłumaczył z niemieckiego libretto tak, żeby Małgosia wiedziała, o czym śpiewa Królowa Nocy czy inny Papageno. Interesował się filmem i teatrem, a Kasia pewnego dnia odkryła, że widział wszystkie przedstawienia, w których zagrała. Miał też sporo do powiedzenia na temat ról przez nią odgrywanych, prowadzenia spektaklu przez reżysera. Kasia była zdziwiona, czemu nigdy wcześniej jej tego nie powiedział, a Jerzyk uśmiechnął się nieśmiało i odparł, że nie pytała.

Wieczory spędzali na rozmowach i słuchaniu muzyki albo we trójkę, albo z babunią Anią, która przychodziła, kiedy tylko mogła – sama bez Michała, który miał niedawno operowany wrzód na żołądku i wciąż był bardzo słaby. Kasia, która wcześniej niechętnie odwiedzała Brwinów, odkryła, że to miejsce już nie przypomina tamtego siermiężnego miasteczka z jej dzieciństwa, ale jest uroczym miejscem, gdzie wokoło małych, pobielonych domków wije się winorośl, kwitną kwiaty, śpiewają ptaki i szumią drzewa.

– Tak tu pięknie, że aż mnie dziwi, że tyle czasu nie przyjeżdżałam – powiedziała pewnego dnia do Ani, która siedziała na werandzie i robiła na drutach.

– A co ja mam powiedzieć… – westchnęła Ewa, która po powrocie z Izraela zamieszkała w Warszawie i wpadała do rodziców z Benkiem i Marią Anną w soboty albo w niedziele.

– Ty już lepiej nic nie mów – szepnęła do niej Kasia, kiedy Ania oddaliła się na chwilę zobaczyć, czy nie trzeba pomóc Małgosi w przygotowaniu obiadu.

Ewa odrzuciła głowę do tyłu i spojrzała ostro na kuzynkę.

– Ja przynajmniej mam świadomość, że przysporzyłam bólu swojej matce. Ty, zdaje się, uważasz się sama za męczennicę...

Kasia zacisnęła usta i nic nie odpowiedziała. Kto jak kto, pomyślała, ale właśnie Ewa nie powinna jej pouczać. Z domu wyszedł Benek z bratem pod rękę. Był piękny letni dzień, więc nakryto na werandzie.

– Dobrze was tu wszystkich widzieć – powiedziała Ania i wzniosła toast winem porzeczkowym własnej roboty.

– Wasze zdrowie. – Benek podniósł kieliszek, do którego nalał włoskiego wina, które kupił w delikatesach.

Wypito zdrowie wszystkich razem i każdego z osobna, wyśmiewając Benka z jego upodobaniem do „prawdziwego" wina.

– Tak, tak... – droczył się z Anią z uśmiechem. – Mama jest winna porzeczkowa, wiem. Ja jestem prawdziwie winny...

Kasia wzniosła toast wodą, słusznie obawiając się, że tydzień trzeźwości mógłby się gwałtownie zakończyć, gdyby sięgnęła po jakikolwiek trunek. Małgosia także odmówiła wypicia alkoholu.

– Masz już osiemnaście lat, możesz – zachęcał ją wuj Benek, ale Małgosia pokręciła przecząco głową. Po tym, co alkohol robił z jej własną matką, nawet niewielka ilość trunku tak szlachetnego jak wino wydawała jej się wrotami do piekła.

– Daj jej spokój – powiedziała Ania. – Nie chce, to nie trzeba zmuszać. Wy moglibyście rzucić palenie. Lekarze w końcu, a kopcą aż wstyd.

Spojrzała na Jerzyka spod oka, ale ten przepraszająco wzruszył ramionami i zapalił „mentolowego" przez fifkę.

– Nauczyłem się w więzieniu... – powiedział. – Nawet na zebraniach KOR-u nie paliłem, chociaż było czarno od dymu. Zacząłem dopiero za kratami.

– Jak to się w ogóle stało, że my nie wiedzieliśmy o twojej działalności? – spytała Kasia.

– Zapewne dlatego, że to była działalność konspiracyjna. – Roześmiał się Jerzyk. Siwe włosy w zabawny sposób opadały mu na czoło. Ania pomyślała, że z wiekiem staje się coraz bardziej podobny do swojego ojca Radomira. – Miszelka też się nie chwali na prawo i lewo swoją działalnością.

– Mimo wszystko wiedzieliśmy, że oni z Januszem walczą o wolną Polskę.

– Bo ich zamknęli wcześniej niż mnie – podsumował Jerzyk.– A wiecie, co teraz się odbywa?

– Jakieś rozmowy… – nieśmiało powiedziała Małgosia.

– Nie jakieś – kontynuował Jerzyk. – Tylko rząd wreszcie zaczyna rozmawiać z opozycją. Ludzie protestują. Już nie da się utrzymać ich w ryzach. Nie ma mowy o kolejnym stanie wojennym.

Rodzina w milczeniu przyglądała się Jerzykowi, który nigdy wcześniej nie wypowiedział naraz tylu słów.

– Świat też się temu przygląda… Michele stuka w maszynę całymi nocami, a dniami przysłuchuje się tym rozmowom. Spytajcie jej, to wam powie…Wierzymy, że niedługo będziemy żyć w wolnym i demokratycznym kraju – zakończył nieco patetycznie.

Kasia zwiesiła głowę, bo zrobiło się jej wstyd. Każdy w rodzinie miał jakieś obowiązki, zajmował się innymi, krajem, ona jedna myślała tylko o sobie. Słusznie córka nazwała ją egoistką.

– Jak Michele daje sobie radę z opieką nad wujem i pracą, skoro jeździ jeszcze do Warszawy na te rozmowy? – wymamrotała.

– Idź i zapytaj – zaproponowała Ania. – Większy ciężar spadł na Januszka, bo ona rzeczywiście teraz jest bardzo zajęta. Ignaś… ma i lepsze i, niestety, gorsze dni. Jak kiedyś dziadek Antoni…

Zapadła krępująca cisza.

– Julia i Ula regularnie tu przyjeżdżają do wujka – przerwała niezręczne milczenie Małgosia. – Ciocia Michele uczy je francuskiego, a potem one czytają wujkowi. Mówiły mi.

Z oczu Kasi popłynęły dwie łzy.

– Przepraszam was wszystkich – szepnęła i uciekła do swojego pokoju, gdzie do wieczora płakała. Potem zeszła na dół, gdzie przy pustym stole na werandzie siedział Jerzyk i grał z Małgosią w szachy. Gości już nie było.

– Mogę ci obiecać, że to zrobię – powiedziała Małgosia do Jerzyka, a on pogłaskał ją po głowie.

– Co zrobisz? – spytała Kasia.

– Pójdę na architekturę, bo o tym marzę – odparła Małgosia, szachując królową Jerzyka.

– Bardzo dobrze, bardzo – pochwalił ją. – Gdzie ty się tak nauczyłaś grać?

Kasia nie znała odpowiedzi na to pytanie, więc nadstawiła uszu.

– Oglądałam w telewizji „Szpital na peryferiach" – zaczęła Małgosia. – I tam doktor Strosmajer grał w szachy. Była taka dziewczynka Oldrziszka i ona też grała... Strasznie mi się to podobało i chodziłam na kółko szachowe. Najpierw u nas w ośrodku kultury, a potem już do klubu w Pałacu Kultury i Nauki.

– Pięknie – powiedział Jerzyk, poddając króla i gratulując dziewczynie wygranej partii. – Naprawdę pięknie...

Wiele lat później, kiedy Jerzyka już nie było, a Małgosia miała własną córkę, ponownie można było obejrzeć w teatrze „Białą bluzkę" Agnieszki Osieckiej. Kasia była wtedy już trzeźwa, ale rola przypadła, tak jak przed laty, Krystynie Jandzie. Ile razy była mowa o tamtym spektaklu, Kasia wspominała lato w Brwinowie, które spędziły razem z córką w domu babci, i łza kręciła jej się w oku. Nigdy wcześniej, ani potem, w Paryżu, Madrycie, Amsterdamie nie były z córką tak blisko.

Pocałował ją na studniówce, ale to nie był ich pierwszy pocałunek. Ona cmoknęła jego policzek jeszcze w przedszkolu, dziękując za gumkę chińską. Tę samą, którą później zjadła, plując różowymi kawałkami najpierw na przedszkolny dywan, a potem w toalecie. Dała mu buziaka, bo widziała, że się popłakał na widok wyplutych różowych grudek.

Zaprosiła go na ten najważniejszy bal. Właśnie jego. Wcześniej zerwała ze swoim chłopakiem, albo on z nią, Jeremi dokładnie nie wiedział. Czekał wiele lat, trzymając się blisko Julii, gotowy na to, żeby w odpowiednim momencie po prostu być koło niej.

Dziewczyny w mechanikach, gdzie się uczył, były fajne, ale Julia Andruszkiewicz była zupełnie wyjątkowa. Jedyna w swoim rodzaju. Mógł jej nie widzieć tygodniami, a potem nachodziło go coś takiego tkliwego, wspomnienia wspólnych meczy koszykówki albo zjedzonego obiadu w stołówce, spaceru w deszczu ze szkoły do domu i po prostu musiał ją zobaczyć. Zwykle wystarczało mu stanie pod jej oknami, trochę z boku, pod drzewem, żeby go nie zobaczyła, bo nie chciał litości ani współczucia z powodu nieodwzajemnionego uczucia. Miała zwyczaj chodzenia podczas nauki, wiedział to doskonale. Jej siostra tak nie robiła. Kiedy widział zatem cień sunący w tę i we w tę po pokoju, wiedział, że to Julia uczy się wzorów matematycznych albo wiersza na pamięć. Przy odrobinie szczęścia mógł ją spotkać, jak wynosi śmieci albo biegnie szybko po coś do sklepu. Odróżniał ją doskonale, po nieco pochylonej sylwetce. Odrzucała także zabawnie głowę i odgarniała włosy lewą ręką. Wiele gestów wykonywała właśnie lewą dłonią, chociaż pisała i rysowała prawą. Ula chodziła zupełnie inaczej, wyprostowana jak struna, bardzo pewna siebie. Nie machała rękoma, a włosy miała zawsze związane. Mówiła również konkretnie i zawsze na temat, a Julia snuła opowieści i kluczyła wokoło tematu. Wszyscy mówili, że są podobne do siebie, ale Jeremi wiedział, że tak mogą twierdzić wyłącznie ci, którzy nie znają sióstr tak dobrze jak on.

Raz prawie się wydało, że czeka na nią. Wyszła z czerwonym kubełkiem, długo nie wychodziła z wnętrza murowanego śmietnika, aż się zaniepokoił i wychylił się zza drzewa. Wtedy się na nią natknął. Niosła na rękach małego pieska, brzydkiego jak listopadowa noc, zziębniętego i trzęsącego się jak osika.

– Co ty tu robisz? – spytała zdumiona, ale zaraz przypomniała sobie, że on przecież mieszka niedaleko i może tędy przechodzić. – Masz czas? Pomożesz?

– Jasne. – Wziął na ręce małe chude ciałko i nakrył własną kurtką. – Co robimy?

– Leżał w śmietniku i piszczał. Ktoś go wyrzucił – gorączkowała się.

– Jest kryzys. Ludzie wyrzucają psy... – Nie wiedział, co mądrego powiedzieć.

– Nie ma takiego kryzysu, który mógłby usprawiedliwić taką podłość... – Jak zwykle w obu oczach Julii czaiły się różne uczucia. Prawe, zielone oko wyrażało pragnienie sprawiedliwości, lewe, brązowe – konieczność działania. Jeremi skłonił się ku lewemu.

– Powiedz w domu, że idziemy do weterynarza, odnieś kubeł, a ja tu poczekam...

Kiwnęła głową i energicznie poszła do swojego domu, wymachując lewą ręką, jakby niosła flagę. Wyszła niestety z Ulą, która do wyrzucania śmieci nie paliła się specjalnie, ale już atrakcja w postaci znalezionego psa skłoniła ją do wstania z kanapy i porzucenia serialu „Dynastia". Weterynarz także musiał oderwać się od przygód silnego Blake'a Carringtona, słodkiej Krystal i demonicznej Alexis, żeby uratować od niechybnej śmierci kundla przyniesionego w dżinsowej kurtce z Rembertowa.

– Dałem mu zastrzyki. Za tydzień przyjdźcie na kolejne – powiedział po wbiciu trzech igieł w wychudzone ciało zwierzaka. Po czym zakomunikował zwięźle: – Pięć tysięcy.

Jeremi zaklął, bo miał przy sobie tylko dwa „patyki", ale zaraz Ulka wyjęła drugie dwa, Julia jeden tysiąc i wspólnymi siłami zapłacili, nie targując się z weterynarzem, a potem zgodnie wymaszerowali z domu na Lipowej, w którym mieścił się prywatny gabinet weterynaryjny.

Pies został nazwany Kajtkiem, zamieszkał u bliźniaczek, ale do końca życia reagował entuzjastycznie na pojawienie się Jeremiego. Nie polubił za to chłopaka Julii, wręcz go nie znosił, co bardzo ją martwiło. Ulka podkpiwała, że może siostra powinna zweryfikować swoje uczucia, bo psy, wiadomo, znają się na ludziach. Kiedy więc Jeremi usłyszał, że Julia nie chodzi już z tamtym, pomyślał o Kajtku i wspólnych spacerach, które ich czekają.

Czekał na nią pod bramą liceum, w którym się uczyła. Urwał się ze szkoły, bo Julia kończyła lekcje o 13.30, a on miał jeszcze praktyki w zakładzie. Zależało mu, żeby spotkać się z nią od razu po lekcjach. Jula ze szkoły wyszła z Ulką i jej chłopakiem. Zauważyła go i pomachała ręką.

– Mogę cię prosić na chwilę? – spytał.

– To my idziemy – powiedziała jej siostra, a potem trzymając za rękę swojego chłopaka, Jaśka, a może Grześka, ruszyła w kierunku kolejki WKD.

Jeremi stał chwilę w milczeniu.

– Dawno się nie widzieliśmy – wybąkał.

– Dawno – potwierdziła. – Kajtek stęsknił się za tobą...

Wpatrywała się w czubki swoich butów. Miała kozaczki do połowy łydki, spódnicę szarą w kwiatki i turecki kożuszek. Jej siostra ubierała się zupełnie inaczej. Głównie w dżinsy i kolorowe koszule, które wujek przysyłał z Ameryki albo rodzina kupowała na giełdzie na stadionie Skra.

– Odprowadzić cię do domu? – spytał.

– Jasne... – Uśmiechnęła się po dawnemu, a serce Jeremiego przeszył bolesny skurcz.

– Co tam u ciebie słychać? – spytała po kilku minutach milczenia.

Szli okrężną drogą. Kiedy weszli do parku Potulickich, odbili w bok, żeby nie przechodzić obok przedszkola, które wywoływało nieprzyjemne wspomnienia. Na pokrytym lodem stawie kręciło się mnóstwo łyżwiarzy.

– Mama mi mówiła tyle razy, żebym poszła na łyżwy... – Roześmiała się. – Lękam się, że lód się pode mną zarwie i się utopię. Ulka jeździ bez problemu, a ja się boję.

– Ulka to się niczego nie boi. – Jeremi przypomniał sobie, jak w czasach kryzysowych kolejek Ulka Andruszkiewicz zrobiła w sklepie awanturę, bo stała po masło i zabrakło tuż przed nią. Tak się darła, że to niesprawiedliwie, aż sklepowa wyniosła z zaplecza jedną kostkę stołowego i sprzedała Ulce, burcząc pod nosem, że to jej własna.

A co do stawu, to kilka lat później przy osuszaniu i czyszczeniu mieszkańcy Pruszkowa ze zdumieniem zobaczyli, że ma niecały metr głębokości.

– O czym chciałeś pogadać? – spytała, a potem wzięła sporą garść śniegu, ulepiła śnieżkę i rzuciła w niego.

Uchylił się, ale zaraz wzięła drugą i tym razem trafiła go prosto w twarz. Nie pozostał jej dłużny. Nabrał porządną garść i zaczął ją gonić dokoła stawu, a ona piszczała i uciekała, wymachując rękoma. Wreszcie dogonił Julię, zdarł czapkę, ale nie natarł jej głowy śniegiem jak w przedszkolu czy podstawówce, tylko rozpłaszczył kulę na własnym czole. Julia osunęła się na pokrytą śniegiem ławkę i śmiała tak głośno, że ludzie się oglądali.

– Jejku – wysapała, kiedy wstała i otrzepała śnieg. – Jestem cała mokra przez ciebie…

– Chcesz ze mną chodzić? – wypowiedział te słowa szybko i zacisnął zęby, obawiając się odmowy, może nawet śmiechu czy politowania. Przecież ona chodziła do liceum, on tylko do technikum.

Znieruchomiała i spojrzała na niego. Lewe oko zamigotało nadzieją, prawe obawą.

– Ale dla mnie chodzenie to coś poważnego – zaznaczyła.– Nie jakieś tam obmacywanie w bramie.

– No nie – bąknął, wyobrażając sobie, jak ten pryszczaty Bartek próbował ją obłapiać. – Dla mnie to coś bardzo serio.

– A pójdziesz ze mną na studniówkę? – spytała jakby nigdy nic.

– To się zgadzasz? – chciał potwierdzić, że teraz będzie mógł ją odprowadzać i przyprowadzać ze szkoły, chodzić z nią na wieczorne spacery po Komorowie i trzymać za rękę.

– No tak. – Prawe oko, to zielone, błysnęło spokojem, drugie dawną przyjaźnią. – Tylko nie zrywaj się ze szkoły, żeby mnie odstawić do domu, dobra? Wiem, że dzisiaj to zrobiłeś.

Wziął ją za rękę i zaczęli iść w stronę jej domu. Ona trajkotała jak najęta o wypracowaniach z polskiego, które sprawiały jej kłopoty, a jej siostrze wychodziły zupełnie dobrze, o matmie, która dla niej jest bardzo łatwa, a dla siostry z kolei trudna.

– Przeniosę się do mat-fizu, żeby zdawać maturę z matmy, wiesz? Bo nasza polonistka stawia mi złe oceny i ciągle mówi, że ja nie myślę logicznie przy wypowiedzi pisemnej…

Opowiadała i opowiadała, a on trzymał jej rękę w swojej i nic nie mówił, bo o czym tu opowiadać, skoro ona powiedziała „tak".

Pewną trudność stanowił garnitur, który po prostu musiał mieć, to nie ulegało żadnej wątpliwości. Ten po Maćku nie nadawał się kompletnie, bo jego brat był niski i grubo ciosany, a Jeremi przeciwnie – wysoki i chudy. Nie mówiąc o tym, że maćkowy garnitur miał ohydny niebieski kolor i jednorzędową marynarkę.

Jaki to był „obciach", Jeremi litościwie bratu nie powiedział, kiedy Maciek poszedł w tym garniturze na rozdanie świadectw do swojej zawodówki, a jego Kaśka z wielkimi cycami włożyła kieckę równie obciachową jak nieszczęsny garnitur.

– Stary – powiedział, kiedy tylko wrócił do domu opromieniony szczęściem. Maciek leżał na kanapie i oglądał „Koło fortuny", przełykając ślinę na widok Magdy Masny, która paradowała wzdłuż klocków z literkami i odsłaniała hasło – przepustkę do wygranych: wycieczek, magnetofonów, telewizorów, a nawet samochodu. – Chciałem zarobić trochę kasy. Ten twój kumpel, Jachu, co miałeś dla niego jakąś robotę, to może coś skołować?

– Może i może... – Maciek spojrzał na brata uważnie. Magda Masny właśnie odsłoniła całe hasło, a telewizja zagrała fanfary. – A po co ci?

– Po co mi kasa? – Jeremi starał się, żeby na jego twarzy odmalował się absurd tego pytania.

– Bo jak chcesz na cukierki dla swojej „każde oko w inną stronę", to ci mogę dać...

W innych okolicznościach Jeremi rzuciłby się z pięściami, ale po pierwsze brat był jednak chory, chociaż ataki miał rzadko, tak raz na miesiąc, ale mimo wszystko miał; a po drugie naprawdę potrzebował pieniędzy. Na rodziców nie miał jak zwykle co liczyć, zresztą był już w takim wieku, że powinien zadbać o siebie.

– Ona ma oczy różnego koloru, a nie zeza. Milion razy ci to mówiłem, debilu... Twoja dziewczyna ma cyce różnej wielkości. To jak? Pogadasz z tym Jachem?

Maciek kiwnął głową, a potem włączył kasetę zespołu Top One. Chłopaki śpiewali koszmarną piosenkę o dziewczynie, która zostawiła któregoś z nich, łamiąc mu serce. Jeremiego zemdliło, kiedy usłyszał podobną „muzykę". Jakby jemu ktoś tak śpiewał, odkochałby się w jednej chwili.

Maciek pogadał, a potem Jachu kazał mu przyjść do siebie. Jeremi poszedł na Żbików, gdzie tamten mieszkał w starej kamienicy, w której dziwacznie pachniało. Zapukał do drzwi, zastanawiając się, czy w tej biedzie zarobi jakieś pieniądze. Jeszcze bardziej zwątpił, kiedy Jachu otworzył drzwi w dresie i spranym podkoszulku podkreślającym bicepsy, jakby nie był początek stycznia i minus dziesięć stopni mrozu.

– Zarobić musisz, znaczy ile? – spytał, kiedy weszli do wąskiego pokoju, w którym mieściła się jedynie kanapa pokryta robioną na szydełku narzutą i wąski regał obstawiony od góry do dołu puszkami po zagranicznych napojach gazowanych.

– Z pięćdziesiąt tysięcy – rzucił. – Sto… Ale szybko.

– No dobra – powiedział Jachu, jakby suma nie zrobiła na nim większego wrażenia. – Jutro pójdziesz tam i powiesz, że ode mnie. Dadzą ci coś w plecaku i zaniesiesz to tam. Tam weźmiesz jeszcze coś i wszystko razem zaniesiesz tam.

Przy każdym „tam" Jachu pisał adres na poplamionej tłuszczem kartce wyrwanej z jakiegoś zeszytu.

– Jasiu, obiad! – rozległ się kobiecy głos z wnętrza mieszkania. Zapachniało intensywnie smalcem. – Kolega też niech przyjdzie!

– On zaraz wychodzi, mamusia! – odkrzyknął Jachu, nie pytając Jeremiego, czy przypadkiem nie jest głodny.

– Bierzesz plecak, taki mały, żebyś nie wyskoczył ze stelażem… i idziesz tam… potem tam, tam i tam… Uczysz się, synek, adresów na pamięć i nie latasz z kartką. Jasne?

Jeremi dopytał jeszcze, w jaki sposób dostanie zapłatę. Misja wydawała się prosta do zrealizowania. Zdumiał się wprawdzie, że ma coś nosić w różne miejsca, podchodzić od tyłu, a na końcu wrzucić plecak przez ogrodzenie, ale doszedł do wniosku, że skoro chcą zapłacić, to widocznie jest to coś warte. Wyspał się porządnie przed pracą, zjadł solidne śniadanie, takie jak przed meczem, czyli własnoręcznie robione jajka sadzone na mortadeli, bo akurat była, wziął stary harcerski plecak, zarzucił na plecy i udał się pod pierwszy zapisany adres. Dostał cztery małe paczki, owinięte w gazetę, które wrzucił do plecaka i poszedł pod kolejne zapisane miejsce. Tam potężnie zbudowany mężczyzna w zbyt ciasnym dresie wyciągnął rękę po plecak, a potem zniknął w obszernym, parterowym domu. Pod trzecim adresem powtórzyło się to samo, naturalnie z innym, ubranym w dres facetem i Jeremi zaczął się tym wszystkim bawić.

Kiedy dotarł do ostatniego punktu kontaktowego, wyobrażał sobie już siebie jako walczącego w powstaniu i przenoszącego meldunki. Gdyby nie szczekanie rottweilerów, które wytrąciło go z błogiego poczucia spokoju, wszystko byłoby pięknie. Wrzucił plecak przez ogrodzenie, a wtedy przyszło mu do głowy, że już go nie odzyska i zaklął pod nosem, żałując, że nie wziął byle jakiej torby, kiedy z murowanego bliźniaka wyszedł jeden z jego szkolnych kolegów Robek Brzoza i zawołał za nim.

– Ej, ty... Szef cię woła...

Robek zachowywał się, jakby się wcześniej nie znali. To już się Jeremiemu mniej podobało, ale wzruszył ramionami i zaczął się oddalać od ogrodzenia z poczuciem dobrze spełnionego obowiązku.

– Mówię do ciebie, buraku... – powiedział za nim Robek. – Jak Szef mówi, że gdzieś masz iść, to idź, kurwa mać...

Jeremi przestraszył się nieco, ale nie dał po sobie poznać, tylko wymownie popatrzył na dwa potężne psiska, którym z pysków wylewała się ślina.

– Właź, trzymam je. – Robek złapał za obroże i przyciągnął zwierzęta w swoim kierunku.

– Podobała ci się robota? – zapytał go „szef", kiedy został wprowadzony przez werandowe drzwi do wnętrza domu.

– No – bąknął Jeremi, ale potem poprawił się i dodał. – Tak, proszę pana. Bardzo dobra robota.

Potężny mężczyzna spojrzał na niego uważnie.

– Wiesz, co przenosiłeś? – rzucił.

– Ciekawość pierwszy stopień do piekła – odpowiedział Jeremi. – Miałem przenieść, nie analizować...

Jeden z dwóch mężczyzn stojących obok potężnego zrobił krok naprzód, ale zatrzymał się natychmiast, kiedy tylko Szef podniósł rękę do góry, jakby miał zaraz wygłosić mowę.

– Cwana z ciebie gapa... – powiedział, a potem zarechotał. Przypominał przy tym do złudzenia żabę.

Wreszcie sięgnął do tylnej kieszeni spodni dresowych, wyciągnął zwitek banknotów, wręczył go gorylowi stojącemu z prawej strony, a ten podszedł do Jeremiego i wcisnął mu zwitek w dłoń. Jeremi nie bardzo wiedział, jak się zachować. Głupio mu było przeliczyć, a brać w ciemno pieniędzy nie chciał. W końcu kiwnął głową, bąknął podziękowania, odwrócił się na pięcie i już miał wychodzić, kiedy przypomniał sobie o czymś.

– Można plecak? – spytał.

– Za to co dostałeś, możesz sobie kupić dużo plecaków. – Skrzywił się drugi goryl.

– Ten jest pamiątkowy, a poza tym mamy go na spółkę z bratem.

Szef pokiwał głową z wyraźną aprobatą. Jeden z mężczyzn poszedł w głąb domu, po chwili wrócił, trzymając w ręku stary plecak. Jeremi złapał go w locie, kiwnął głową na pożegnanie, a potem opuścił posesję tą samą drogą, którą przyszedł, czyli przez tylne, wąskie drzwi. W domu zamknął się w łazience i przeliczył kasę. Było równiutko dwieście tysięcy.

Garnitur kupił nie na targu, ale na zapleczu jednego sklepu w Warszawie. Postąpił zgodnie z instrukcjami Jacha, którego poprosił o radę w tej materii. Jachu studniówki nie miał, na dyskoteki wkładał dres albo kraciastą flanelową koszulę, ale orientował się świetnie we wszystkich branżach, także garniturowej. Wysoki sprzedawca wziął pieniądze, potem zaprowadził go za kotarę i tam pokazał, co trzeba. Po niecałych dwudziestu minutach Jeremi miał garnitur, koszulę, muchę, skarpetki, a nawet buty. Kiedy się w to wszystko ubrał i wycisnął pryszcze, stwierdził z zadowoleniem, że wygląda o wiele lepiej niż narzeczony Ulki. Julia też tak uważała, od razu wyraziła zachwyt, aż siostra ją kopnęła lekko w nogę, bo jej Tomek, który nastał po Maćku, stał tuż za nimi i wyglądał na wkurzonego.

Wiele lat później Jeremi ciągle wspominał moment, kiedy weszli do sali gimnastycznej, udekorowanej scenami ze wschodnich bajek. Wziął Julię za rękę, a ona odwróciła się do niego i uśmiechnęła zupełnie wyjątkowo, jakby mu coś obiecywała. Wyglądała przepięknie, uczesana przez matkę, podobnie zresztą jak Ulka, tyle że Julia miała wysoki kucyk, owinięty pasmem włosów, a Urszula rozpuszczone włosy, z podwiniętymi końcówkami. Julia miała lekki makijaż – rzęsy pociągnięte tuszem, delikatną czarną kreskę na powiekach i szminkę na ustach.

– Pięknie wyglądasz – powiedział szczerze, bo nigdy wcześniej nie widział jej tak uczesanej i umalowanej.

– Dziękuję – powiedziała cicho. – Ty wyglądasz zupełnie odlotowo…

A potem już tańczyli razem poloneza, którego wcześniej ćwiczyli pod okiem instruktora tańca Krzysztofa Polańskiego. Wreszcie wzruszeni rodzice poszli do domów albo na zaplecze, gdzie czekali na roztańczoną młodzież, żeby podawać herbatkę i pilnować, czy przypadkiem jakiś krnąbrny maturzysta nie przemycił alkoholu. Jeremi i Julia tańczyli do upadłego, taniec po tańcu, on nie wypuszczał jej z objęć, a ona nie zwracała uwagi na żadnego innego chłopaka. Koło 22.00 wyciągnął ją na chwilę na podwórze, bo obojgu było gorąco. Stali chwilę, patrząc w gwiazdy, a potem on objął ją i pocałował. Nie odsunęła się ani nie pochyliła, więc wyczekał jeszcze chwilę, a potem przycisnął ją do siebie mocniej.

Przemknęło mu przez myśl, że ze swoim chłopakiem musiała się całować. W końcu była w klasie maturalnej, a nie w podstawówce. Może nawet dawała mu dotykać swoich piersi, myślał, ale zaraz odrzucił precz ten podszept i pocałował ją jeszcze raz, potem jeszcze i jeszcze.

Kiedy wrócili na salę, żeby chwilę odpocząć i coś zjeść, nic ich nie obchodziły opowieści o jakiejś Karolinie z sąsiedniego liceum, która zamiast na studniówkę poszła na wybory Miss Polonia. Niby najładniejsza w Pruszkowie, ale nie weszła nawet do finałowej dziesiątki. Jeremi słabo kojarzył, o kogo chodzi, chyba tamta Karolina była dziewczyną jednego z jego kolegów, ale głowy by za to nie dał. Udawał, że interesują go te banalne rozmowy przy herbacie, kanapkach i ciasteczkach, przytakiwał i odzywał się od czasu do czasu. Pewną czujność wzbudził w Jeremim niejaki Piotrek, który siedział koło nich i kilka razy wyraził głośno zdumienie, że Julia jest taka ładna, a on wcześniej tego nie widział. Jeremi uśmiechnął się krzywo, potem rozzłościł, wreszcie dał spokój i zajął się swoją dziewczyną, a nie pożal się Boże adoratorem.

Wprawdzie padło pytanie, do którego liceum Jeremi chodzi, a Julia przejawiła pewną nerwowość, ale on odpowiedział spokojnie, że chodzi do technikum, maturę ma za rok, a na studia się owszem wybiera. Nieraz wcześniej zastanawiał się nad tym, co studiować, ale wtedy właśnie uroczyście sobie przysiągł, że dostanie się na medycynę, żeby Julce zaimponować, bo przecież głupi w końcu nie jest, uczy się wprawdzie w technikum, ale ma same piątki.

Ania czuła jego obecność. Za każdym razem, kiedy wychodziła z domu, ze sklepu czy wsiadała do pociągu, oglądała się za siebie. Nie umiała powiedzieć, czy z nadzieją, czy obawą myśli o spotkaniu z Pawłem, ale była przekonana, że ono w najbliższym czasie nastąpi i psychicznie się do tego przygotowała. Któregoś dnia wieczorem specjalnie wyszła z domu na spacer sama i usiadła w parku na ławce. Przysiadł się po kilku minutach. Na początku bała się odezwać, on także nic nie mówił, tylko patrzyli na siebie.

„Jak on się zmienił", Ania prawie zachłysnęła się obecnością dawnego ukochanego, którego nie widziała pięćdziesiąt jeden lat.

– Nic się nie zmieniłaś – powiedział Paweł.

– Nie musisz kłamać. – Uśmiechnęła się lekko. – Czas robi swoje.

– Gdzie możemy porozmawiać, żeby nikt nas nie zobaczył? – spytał. – Mam samochód, możemy pojechać do Warszawy, jeśli masz czas...

Nie zastanawiała się zbyt długo.

– W Podkowie Leśnej jest mała kawiarnia na uboczu. Tam możemy pójść...

W samochodzie nic nie mówił, nie patrzył na nią, tylko na drogę. Usiłowała uspokoić bijące mocno serce. Tyle wspomnień napływało jej do głowy. Bała się, że nie opanuje łez i rozpłacze się jak dziecko.

W kawiarni najpierw patrzył na nią długo, a po starej twarzy błąkał mu się uśmiech. Oczy miał takie jak dawniej, młode, bystre, patrzące, jakby chciał ją przeniknąć spojrzeniem na wylot.

– Tyle lat... – powiedziała, żeby przełamać milczenie.

– Pięćdziesiąt jeden lat, sześćdziesiąt dni i… – spojrzał na zegarek – …dziewięć godzin…

– Paweł, Paweł, Paweł – powtarzała. – Tak bardzo się cieszę, że żyjesz…

Podeszła kelnerka i zamówili herbatę. Paweł wprawdzie chciał kawę, ale zrezygnował, kiedy okazało się, że kawa ma być sypana i dowiedział się, że to nic innego jak fusy zalane gorącą wodą.

– Ja chyba mniej… – powiedział gorzko. – Miałem życie wypełnione tęsknotą za tobą… Za wami… Bólem i cierpieniem… Lepiej było dostać kulę w łeb…

– Nie mów tak…– Wzięła go za rękę, a on uniósł ją do ust i pocałował.

– Tylko czas wywarł na ciebie wpływ. Nie masz na twarzy cierpienia, bólu, straty… – Kelnerka przyniosła herbatę, a Paweł z niedowierzaniem spojrzał na fusy pływające po dnie szklanki.

– Ty masz na twarzy wypisane kłopoty z sercem – powiedziała cicho, mieszając herbatę aluminiową łyżeczką.

Tyle razy wyobrażała sobie to spotkanie. Zastanawiała się, czy wzruszenie nie odbierze jej mowy. Układała w głowie, co sobie powiedzą. Zastanawiała się, czy będzie chciał spotkać się z Manią i córkami, do czego postanowiła nie dopuścić. Myślała wcześniej, jakimi argumentami się posłużyć, gdyby chciał wyjawić im prawdę.

– To prawda – powiedział. – Jakieś zaburzenia. Jeszcze z więzienia… Ale wyleczyli mnie i teraz jest już w porządku.

Było tak, jakby tych lat rozłąki nie było. Siedział przed nią, stary i siwy, a ona tak po prostu cieszyła się, że go widzi. Jakaś jej cząstka nigdy nie przestała go kochać, chociaż tyle lat minęło i pojawił się Michał, za którym poszłaby w ogień. I to on przecież był ojcem jej dzieci, przyjacielem, powiernikiem i wciąż kochankiem. Paweł powinien być tylko cieniem przeszłości, ale kiedy usiadł obok niej na ławce, wszystko wróciło ze zdwojoną siłą. Tamte beztroskie dni, kiedy czekał na nią przy kolejce EKD, spacery, wyznania, takie naiwne, ale szczere przecież i głębokie. Zaraz pojawiły się też i te bolesne, kiedy prowadził Manię do ślubu, a potem patrzył na nią zamiast na pluton egzekucyjny.

– Na długo przyjechałeś? – spytała, chociaż znała odpowiedź.

– Na zawsze – potwierdził jej myśli. – Zlikwidowałem wszystko w Szwajcarii. Przeniosłem się tutaj. Chciałbym umrzeć w Polsce, nie na obcej ziemi.

Rozumiała to doskonale. Paweł należał do tego gatunku ludzkiego, który nigdy nie pogodził się z przymusową emigracją i nie obraził na ojczyznę, która tak niewdzięcznie z nim się obeszła.

– Jestem chory, nie wiem, ile mi zostało – jego ton był lekki, jakby mówił o pogodzie.

– Na co?

– Rak skóry – powiedział dość obojętnie. – Dziwna sprawa. Nigdy się nie opalałem, nie jeździłem na południe. Mój doktor wykrył znamię, wyciął, potem zbadał... Ciężko mi się mówi po polsku, wiesz? – Zmienił temat. – W Szwajcarii z nikim nie rozmawiałem po polsku.

– My już cię pochowaliśmy. Nawet dwa razy...

– Teraz muszę zacząć chodzić do jakichś klubów, czytać książki, żebym sobie przypomniał... – opowiadał, jakby nie słyszał jej słów. – A to raczydło niby w remisji. Wycięli, miałem takie coś... radiotherapy...

Wciąż mieszała herbatę w szklance, chociaż nie słodziła nigdy. Fusy tańczyły wesoło w szklance.

– Nie pozwolę ci się skontaktować z Manią ani dziewczynkami. Musisz mi obiecać, że nigdy tego nie zrobisz... – Nie spojrzała na niego, nie mogła, wygłaszając tak okrutne zdanie, ale musiała je powiedzieć, bo gdyby jej siostra się dowiedziała, że Paweł żyje, trudno powiedzieć, co by się stało.

– Co do przyszłości, to ja nie wiem. Czy prędzej umrę ze starości, bo mam już przecież prawie osiemdziesiąt lat, czy ten rak mnie pokona. Ale tego nie wie nikt. Chciałbym moim dzieciom zostawić pieniądze, które mam, bo nie ma po co do grobu zabierać...

Wyjęła łyżeczkę ze szklanki. Kilka kropel czerwonego płynu kapnęło na stolik. Wzięła papierową serwetkę i starannie wytarła krople.

– Może ciasteczko? – spytała kelnerka, która pospieszyła, żeby zabrać talerzyk z rozmokłą serwetką, ale tak naprawdę była ciekawa, o czym szepcze para staruszków wpatrujących się w siebie z takim napięciem, że aż powietrze wkoło zgęstniało.

– Nie, dziękujemy – powiedziała Ania, nie pytając Pawła o zdanie. – Zaraz wychodzimy. Poprosimy o rachunek...

Dziewczyna kiwnęła głową i poszła za kotarę.

– Nazywam się teraz Daniel Umiński. – Podał jej wizytówkę, na której było imię i nazwisko oraz numer telefonu. – Mieszkam w Warszawie, na Ursynowie. Kupiłem tam mieszkanie. Recz jasna nie będę mieszkał ani w Brwinowie, ani w okolicy.

– Paweł, nie możesz próbować zobaczyć się z Manią, rozumiesz? – Trzęsły jej się ręce.

– Zadzwoń do mnie. – Położył pieniądze na blat stolika i podziękował kelnerce za resztę, co ta przyjęła ze zdumieniem, bo napiwek był ogromny. – Chciałbym tylko powspominać stare czasy, no i ustalić kwestię dziedziczenia i pogrzebu...

Zakołowało jej się w głowie. Nie zapytała, co dokładnie robił w tej Szwajcarii, jak to się stało, że mu się powiodło. Kto mu pomógł. O nic nie zapytała.

– Dokąd ciebie podwieźć, moja droga? – spytał, kiedy opuścili kawiarnię.

– Na rynek – powiedziała. – Ale z drugiej strony. – Taki samochód jak twój zwraca uwagę, a ja bym nie chciała...

Otworzył przed nią drzwi i uśmiechając się jak dawniej, zaprosił ją do środka. Usiadła, przyciskając torebkę do piersi. Bez słowa zapalił silnik i wycofał samochód.

– Co to za samochód? – spytała.

– Volkswagen... Niemiecki...

– Jeździsz niemieckim samochodem? – Wydawało się jej to dziwne. Polacy jeździli na saksy do Niemiec, prosili się o pracę, nie bacząc na to, że mieli w rodzinach pomordowanych przez Niemców bliskich. Po Pawle jednak się tego nie spodziewała. Jak bardzo musiał się zmienić.

– Niemieckie samochody są po prostu dobre. Wcześniej jeździłem amerykańskim. – Zatrzymał się we wskazanym przez Anię miejscu. – Nie widzieliśmy się pół wieku, a ty mnie pytasz o samochód?

Wysiadła i rozejrzała się w obawie, czy nie widać jakiejś wścibskiej sąsiadki, która mogłaby szepnąć słowo Michałowi.

– Wciąż cię kocham... – powiedział do niej Paweł przez otwarte okno niemieckiego samochodu.

Odjechał, pozostawiając ją w rozterce, roztrzęsioną słowami, które wypowiedział, na które czekała wcześniej w kawiarni, bojąc się ich jednocześnie jak ognia. Nie obiecał jej, że nie spotka się ze swoją rodziną, przeciwnie, sugerował, że wrócił tutaj, żeby coś zakończyć, nie zostawić niedokończonych spraw. „Jak on powiedział?", zastanawiała się, „żebym zadzwoniła...".

– Ja też nie przestałam cię kochać, Paweł – powiedziała cicho i wolnym krokiem poszła w stronę domu.

Michał powitał ją zaniepokojony i zaczął wypytywać, gdzie tyle była, nie jest przecież najmłodsza i chodzenie po zmroku jest niebezpieczne. On tu się martwi, już trzy razy odgrzewa kolację, a Ania nic sobie z tego nie robi. Najbardziej na świecie chciała się przytulić do męża, schować głowę pod jego brodę, tak jak to robiła od lat, ale bała się, że Michał pozna, jak bardzo jest poruszona. Powiedziała więc, że chciała się przejść. Ostatnio mało ma ruchu, a przecież im człowiek starszy, tym bardziej powinien o siebie dbać.

– A w dodatku w takim paltociku wyszłaś, Aniu – utyskiwał Michał. – Tyle razy mówiłem, żebyśmy pojechali do Warszawy i coś ciepłego ci wybrali.

– Drogie są te płaszcze – zaprotestowała. Już wcześniej zastanawiał się nad kupnem czegoś ciepłego, ale te tysiące, setki tysięcy, które widniały na metkach, skutecznie ją odstraszały od zakupów.

– E tam drogie. – Pokręcił głową. – Ewa mówiła, że w Izraelu to dopiero drożyzna.

– Jakie to szczęście, że ona wróciła. – Ania codziennie dziękowała Bogu za to, że córka wróciła z dalekiego świata, że zrozumiała w końcu, gdzie jest jej miejsce.

– Ja też się o to modliłem. – Michał jak zwykle czytał jej w myślach. – Benek się tam na szczęście nie odnalazł, ona też nie do końca… no i są. Tak, jak mówiłaś.

Postawił na stole parujący talerz.

– Rosołek? – Uśmiechnęła się do niego. – Tak na noc mam zjeść? Będę miała koszmary…

– Rosołek – potwierdził. – Zjedz, ile możesz, mizernie jakoś wyglądasz po tym spacerze…

– Chłodno było – powiedziała, nie patrząc mu w czy. Nienawidziła kłamać, kłamstwo było lepkie, brudne i duszące, wcale nie szlachetne, jak niektórzy usiłowali sobie wmówić dla oczyszczenia sumienia.

– Tym bardziej zjedz. – Michał krzątał się po kuchni.

Porównywała go z Pawłem. Obaj byli w jakiś sposób podobni do siebie. Szczupli, w ładny sposób szpakowaci, wyprostowani. Tyle że Paweł na przystojnej twarzy miał wypisany ból i tęsknotę, a Michał tylko smutek i to w kącikach oczu. Zawsze żartował, że ma zmarszczki tylko od śmiechu, tych od zmartwień nie może znaleźć.

– Chciałabym umrzeć pierwsza, wiesz? – powiedziała nieoczekiwanie i zamknęła oczy ze strachu, bo nie chciała patrzeć na jego twarz, kiedy będzie odpowiadał.

– Niedoczekanie twoje – odrzekł normalnym tonem, wstawiając naczynia do zlewu. – Ja umrę pierwszy i myślę, że doskonale to wiesz. I pewnie jeszcze wiesz kiedy, tylko nie powiesz...

Uśmiechnęła się z wysiłkiem.

– A po palto pójdziemy zaraz po pierwszym – podsumował. – Ewę poproszę, to nas samochodem zawiezie.

1993 ROK

Nikt nie czekał. Jeremi wysiadł z pociągu relacji Katowice–Warszawa i rozejrzał się po pustawym peronie. Zobaczył wysoką dziewczynę z długimi włosami i przez chwilę jego serce zabiło mocniej, ale odwróciła się i poczuł żal. Gdzie on miał oczy, nie była nawet podobna do Julii. Zabrał dużą brezentową torbę wypełnioną skromnym dobytkiem i powlókł się w stronę peronu kolejki WKD. Dworzec śmierdział jak zwykle moczem i pleśnią. Mijał rzędy metalowych straganów zwanych szczękami pełnych różnego dobra, od książek począwszy, przez kosmetyki, na ubraniach wszelkiej maści skończywszy. Przy niektórych straganach kręcili się Koreańczycy. Coś zapachniało i Jeremiemu napłynęła ślina do ust. Drobny Koreańczyk spojrzał zachęcająco.

– Coś pyśnego? – powiedział, uśmiechając się szeroko.

– A co mogę zjeść? – spytał mało przytomnie.

Od dwóch dni w koszarach trwała balanga na okoliczność wyjścia z woja. Nie tolerował dobrze dużych ilości wódki, więc bolała go głowa i czuł się, jakby miał wór na plecach.

– Sajgonki. – Uśmiechnął się mężczyzna. – Dobra będzie...

Nałożył mu dwa cienkie ruloniki do plastikowej miski i polał sosem. Od zapachu zrobiło mu się niedobrze, ale odgryzł kawałek i zaczął powoli przeżuwać. Smakowało dziwnie, sos był zupełnie słodki, a ciasto smakowało trochę jak papier. Mimo to zjadł oba kawałki i popił napojem 7Up z puszki. Nie chciało mu się wracać do domu. Pomyślał, że może mógłby zostawić gdzieś torbę i pójść na spacer. Do Łazienek na przykład. Tyle razy jeździli z Julią albo tam, albo do przyległego ogrodu botanicznego, spacerowali alejkami i rozmawiali o przyszłości. Było tak pięknie. Tyle że potem wszystko szlag trafił.

Zostawił torbę na dworcu i piechotą poszedł do placu Trzech Krzyży, a potem skręcił w Aleje Ujazdowskie. Na wysokości alei Róż zawahał się chwilę, czy pójść do ogrodu czy Łazienek. Wybrał te ostatnie, wszedł, minął Pomarańczarnię i skierował się w stronę pałacu na Wodzie. Minął go i usiadł na spróchniałej desce amfiteatru. Było bardzo zimno, naciągnął więc czapkę na uszy. Kaczki podpłynęły do niego, myśląc, że ma może coś do jedzenia. Żałował, że nie kupił kawałka bułki albo chociaż nie wziął kanapki z torby. Julia zawsze brała chleb dla kaczek, a potem wrzucała garściami i cieszyła się, kiedy jadły. Uwielbiała tu przychodzić. Godzinami przemawiała do wiewiórek, a nawet do pawi, które zdaniem Jeremiego były tak durne, że szkoda było ust otwierać. Wspomnienia otuliły go jak szal.

– Nie mogę zrozumieć, czemu zrezygnowałaś z weterynarii – powiedział podczas jednej z ostatnich wspólnych wypraw.

Ciągle o tym mówiła, zwłaszcza odkąd w ich domu pojawił się Kajtek. Chciała leczyć zwierzęta. Matka namawiała ją na medycynę, ojciec raczej sugerował coś humanistycznego. Julia ciągle się wahała, w przeciwieństwie do siostry, która miała jasną wizję własnej przyszłości. Ula chciała być lekarzem, najlepiej pediatrą jak ciotka, która najpierw pojechała do Izraela, potem wróciła do Polski. Wydawała się bardziej zdeterminowana i dążyła do celu konsekwentnie. On sam już nie mógł się doczekać, kiedy skończy technikum i pójdzie na studia. W tajemnicy przygotowywał się do egzaminów na medycynę. Kiedyś Ula poprosiła go o odbicie testów na ksero i Jeremi zrobił dodatkową kopię dla siebie.

– Bałam się, że się nie dostanę – odpowiedziała mu wtedy Julia, rzucając orzechy wiewiórce.

– Ale to były twoje marzenia... – Pogłaskał ją po włosach. – Czemu z nich rezygnować?

– Rozmawiałam z rodziną z Brwinowa i oni mi powiedzieli, jak ciężko jest zajmować się zwierzętami. Trzeba pomóc krowie rodzić albo uśpić konia. Każdemu się wydaje, że weterynarz głaszcze tylko pieski i kotki...

Studiowała romanistykę. Jeremi miał wrażenie, że te studia to ucieczka. Mówiła świetnie po francusku, nie potrzebowała się uczyć tego języka. Nauczyła ją jedna z licznych ciotek, która urodziła się we Francji, a potem przyjechała do Polski. Kiedyś opowiadała mu o wszystkich swoich ciotkach i Jeremi zdziwił się, że po pierwsze, może ich być tak dużo, a po drugie, że ze wszystkimi można mieć bliski kontakt, mimo że mieszkają daleko. On sam miał jedną ciotkę w Kieleckiem i dwie kuzynki, których nie widział chyba z dziesięć lat, ale bynajmniej za nimi nie tęsknił.

– Ty wiesz przecież lepiej... – zgodził się.

Niepokoił go Piotrek ze studniówki, który też studiował na uniwersytecie, tylko nie romanistykę, a polonistykę. Często wpadał do Andruszkiewiczów, co niezmiernie irytowało Jeremiego, ale nie chciał wychodzić na chama, więc nic nie mówił. Skupiał się na swoim celu. Chciał dostać się na medycynę, zaimponować dziewczynie i zająć się planowaniem wspólnej przyszłości. Studiowanie w tamtym czasie było dosyć trudnym przedsięwzięciem. Z jednej strony, mówiono, że to się nie opłaca, bo po studiach zarabiało się mało, z drugiej, na niektórych kierunkach było po kilka osób na jedno miejsce. Na medycynę było aż pięciu chętnych. Zawziął się i w księgarni na Kredytowej kupił wszystkie książki, z których uczyła się Urszula. W domu oświadczył, że pójdzie na studia. Matka zrobiła awanturę, a ojciec go wyśmiał.

– Masz iść do roboty, a nie darmo chleb żreć! – Usłyszał. – Ta z bachorem w domu siedzi, a ty studiować będziesz, gówniarzu...

Nie oczekiwał wiele od swoich rodziców, ale aż takiej reakcji się nie spodziewał.

– Darmo nie będę nic jadł – mruknął.

Magda skończyła szkołę zawodową i pracowała jako sprzedawczyni w sklepie spożywczym na Kraszewskiego. Od dwóch lat miała dziecko, którego Jeremi nie znosił, bo było głośne, płaczliwe i stanowiło żywe świadectwo klęski życiowej jego siostry. Tatuś dziecka, po jego zrobieniu, niestety nie chciał się do niego przyznać, podobnie jak do Magdy. Nic nie pomogło obicie mu mordy. Jeremiemu się wydawało, że pryszczaty wymoczek jeszcze bardziej utwierdził się w przekonaniu, że dziecko nie jest jego problemem, a przy tym, kto wie, czy ono naprawdę jego, jak wydyszał, plując krwią, co ostatecznie przekonało Jeremiego, że nie chciałby kogoś takiego w rodzinie.

Jeremiemu było strasznie Magdy żal, bo wypłakiwała oczy, a ojciec jeszcze stłukł ją na kwaśne jabłko. Musiała nieustannie znosić krzywe spojrzenia matki i ojca, sąsiadek i koleżanek, którym udało się nie zaliczyć wpadki. No a potem musiała zajmować się płaczącą wiecznie Danusią, która czuła, że znalazła się na świecie, bo jej matka nie czytywała „Filipinki" i nie wiedziała, że żądanie „dowodu miłości" jest dla dziewczyny uwłaczające. Jego brat Maciek skończył samochodówkę, ojciec go podziwiał, bo pracował u prywaciarza i przynosił niemałe pieniądze do domu. Mały braciszek Adrian zwany Korkiem urodził się inny, może dlatego, że matka rodząc go, miała już dobrze po czterdziestce, a może dlatego, że tamten doktor, co to go potem za kratki wsadziła, najpierw wziął pieniądze, a potem źle go wyskrobał.

Julia dostała się na romanistykę za pierwszym razem. Ula po oblaniu egzaminu na medycynę, gdzie zabrakło jej pięciu punktów, odmówiła rozpoczęcia studiów na kierunkach typu chemia czy fizyka, zatrudniła się w szpitalu jako salowa, za co miała dostać punkty i podwoiła wysiłki w celu otrzymania indeksu akademii medycznej.

Jeremi uczył się do matury, a jednocześnie kuł biologię, chemię i fizykę. Nic Julii nie mówił, chociaż pytała, jakie ma plany na przyszłość. Zaciskał zęby, kiedy mówiła, żeby skończył jakieś studium, a nie ulegał modom na szybki i łatwy zarobek. Inteligencja zarabiała mało, bywało nawet, że bardzo mało. W jego domu z „inteligencików" to się nawet śmiano, ale on nie rezygnował ze swoich planów, w końcu to było jego życie, a nie matki, ojca czy brata.

Długo udawał, że praca dla Szefa i jego kolegów nie jest niczym złym. Ot, nosi gdzieś jakieś tabletki, ale nic go nie obchodzi, kto to przejmie, kupi czy co z tym zrobi. Wierzył, że to nieistotne. Pieniądze, które zarabiał, chował w woreczku wszytym w materac. Dostawał dolary albo marki niemieckie. Chciał kupić mieszkanie albo nawet dom, rozglądał sie po Pruszkowie i okolicach. Mnóstwo ludzi sprzedawało swoje domy czy mieszkania, praktycznie za grosze. W „Gazecie Wyborczej" roiło się od ogłoszeń typu „powracającemu z zagranicy sprzedam...". Nie chodziło o to, że kupujący miał wcześniej mieszkać poza Polską, tylko o to, że transakcja ma być zawarta w dolarach. Obliczył, że zarobionych pieniędzy starczyłoby mu na bliźniak w Komorowie. Widocznie po okolicznych domach rozglądał się nie za bardzo dyskretnie, bo Szef wezwał go kiedyś do siebie i zabronił afiszowania się pieniędzmi.

– Co powiesz, Młody, jak ktoś spyta, skąd masz tyle? – rzucił, pijąc whisky z kryształowej szklanki.

Szef uwielbiał ten trunek. Patrząc na tego niskiego, grubego mężczyznę, wydawać się mogło, że najbardziej lubi żłopać piwo albo czysty spirytus, ale ci, którzy go znali, wiedzieli, że najbardziej ceni drogą osiemnastoletnią whisky pachnącą dymem.

– Pracowałem za granicą? – spróbował.

Szef pokręcił głową.

– Młody jesteś. Młody... Dlatego posłuchaj starszych i mądrzejszych.

– Ale ja się chcę ożenić – wyznał.

Mężczyzna zaśmiał się głośno. Dziwny to był śmiech. Samymi wargami, nie oczami. Trochę straszny.

– Nie żeń się, dobrze ci radzę – powiedział. – Baby są wszystkie takie same. Chcą pieniędzy...

– Ona taka nie jest – upierał się.

Rechotali już wszyscy, Szef i ochroniarze.

– Młody się zakochał... – Szef spoważniał. – Rozumiem cię, chłopie. Ja też kiedyś wierzyłem w różne rzeczy... a tak na serio, to poruchaj se i od razu będzie ci lepiej...

Podsuwał mu różne dziewczyny i Jeremi czasami ulegał. Nie czuł, że zdradza Julię, bo z nią było zupełnie inaczej. Z tamtymi się nie kochał, tylko uczył, jak powinien postępować z kobietą. Tak to właśnie traktował – jak naukę. Dzięki temu umiał poczekać na nią, aż była gotowa. Ścisnęło go boleśnie na wspomnienie ich „pierwszego razu".

– Nie miałem wątpliwości, że będzie cudownie – powiedział wtedy.

To nie była prawda, miał wiele wątpliwości i tysiąc razy myślał, jak do niej podejść, kiedy ją i siebie rozebrać, czy długo ją pieścić i całować, czy od razu to zrobić, krótko i szybko, a potem dopiero w kolejnych dniach otulić ją czułością. Gratulował sobie w duchu, że terminował u Joaśki, która chętnie „dawała" chłopakom Szefa w zamian za koronkową bieliznę, perfumy ze Stadionu Dziesięciolecia albo ładne buty. W ostateczności przyjmowała zagraniczne czekoladki i kwiaty. Od niej między innymi nauczył się, że kobiecych piersi nie należy ugniatać jak ciasta ani dopychać dziewczyny penisem, jakby chciało się wyjść na drugą stronę.

– Delikatnie, mówię – powtarzała mu, ile razy zapędził się w tej namiętności bez uczuć, a on przerywał i zaczynał od początku, wyobrażając sobie, że uczy się dla Julii, żeby być najlepszym i najdelikatniejszym kochankiem.

– Hej koleś, masz fajkę? – wyrwał go z zamyślenia głos.

Obok stała wysoka chuda dziewczyna w brudnym, różowym dresie i patrzyła zachęcająco.

– Nie mam...– Wzruszył ramionami. Znów zaczął patrzeć na kaczki.

– A kasę masz? – W rękach trzymała igłę.

W pierwszej chwili nie zrozumiał, o co jej chodzi.

– Mam hifa – wyjaśniła, wymachując igłą. – Jak mi nie dasz kasy, to ja cię...

Wstał i odepchnął ją, a ona zatoczyła się i wpadła do wody. Kaczki rozpierzchły się na boki. Dwie z nich wystrzeliły w górę i odleciały.

– Hej! – usłyszał. – Pomóż...

– Niech ci Kotan pomoże...

Nienawidził tych narkomanów. Kłębili się na dworcach, żebrali o parę groszy otwarcie albo kłamali, że ukradziono im portfel z biletem i nie mają za co wrócić do domu. Banda darmozjadów, co to im źle na świecie było. Ogałacali pola makowe, a potem w brudnych mieszkaniach gotowali kompot, który wstrzykiwali sobie w żyły. Wszyscy tłumaczyli się tak samo, że życie ich przerosło. A ten Kotański jeszcze ich zbierał i pomagał. Ostatnio odkryli nowy sposób pozyskiwania pieniędzy. Machali igłami, niby że zarażą kogoś. Gnoje... Jeden z jego kumpli z podstawówki zaćpał się na śmierć. Jego rodzice nic nie wiedzieli, a w szkole od dawna było wiadomo, że to ćpun.

Przegnał myśl, że to on, Szef i jego ludzie przyczyniają się do zmiany narkotykowej mapy Polski. Coraz więcej osób korzystało z dobrodziejstw tabletek, które sprowadzali. Narkoman już nie był jedynie brudnym żebrakiem z nieprzytomnym spojrzeniem. Coraz częściej ubierał się w elegancki garnitur, wkładał krawat i jeździł do pracy luksusowym samochodem. Wyścig szczurów był coraz bardziej powszechny. Białe kołnierzyki zasiedlały świeżo utworzone korporacje i starały się dorównać japiszonom z Zachodu. Obejrzał się za tamtą dziewczyną. Zdążyła się już wygramolić i stała, żałośnie ociekając wodą. „Dostanie zapalenia płuc i zdechnie", przemknęło mu przez myśl. Wszystko było mu obojętne.

Spieprzył sobie życie. Postawił wszystko na jedną kartę i przegrał. Nie dostał się na medycynę, poszedł do woja, a ona odeszła. Co on sobie wyobrażał, składając papiery na tak prestiżową uczelnię? Ulka zdawała dwa razy i za drugim, kiedy się znów nie dostała, po urządzeniu wielkiej awantury w dziekanacie akademii medycznej została przyjęta na wydział farmacji. Nie była zadowolona, ale to było jednak co innego niż jego marne czterdzieści punktów, śmiech na sali, wstyd właściwie. Przyjmowali od stu dwudziestu punktów w górę, a on się po prostu ośmieszył. Nie sądził, że pójdzie mu aż tak źle. Właściwie to tak bardzo wierzył w to, że zostanie lekarzem, że pod wywieszoną listą studentów przeżył szok. W dodatku były tam Ula i Julia, która siostrze naturalnie kibicowała.

– Nie powiedziałeś, że zdajesz. – Julia aż się zachłysnęła, odrywając wzrok od listy. – Przecież pomogłabym ci...

Na nic zdały się zapewnienia, że uczył się w tajemnicy, żeby jej zrobić niespodziankę, że chciał, żeby była z niego dumna. Kręciła głową i powtarzała, że nie może uwierzyć.

– W co nie możesz uwierzyć? – zdenerwował się. – Że ja coś potrafię?

– Nie mogę uwierzyć, że byłeś taki głupi, żeby wykonać podobny numer – odparowała. – To najtrudniejsze studia na świecie. Czemu nie zdawałeś na polibudę, co?

Nigdy tak do niego nie mówiła. Zacisnął zęby i nic nie odpowiedział. Nie udało mu się przenieść papierów na żadne inne studia, nawet studium nauczycielskie go nie chciało. Próbował w jednej z prywatnych uczelni, których przybywało jak grzybów po deszczu, ale przez pomyłkę i tam skreślono go z listy studentów. Wojsko zapukało do drzwi. Kategoria A.

– Gdzie chce pan służyć? – padło pytanie.

– Gdzieś blisko, bo mam dziewczynę – poprosił.

Wysłali go pod Katowice. Szef dowiedział się o wszystkim, kiedy już było za późno. Jeremi myślał, że go pobije, taką miał furię w oczach. Na jego widok rzucił o ścianę wielkim jak cegła telefonem komórkowym, które w tamtym czasie nosili tylko biznesmeni albo gangsterzy. Wrzeszczał na Jeremiego tak, że aż szyby dzwoniły, a jeden z ochroniarzy zbierał plastikowe kawałki warte pewnie tyle, co mały samochód. Jeremi Szefa się nie bał. Jedynie myśl, że ona odejdzie od niego, była w stanie go poruszyć. Póki się uczyli, pasował do niej, teraz nie życzyła sobie żołnierza. Ogolony na łyso szeregowy nie pasował do studentki mówiącej po francusku.

– Powiedz, że na mnie poczekasz... – Podjął żałosną próbę zatrzymania jej przy sobie.

– Czemu nie chcesz zrozumieć, że to koniec? – spytała.

– Ale dlaczego? – pytał, a ona patrzyła w bok.

– Po prostu... – Czubkiem buta wierciła dziurę w trawniku. – Ja już jestem inna...

Piotrek miał swój udział w tej „inności". Kręcił się koło niej tak skutecznie, że w końcu uległa. Pewnie przeczytał więcej książek, jego rodzice nie byli prostymi ludźmi, a siostra nie zaliczyła wpadki w wieku osiemnastu lat, łamiąc sobie życie i zyskując złą sławę „łatwej dziewczyny". Jeremi zobaczył ich razem. Julia tuliła się do ramienia tamtego, jak kiedyś do niego. Szeptali sobie coś na ucho. Ogarnął go szał. Szedł za nimi, a potem, kiedy Piotrek odprowadził Julię, śledził go aż do samego bloku, w którym tamten mieszkał. Złość go oślepiła. Dopadł Piotrka i pobił dotkliwie. Chudy wymoczek jęczał i zasłaniał się bladymi dłońmi. Nawet nie próbował oddawać ciosów, co Jeremiego dodatkowo rozsierdziło. Poza tym chciał, żeby tamten wiedział, kto mu to zrobił. „Jeśli ma odrobinę honoru, nie powie jej", myślał. Nie zdziwił się jednak, kiedy Piotrek poleciał do swojej dziewczyny na skargę. Wymoczki tak mają.

Był po komisji, wściekły na cały świat. Powiedział rodzicom, że idzie do wojska, a oni przyjęli ten fakt z obojętnością. Skoro Jeremi nigdzie nie pracował i nie zarabiał pieniędzy, to przynajmniej przez dwa lata będzie na państwowym wikcie. Jego wojsko trwało dłużej, bo co chwila trafiał do paki, a dni spędzonych w zamknięciu nie wliczało się do służby. Tylko raz dali mu przepustkę, a on nie śmiał przyjechać do Pruszkowa. Nie miał tam czego szukać. Po pobiciu tamtego chciał na kolanach błagać Julię o wybaczenie. Przyszła do niego do domu następnego dnia wieczorem. Była zapłakana, roztrzęsiona i od razu wszystko poszło nie tak, bo rzuciła się i zaczęła okładać go pięściami.

– Ty gnoju, draniu, nie miałeś prawa! – krzyczała na całą klatkę schodową. – Mogłeś go zabić!

– Miał cię, więc chciałem go zabić! – wrzasnął. – Ty kurwo!

Zamurowało ją, a potem odwróciła się, zbiegła po schodach, budząc cały blok i od tego czasu jej nie widział. Napisał do niej setkę listów z wojska, wszystkie z prośbą o wybaczenie, ale na żaden nie odpowiedziała. Nie wiedział nawet, czy je czytała. Podejrzewał, że nie.

Westchnął ciężko i powlókł się z Łazienek z powrotem na Dworzec Centralny, gdzie zostawił bagaż w przechowalni. Mijał rzędy łóżek polowych stojących wprost na ulicy w samym centrum Warszawy, na których wbrew zimie kwitły kolorowe bluzki, letnie sukienki i sandały. Znów poczuł głód i kupił w przyczepie kampingowej zapiekankę. To też wywołało wspomnienia. Kiedy jeszcze chodzili ze sobą, kupował Julii bułki z pieczarkami. Wszyscy na nie narzekali, bo nawet parówek jak w prawdziwych hot dogach w nich nie było, a jedynie grzybki przesmażone z cebulą, ale oni oboje je uwielbiali. Znajoma matki bliźniaczek prowadziła pieczarkarnię i czasami obdarowywała Andruszkiewiczów. Smażyli wtedy z Julią pieczarki z cebulą i pieprzem, kładli na chleb i zjadali. Ula się z nich śmiała.

– Ty Jarek powinieneś założyć restaurację – mówiła.

– Baby są od gotowania – przekomarzał się, ponieważ wiedział, że Julia nie zwraca na takie teksty uwagi.

– No w życiu! – zaperzała się Ulka. – Najlepszymi kucharzami są mężczyźni. U nas wprawdzie mama gotuje, bo tata przypaliłby nawet wodę na herbatę, ale za to we Francji gotują mężczyźni.

– Nasza ciotka ma we Francji restaurację, w Bretanii, w miejscowości Falaise – przypominała wtedy Julia. – Można do niej pojechać na nauki, a potem otworzyć coś tutaj.

– Ciotka we Francji to też kobieta – zwrócił im uwagę, a one obie się roześmiały. – Ale na nauki do francuskiej restauracji to ja mógłbym pojechać. Dałbym sobie radę...

Nigdy jej nie powiedział, jak bardzo by chciał zrealizować taki pomysł. U niego w domu nie przywiązywano wagi do gotowania. Szczytem kulinarnych możliwości matki były mielone. Zupy robiła może trochę lepsze. Ile razy Jeremi próbował coś ugotować albo choćby usmażyć jajecznicę, dodając do niej pieprzu i innych przypraw, matka patrzyła na niego podejrzliwie, a ojciec pytał, czy on aby nie „panienka".

– Będę miał kiedyś restaurację – pochwalił się przy którymś z odcinków „Dynastii".

– Trzeba było do gastronomika iść – burknęła matka. – Od razu mówiłam. Po tym technikum nic nie umiesz... Kelner teraz zarabia dobry pieniądz.

Jednak nie pojechał do ciotki we Francji, tylko pod Katowice, gdzie biegał z karabinem jak debil. Wsiadł do kolejki WKD, modląc się, żeby nie spotkać kogoś znajomego. Nie miał siły na rozmowę, a zwłaszcza pytania „co słychać". Miał szczęście, ani na Centralnym, ani na Ochocie nie przysiadł się nikt z jego dawnych znajomych. Patrzył na kolorowo ubranych ludzi w pociągu. On sam nie odczuł, że Lech Wałęsa rok temu wygrał wybory, pokonując czarnego konia z tajemniczą teczką w osobie Stana Tymińskiego. W koszarach nie zmieniło to zasadniczo niczego. Ale już w normalnym świecie można było odczuć powiew wolności. Mijał plakaty wyborcze. Wszędzie „wisieli" kandydaci Unii Demokratycznej. Z rzadka można było dostrzec plakat z czerwonymi literami SLD. Już nie było PZPR-u. To też „przespał" w wojsku. Ledwie przypomniał sobie pierwsze wolne wybory na które poszli z Julią, trzymając się za ręce strasznie z siebie dumni i pełni zapału. Wszyscy mówili o tym, że jesteśmy wreszcie we własnym kraju, możemy cieszyć się wolnością, koniec z ograniczeniami i strachem. On też w to święcie wierzył. Wysiadł na peronie i rozejrzał się po okolicy. Kiosk stał jak zwykle w tym samym miejscu, ale po stronie peronu komorowskiego było kilka sklepów. Wszedł do spożywczego. Zza lady spojrzała na niego zachęcająco dawna koleżanka ze szkoły podstawowej.

– No cześć! – wykrzyknęła z entuzjazmem i obrzuciła ciekawym spojrzeniem jego wojskową kurtkę.– Dawno cię nie było! Na stałe czy na przepustkę?

– Na stałe – powiedział.

– A co ci podać? – Omiotła wzrokiem sklep.

Było mu strasznie, ale to strasznie przykro. Nie umiał powiedzieć czemu. Po prostu skręcało go z żalu. Za szkłem stały ułożone w czwórki małe jogurty, zagraniczne serki i soki. Nawet chleb wyglądał jak przywieziony z zagranicy, a nie upieczony w miejscowej piekarni.

– Jakieś ciasto macie tutaj? – spytał. – I fajki?

– Ciasto? Pewnie, że mamy. – Pokiwała energicznie głową i pokazała mu rządek opakowanych w kolorową folię prostopadłościanów. Napisy wskazywały na to, że ciasto jest niemieckie.

– Pyszne… Z nadzieniem malinowym, truskawkowym, naturalnie czekoladowe i waniliowe. A to jest sztrucel, czy sztrudel, nie wiem, ale też dobry. A fajki mamy.

Wziął ciasto z nadzieniem malinowym i dwie paczki marlboro.

– A może wpadniesz do mnie? – spytała, podając sumę, jaką miał zapłacić. – Wiesz, gdzie mieszkam…

– No może wpadnę – bąknął, postanawiając, że więcej nic nie kupi w tym sklepie.

– To baj baj! – rzuciła, jak wychodził, a zielony cień na jej powiekach odbił się w szybie nad jogurtami z „całymi kawałkami owoców".

– Cześć, Renatka. – Przypomniał sobie w ostatniej chwili jej imię.

Musiał zadzwonić, bo nie miał kluczy do domu.

– Wujek! – wrzasnęła na jego widok siostrzenica.

– Już jesteś? – zdumiała się Magda, jakby wyskoczył po pietruszkę do sklepu i zaraz wrócił.

Siostrzenica wisiała mu na szyi.

– Tak, już jestem… – powiedział.

Poszedł do swojego pokoju, który już raczej nie był jego, ale postanowił tam zostawić torbę, a potem poczekać, aż matka wróci, i ustalić, gdzie teraz może spać.

– Co tam słychać? – powiedział, kiedy przebrał się w dres i wszedł do kuchni. – Dostanę coś do jedzenia?

– Jasne. – Magda kiwnęła głową. – Jest krupnik, nie wiem, czy lubisz…

– Zawsze lubiłem – przypomniał jej. – Przepadałem za krupnikiem.

– Ojciec chory. – Spojrzała w bok. – Nie chcą go nawet zoperować, bo mówią, że już za późno. Matka płacze… Maćkowi się pogorszyło, ma bardzo dużo ataków i dostał rentę. Adrianka przenieśli do szkoły specjalnej…

Milczał, łykając zupę. Dlaczego nikt mu nic nie powiedział? Nie napisali ani razu do woja, ani o tym, co słychać w domu, ani spytać, jak się czuje. Nic, ani słowa.

– Czemu nie daliście znaku życia? – Zdjął siostrzenicę z szyi i postawił na podłodze.

– Wujek, kupisz mi barbie? – dopytywała. – Wszystkie dzieci mają barbie.

– A co to takiego?

Dziewczynka wzniosła oczy ku niebu i splotła dłonie jak do modlitwy.

– Taka lalka królewna... – wyjaśniła proszącym tonem.

– Zrobione. – Pokiwał głową. – Mikołaj ci przyniesie.

Ojciec rzeczywiście wyglądał jak cień człowieka. Schudł chyba ze dwadzieścia kilo i zapadł się w sobie.

– Co tam u taty? – spytał, kiedy mężczyzna obudził się z poobiedniej drzemki.

– Boli, a kroić nie chcą. – Ojciec skrzywił się w odpowiedzi. – Czekają tu wszyscy, aż umrę. Matka przede wszystkim...

– Nie umrze ojciec – powiedział z mocą.

Poszedł prosto do Szefa, a ten o dziwo przyjął go z otwartymi ramionami. Przez dwa lata przytył nieco i postawił dwumetrowe ogrodzenie wokół rezydencji. Po posesji biegały nie dwa, a cztery potężne rottweilery, poza tym nic się nie zmieniło.

– Młody... – Szef uniósł rękę, w której jak zawsze trzymał sporą szklaneczkę whisky. – Przyszedłeś odwiedzić wujka?

Jeremi zastanowił się przez chwilę, czy naprawdę tego chce. Wcześniej łatwo było udawać, że nie wie, co przenosi w plecaku, po co wiezie chłopaków w nocy. Nic tak naprawdę nie widział. Jeśli już, to raczej słyszał. I to zza zamkniętych drzwi. Rozpaczliwe krzyki kobiety, której mąż winien był Szefowi pieniądze. Udawał, że nie słyszy wołania o pomoc. Tak było łatwiej. Myślał tylko o tym, że zbiera pieniądze na restaurację. Wcześniej potrzebował na garnitur, potem na wyjazd do Zakopanego, wreszcie dla Magdy, żeby mogła dzieciakowi kupić wózek. W sumie drobiazgi. Odliczał kolejne zlecenia i przyjmował kasę jak wynagrodzenie. Wmawiał sobie, że on sam tak naprawdę nie korzysta z tych pieniędzy, nie w pełni.

Teraz miał zostać pełnoprawnym „żołnierzem", być może nawet musiałby sam zająć miejsce tych, co byli wcześniej po drugiej stronie drzwi i zmuszali opornych do oddania Szefowi pieniędzy. Potrzebował pracy, która zapewniłaby jego rodzinie dobre warunki. Potrzebował na operację ojca, na córkę swojej siostry, na leczenie jednego i drugiego brata. Po prostu potrzebował. Wydawało się, że bardzo dużo. A może za zarobione pieniądze kupi jeszcze tę restaurację, kto wie? Podniósł głowę i popatrzył Szefowi prosto w oczy.

– Chciałbym wrócić... – powiedział. – I potrzebuję kasy od razu na leczenie ojca...

Szef kiwnął głową.

– Brakowało mi ciebie. Lubię cię, Młody... – Rzucił mu zwitek banknotów.

Jeremi przeliczył. Było tam sto dolarów.

– Wymień u Robka, nie pod peweksem. A już na pewno nie w Warszawie. Bo cię oszukają. A co do ojca, to zadzwoń pod ten numer i powiedz, o co chodzi. Pozdrów też pana doktora ode mnie.

Dostał telefon komórkowy, taki wielki, jak mieli Baryłka i Pieprz. Nie wiedział, gdzie go trzymać. W kieszeni się nie mieścił, a w rękach trochę było głupio. Wsadził go za pasek, jak pistolet, co wywołało śmiech chłopaków. Zaraz po wyjściu zadzwonił pod podany numer. Kiedy tylko wymienił nazwisko Szefa, w słuchawce zapanowała cisza.

– Kiedy mogę przywieźć ojca na badania? – spytał.

– Jutro na ósmą rano – usłyszał. – Proszę powiedzieć panu Masłowskiemu, że wszystko będzie załatwione.

Zawiózł ojca taksówką. W szpitalu o nic go nie pytali, zabrali tylko ojca od razu na oddział chirurgii i kazali się dowiadywać.

– Jakie tata będzie miał badania? – spytał.

– Wszystkie konieczne – odpowiedział natychmiast lekarz, który jak się potem okazało, był ordynatorem oddziału chirurgii i nie miał w zwyczaju rozmawiać z rodzinami pacjentów, ale nazwisko Szefa zadziałało jak hasło otwierające wrota sezamu. – A pojutrze prawdopodobnie zoperujemy pańskiego ojca.

– Ile jestem winien? – Postanowił postawić sprawę jasno.

– Nie... – przeraził się ordynator. – Nie ma takiej potrzeby. Proszę tylko powiedzieć panu Masłowskiemu, że bardzo dziękuję...

Rodzina nie dowierzała. Przecież wcześniej starali się leczyć ojca. Zebrali nawet pieniądze na łapówkę, ale chyba okazały się zbyt małe, bo niczego nie załatwili. Pytali, jak jemu się ta sztuka udała. Jeremi wszystko załatwił, bo wypowiedział odpowiednie nazwisko. Wtedy po raz pierwszy zdał sobie sprawę, że można być po stronie silnych tego świata i od ręki mieć, co trzeba, albo do końca życia kulić się i błagać o to, co słusznie się należy. Poczuł strach tamtego lekarza i złapał się na tym, że mu się to podobało. Władza była upajająca, nawet na tak małą skalę jak jego. Pytał Szefa, kiedy ma się stawić do pracy, ale ten powiedział, żeby na razie zajmował się ojcem, rodziną, a potem się zobaczy.

– Czekaj na telefon – rzucił Robek, który wymienił mu część dolarów na złotówki.

Za pięćdziesiąt dolarów mógł żyć jak król. Siostrzenica dostała barbie z peweksu, Magda przyzwoite ciuchy, w tym kożuszek, bo chodziła w lichutkim płaszczyku, który jak wyznała, pochodził z jednego ze sklepów z używaną odzieżą sprowadzaną z Zachodu. Maćka Jeremi zabrał do znanego profesora, który wziął go do szpitala, zbadał porządnie, a potem dał dobre leki. Ataki ustały i brat mógł pomyśleć o powrocie do roboty. Adrianek został przyjęty do sanatorium i tam miał chodzić do szkoły. Nawet święta były zupełnie inne, bo w biednym dotychczas domu Wiśniewskich między zagranicznym jedzeniem a polskim karpiem pojawiła się nadzieja.

– Wiesz, że on wrócił? – spytała Ulka.

Uczyła się właśnie do kolokwium z antybiotyków, oglądając jednocześnie na magnetowidzie stare odcinki swojego ukochanego serialu „Powrót do Edenu". Z upodobaniem odtwarzała raz po raz scenę, w której Stefanię wypchniętą przez zdradzieckiego męża do bagien atakuje krokodyl.

– Słyszałam... – Julia udawała, że całą jej uwagę pochłania *Gra w klasy* Cortázara.

Stefania właśnie została znaleziona przez jakiegoś dobrego człowieka, który zaszywał jej rany igłą z nitką.

– Wyłącz to... – Nie wytrzymała Julia. – Przecież nie możesz się uczyć i jednocześnie oglądać telewizję...

Ula zastopowała film. Potem zamknęła podręcznik i usiadła obok siostry. Objęła ją ciasno, a Julia położyła jej głowę na ramieniu. Jako dzieci często siadały w ten sposób, co bardzo wzruszało Basię i Tomka.

– Jak się dowie, że pomagałaś Magdzie, to przyjdzie ci podziękować...

Julia pokręciła głową.

– Prosiłam ją, żeby mu nie mówiła. Zrobiłam to dla małej Danusi. Nic wielkiego.

– Akurat nic wielkiego. – Ula pokręciła głową. – Ty jesteś tą lepszą siostrą, mnie by nawet nie przyszło do głowy takim Wiśniewskim pomagać.

Julia nie próbowała dyskutować. Ula nie spędziła ani chwili w tym smutnym domu, z matką, która ciągle prała w wannie i gotowała w kuchni, jakby miała wykarmić pół wojska. Nie wysłuchała mądrości życiowych ojca Jeremiego, który miał swoje zdanie na temat Lecha Wałęsy, Czesława Kiszczaka albo Janusza Korwin-Mikkego i wszystkich równo nazywał agentami ruskimi i nikomu nie wierzył. Tylko niejaki Leszek Moczulski z KPN-u wzbudzał jego posłuch i jako taki szacunek. Julia podczas każdej wizyty u Jeremiego była pytana, czy pochodzi z żydowskiej rodziny albo ma w rodzinie komuchów. W końcu opowiedziała o wuju Jerzyku, który został aresztowany w noc trzynastego grudnia, a potem zwolniony wprost do szpitala z powodu zawału. Potem o cioci Michele i jej mężu, którzy siedzieli prawie dwa lata, a następnie wrócili do Gdańska i dalej bronili robotników za darmo, a żyli z tego, co cioci udało się napisać i opublikować w gazetach. Ojciec Jarka spojrzał na nią z odrobiną szacunku w oczach, ale zaraz dodał, że wszyscy są agentami, tylko czyhają na to, żeby się dorwać do żłobu i wydrzeć ludziom wolną Polskę.

– Daj spokój, jakie Magda ma życie po tym, jak ten drań ją zostawił. I ci rodzice Jarka... – Julia spojrzała znów na ekran, gdzie widniał kadr ze Stefanią odwijającą bandaże, która już za chwilę miała zobaczyć swoją oszpeconą twarz.

– Nigdy nie podziękowali rodzicom za pomoc, ani tobie...

– Ja nie potrzebowałam podziękowań. – Wzruszyła ramionami. – Zresztą Jarek wiele razy mi dziękował i rodzicom też. A tamci... Prości ludzie i tyle...

Matka Jeremiego zawsze Julię lubiła. Nie, żeby była zadowolona, że jej Jarek się uczy i ma plany na przyszłość, ale lubiła spokój, jaki „ta miła dziewczyna" wnosiła do tego wiecznie zabałaganionego i krzykliwego domu. Nie bez znaczenia był fakt, że ona i matka bliźniaczek rodziły jednego dnia i obie prawie nie przekręciły się wskutek działania takiego jednego konowała, jak kiedyś Julii wspomniała. Julia roześmiała się i powiedziała, że ten „konował" to był jej wujek, mąż cioci Kasi, tej znanej aktorki.

Matka Jeremiego upuściła wtedy szklankę, którą trzymała w ręku, a potem pogłaskała Julię po głowie, tak jakby wiedziała o kłopotach wuja.

Kiedy Jarka wzięli do wojska, poszła do Wiśniewskich i spytała Magdę, czy mogłaby jej w czymś pomóc. Pogadały tak od serca i Magda z płaczem powiedziała, że Danusia nie dostała się do przedszkola, ona nie może pójść do żadnej pracy, a rodzice na każdym kroku wypominają jej nieślubne dziecko i wstyd, jaki przyniosła rodzinie. Julia poprosiła rodziców, a oni chętnie pomogli Wiśniewskim. Ojciec załatwił małej przedszkole, a matka kursy wieczorowe Magdzie. Siostra Jeremiego mogła iść do pracy, nawet zdała maturę. Sama Julia trzy razy w tygodniu prowadzała małą do przedszkola, bo Magda zaczynała pracę o szóstej rano, a przedszkole było jeszcze zamknięte. Nie powiedziała Piotrkowi ani słowa, bo nie zrozumiałby, czemu chce pomagać rodzinie byłego chłopaka. A ona po prostu nie mogła ich tak zostawić.

Poza tym martwiła się o Jeremiego. Po tym, jak pobił Piotrka, nie chciała go już widzieć ani nie przyjęła jego przeprosin, ale myślała o nim często i zastanawiała się, czy wróci do Pruszkowa. Czytała także wszystkie jego listy, chociaż nigdy nie odpisała. Wiedziała, że muszą zerwać kontakty, bo inaczej stanie się coś złego. Czuła to, poza tym przecież babcia Ania jej powiedziała, że to nie jest dobra znajomość i wkoło Jeremiego krąży coś złego. Babunia Ania mówiła niejasno, wtrącała jakieś swoje wspomnienia z dzieciństwa i młodych lat, i Julia nie wszystko rozumiała.

Dopiero potem, kiedy zobaczyła Jarka z tamtymi ludźmi, już wiedziała, co babunia chciała jej powiedzieć. Nikomu nie wspomniała o tamtej wietrznej nocy, podczas której zapuściła się z Kajtkiem pod Komorów i zobaczyła Jeremiego w towarzystwie gangsterów. Nie miała wątpliwości, kim są ci ludzie i co robią. Za głośno o nich było w Pruszkowie. Wymuszali pieniądze, handlowali narkotykami i zastraszali właścicieli sklepów. Mówiło się, że ci, co stali pod peweksem i wymieniali walutę, są od nich albo się im opłacają, podobnie w kantorach wymiany walut. W całym mieście nie było ani jednej kawiarni, bo ludzie nie mieli z czego płacić haraczu. Wiadomo było, że jedyna pizzeria jest z nimi powiązana.

Wujek Benek opowiadał kiedyś mamie, że wybrał się po prostu zobaczyć, jak taka pizza teraz w Polsce smakuje. Zamówił margheritę i zaczął jeść, kiedy do lokalu wpadło kilku typów, jak to określił, „z arbuzami pod pachami" i wyprosili wszystkich z restauracji. Benek nie mógł zrozumieć, o co chodzi, ale ktoś z pośpiesznie opuszczających lokal gości doradził, żeby lepiej wziął, co może w rękę i wyszedł, bo tu nie Zachód, ale Dziki Zachód i może komuś, w domyśle Benkowi, stać się krzywda. To u takich jak oni pracował jej Jarek.

Miała potem żal do siebie, bo przecież nie pytała, skąd bierze pieniądze na całkiem przyzwoite życie. Nie pytała także, jak zarobił na ich wspólny wyjazd do Zakopanego. Było jej wygodniej myśleć, że dostał od rodziny, chociaż u Wiśniewskich się nie przelewało. Przecież chciała pojechać. Okłamała rodziców, żeby móc z nim spędzić tę noc. Zaplanowali, że podczas tego wyjazdu zrobią „to" po raz pierwszy. Bała się trochę, ale ufała mu. Ulka pojechała z chłopakiem pod namiot. Padało przez cały czas i nie mieli co jeść, bo w tej mazurskiej wsi był jeden sklep, a w nim niewiele. Jedli chleb z dżemem i serki topione, a jej chłopak wziął ją któregoś dnia w namiocie w śpiworze. Z tego, co Ulka potem opowiadała, to wcale nie było miłe, o cudownych odczuciach opisywanych w „Na Przełaj" w ogóle nie było mowy. Po tym wyjeździe Ulce miesiączka spóźniła się dwa dni, podczas których siostra panikowała i płakała na przemian. W końcu „ciotka przyjechała czerwonym samochodem", a Ulka zerwała z chłopakiem.

Z nią i Jarkiem było inaczej. Nie naciskał, żeby mu się oddała, chociaż czuła, że bardzo tego chce. Nigdy nie przekroczył granicy pocałunków i przytulania jej. Wiedział, że nie jest jeszcze gotowa, i czekał. Traktował ją jak świętość, ogromnie szanował i szczerze kochał. Pierwszy raz wypowiedział te słowa, kiedy wracali z Kajtkiem od weterynarza. Ulka zniknęła z pieskiem za drzwiami, a on przytrzymał ją chwilę za rękę i powiedział „kocham cię", a potem szybko uciekł. Na studniówce powtórzył wyznanie i dodał, że ożeni się z nią. Uśmiechnęła się wtedy z powątpiewaniem, a on dodał „zobaczysz".

– Nie wierzysz? – spytał. – Co mam zrobić, żebyś uwierzyła?

Śmiała się wtedy. Stali o drugiej nad ranem na mrozie, Ula z chłopakiem już dawno poszli w stronę domu, a oni ciągle nie mogli się zdecydować na powrót, roztańczeni, zmęczeni, ale tacy szczęśliwi.

– Powiedz, co byś chciała – nalegał. – Wejdę na to drzewo i skoczę...

– Nie, nie... – Śmiała się coraz bardziej. – Masz nowy garnitur, przestań...

Zaczął się wspinać po kasztanowcu, który rósł koło szkoły. Bardzo sprawnie mu szło, dopóki nie usiadł na gałęzi. Umościł się i uniósł ręce ku górze.

– Jestem królem świata! – krzyknął.

Wiele lat później okrzyk Jeremiego powtórzył Leonardo di Caprio w filmie „Titanic". Julia była na tym filmie z siostrą i jej rodziną, i aż drgnęła, kiedy usłyszała tamte słowa. Dla Leo, jak wiadomo, podróż statkiem zakończyła się bardzo niefortunnie, pewnie dlatego, że Kate Winslet nie zrobiła mu miejsca na kawałku deski. Jeremi nie skończył wtedy aż tak tragicznie, ale gałąź trzasnęła, upadł z trzech metrów i jakimś cudem złamał sobie tylko rękę i to lewą. Kiedy pochyliła się nad nim przerażona, badając, czy nogi ma całe (miał, tylko w spodniach od garnituru na obu kolanach miał dziury wielkości pięści), złapał ją energicznie, prawą zdrową ręką, przyciągnął do siebie i pocałował. Potem zaczął syczeć z bólu.

– Bardzo cię boli? – spytała.

– Kocham cię – odpowiedział. – I ożenię się z tobą.

„Niestety nie ożenisz się ze mną", pomyślała i zalała ją gorycz. Ula ponownie włączyła magnetowid. Zeszłego lata ich mama była za granicą na jakimś szkoleniu i tam za zaoszczędzone na dietach pieniądze kupiła dolary, a potem w peweksie rodzina Andruszkiewiczów wymieniła je na ten cudowny sprzęt. Urszula była najwierniejszym użytkownikiem i miała status VIP-a lokalnej wypożyczalni. Oglądała pożyczone filmy z wypiekami na twarzy, niezależnie od tego, czy to były durnowate komedie w stylu „Czy leci z nami pilot?", czy też wielkie dzieła jak „Indochiny".

Julia wolała wyprawy do kina, zwłaszcza lubiła chodzić do Relaxu, za Domami Towarowymi Centrum w Warszawie, gdzie trzeba było stać po bilet albo kupować od koników za cenę dwa–trzy razy wyższą niż w kasie. Z Jeremim często chodzili do kina. Nie zastanawiało jej to, dlaczego zawsze mają najlepsze miejsca. Przyjmowała wszystko z dobrodziejstwem inwentarza, podobnie jak orzeszki czy soki kupowane przez niego szczodrą ręką. Taką właśnie hipokrytką była. Kiedy poszedł do wojska, chciała chociaż trochę pomóc jego rodzinie, żeby wyrównać rachunki.

– Nie mają „Miasteczka Twin Peaks" – narzekała Ula.

– Przecież nagrywasz wszystkie odcinki... – mruknęła jej siostra.

– Ale kiepsko się nagrywa z naszego telewizora, a ojciec nie chce kupić nowego – westchnęła i ponownie otworzyła podręcznik.

– Rodzice nie rozbili banku... – przypomniała jej Julia.

– Stać ich na nowy telewizor...– Ula machnęła ręką. – Tylko że od lat pomagamy cioci Kasi...

– Ulka, przestań! – Julii zabrakło tchu. – A jakby nasza mama była w takiej sytuacji, to co, nie chciałabyś, żeby ciotka nam pomogła?

– Ale nasza mama nie jest i nie będzie w takiej sytuacji, bo jest mądrą kobietą. Nie zrobiła sobie dziecka z jakimś teatralnym lowelasem…

Julia milczała. Nie podobało jej się to, co usłyszała. Uważała, że bliźniaczka ich mamy wcale nie zasłużyła na taki los. Poza tym Małgosia była prawie jak siostra, wcale nie zadzierała nosa, a ciocia Kasia zabierała ich wszystkich do teatru, gdzie chodzili za kulisy i poznawali najlepszych aktorów. Kiedyś wzięła Julię i Ulę do radiowej Trójki, a potem poznała z samym Markiem Niedźwieckim. Ula, która modliła się w każdą sobotę do radia, słuchając Listy Przebojów Programu Trzeciego, była przeszczęśliwa. Julia, która co prawda nie słuchała Trójki tak regularnie jak jej siostra, była równie podekscytowana. Potem pan Marek pozdrowił je w programie, co słyszało pół klasy. Agnieszka Tymek i Ewka Falewicz błagały, żeby je też wziąć do Trójki.

– Nie mów tak… – poprosiła Ulę. – Bo boję się ciebie. Każdemu może powinąć się noga…

– No dobra – zgodziła się Ula, która nie była całkiem pozbawiona zasad i ceniła więzy rodzinne, może poza spędami w Brwinowie, które według niej były takie same, czy spotykali się z okazji ślubów, pogrzebów czy świąt. – Może trochę przesadziłam, ale chciałabym nowy telewizor…

– Tobie chyba strasznie nudzi się na tych studiach – podsumowała Julia. – W życiu nie widziałam, żebyś uczyła się bez telewizji albo nie włączyła sobie filmu…

– Ta farmacja to nieporozumienie, ale co mam robić – westchnęła Ula. – Tylko nie myśl że skończę w aptece…

Julia była przekonana, że jej siostra ze swoją pewnością siebie na pewno nie skończy w aptece. Bycie sprzedawczynią, nawet bardzo wykształconą, nie leżało w jej naturze.

– Nie myślę. – Julia uśmiechnęła się do bliźniaczki. – Lżej mi w życiu, kiedy nie myślę. Babcia Mania nam to przecież ciągle powtarza, że za dużo myślimy i to jest szkodliwe dla zdrowia psychicznego. Będę nauczycielką jak babcia i babunia...

– Naprawdę? – Skrzywiła się Ula. – Będziesz się użerać z bachorami w szkole?

– Kocham dzieci, przecież wiesz... – powiedziała obronnym tonem.

– Wiem. – Kiwnęła głową Urszula, wpatrując się w ekran, gdzie Stefania dokonywała zemsty na niewiernym Gregu i cioteczce Jill. – Myślałam, że ci Jarek dziecko zrobi. Bo wy tego, nie?

Nigdy o to wcześniej nie pytała, chociaż sama chwaliła się, że z jej nowym chłopakiem TO robią już od dawna i jest bosko. Nie miała przy tym oporów, żeby opowiadać o szczegółach i snuć przypuszczenia, które ze znanych jej par też wykraczają poza pocałunki. Julia nie chciałaby się z nikim dzielić najintymniejszymi sprawami, nawet z najbliższą jej istotą – siostrą bliźniaczką. Żeby wyjechać z Jeremim i chłopakiem Ulki, powiedziały, że jadą całą paczką, z przyjaciółmi, pochodzić po górach. Było w tym trochę prawdy, przynajmniej w wypadku Julii i Jarka, którzy chodzili po zakopiańskich dolinkach, byli na Sarnich Skałach, a nawet na Orlej Perci, gdzie latem leżał śnieg, a oni poszli lekkomyślnie w samych tenisówkach. Zmarzli tak straszliwie, że Jarek bał się, że Julia się rozchoruje. Gaździna, u której wynajmowali pokój, objechała ich głośno, po góralsku, a potem dała herbaty z prądem, po której zgodnie zasnęli przytuleni do siebie na kanapie.

Dopiero następnego dnia doszło do skonsumowania ich związku. Julia wiedziała, że jej koleżanki traciły cnotę znacznie wcześniej, ona przecież była już po maturze, miała stałego chłopaka i mogła dawno to zrobić. Mimo wszystko bała się bólu, nieprzewidzianych komplikacji, które mogły ją spotkać. Ciągle stawał jej przed oczami fragment ukochanej książki *Szklany klosz* Sylvii Plath, gdzie Sylwia opisuje utratę cnoty jako ciągłe krwawienie, które w końcu wymagało interwencji chirurga. Przede wszystkim jednak bała się ciąży. W „Filipince" czytała, że w ciążę można zajść nawet od pierwszego razu, a stosunek przerywany nie daje żadnej gwarancji. W „Na Przełaj" było jeszcze gorzej, tam jeszcze pisali o chorobach, jakimi można się zarazić od chłopaka. Chociaż nie posądzała Jeremiego o żadne choroby, oczyma duszy wyobrażała sobie zarazę, która staje się jej udziałem. Najgorsza była jednak obawa, że seks może zniszczyć to, co było piękne między nimi. W samym akcie, o którym czytała u Sylvii Plath, Salingera i po kryjomu w *Tai-Panie*, było coś brutalnego i brzydkiego. Miłość kojarzyła jej się z zapachem bzów, który czuła podczas spacerów, szelestem kartek w *Przeminęło z wiatrem* albo listami, które Jarek do niej pisał, kiedy zdarzyło im się rozstawać. Bała się, że miłość fizyczna zabije tę duchową. Nie miała jednak racji. Tamten pierwszy raz i kolejne jeszcze bardziej ich do siebie zbliżyły. Przywoływała w pamięci dotyk jego dłoni i zapach skóry, nawet kiedy była już z Piotrkiem.

– Było cudownie – szepnęła wtedy do Jeremiego, kiedy trzymał ją w ramionach i tulił do piersi, jakby chciał przeprosić za krzywdę, którą mógł jej wyrządzić. – Nie spodziewałam się, że to tak... Nie spodziewałam...

– Ja się spodziewałem – powiedział wtedy pewnie, chociaż wiedziała, że również miał wątpliwości, czy zbliżenie nie podzieli ich, zamiast połączyć.

Z Piotrkiem nie było już tak pięknie ani miło, nie był tak czuły i delikatny, raczej nieporadny i nerwowy, ale przynajmniej nie biegał z bronią po Pruszkowie i nie ośmieszył się, oblewając egzamin na studia.

– Znowu śpisz – narzekała Ula. – Zawsze tak robisz. Rozmawiasz ze mną, a w trakcie się zamyślasz... Czemu nie chcesz powiedzieć, co ci chodzi po głowie? Znów masz te sny?

Znów je miała. W dzieciństwie przychodził krasnal, który rósł, rósł i rósł, aż sięgał do wysokości jej oczu. Potem wyciągał ręce i mówił, że chce pomalować jej zielone oko na brązowo, żeby miała jednakowe. Nie mogła się ruszyć i patrzyła przerażona, jak unosi pędzel umoczony w czerwonej farbie. Chciała uciec albo przynajmniej powiedzieć, że farba jest czerwona, a nie brązowa, i nie mogła. Budziła się spocona ze strachu i od razu sięgała do oczu, żeby zobaczyć, czy są całe. Powiedziała o tym w przedszkolu Jarkowi, a on przysiągł, że kiedyś wejdzie do jej snu i zabije karła, co ją męczy. Poniekąd wszedł, bo od kiedy zaczęli być ze sobą, sny ustały. Dopiero ostatnio powróciły ze zdwojoną mocą. Karzeł przybierał twarz Jeremiego i z zajadłością starał się pomalować jej oko. Zdarzało się jej krzyczeć w nocy, jakby była dzieckiem.

– Moim zdaniem ty coś czujesz, albo coś... – Pokręciła głową Ulka. – Babcia Mania opowiadała, że babunia Ania...

– Przecież wiem, zawsze o tym mówi... – przerwała jej. – Ja nie jestem jasnowidząca.

– Ale jesteś dziwna, nie jak ja... – zamyśliła się. – Taki ze mnie banał. Nawet oczy mam tego samego koloru. Ty to co innego. Czasami tak się zamyślisz, że nie wiesz, na jakim świecie żyjesz. Krzyczysz w nocy. Telewizji nie lubisz...

Ulce każdy, kto nie lubił gapić się godzinami na seriale, wydawał się dziwaczny albo nienormalny.

– Lubię – zaprotestowała Julia. – Tylko reklam nie znoszę i nie mogę wpatrywać się w ekran godzinami. Wolę książkę przeczytać.

– To też nas różni – podsumowała Urszula. – Ja uwielbiam reklamy. Ostatnio taka rajstop jest. Śliczna... „Mój cały rym to DIM..." – zanuciła. – A książki mnie nudzą...

Nieraz zwracano ich rodzicom uwagę, że dziewczynki są tylko z wyglądu podobne do siebie, ale charaktery mają skrajnie różne. Dla Uli świat był jak wielki tort, który jej oferowano po kawałeczku, zachęcając, żeby skosztowała jeszcze więcej. Nie bała się niczego. Wesoła, towarzyska, śmiała się głośno, miała wielu przyjaciół, a chłopaków zmieniała jak rękawiczki. Julia była spokojna i zamknięta w sobie. Nie miała żadnej bliskiej koleżanki, praktycznie jej jedynym przyjacielem był Jeremi, bo Piotrka nie umiała nazwać tym słowem, chociaż niewątpliwie była w nim zakochana.

– Powinnaś więcej czytać, zamiast gapić się w ekran. Wiesz, że naszą prababcię pochowano z książką? A babcie to bez przerwy czytają. Zwłaszcza babunia Ania. I mama z ciocią.

– Ciocia mniej, bo ona nie ma czasu. Ciągle uczy się roli.

Ciocia Kasia, mamy siostra, właśnie dostała rolę w serialu „Kuchnia polska" i cała rodzina była z niej ogromnie dumna. Wszyscy zasiadali przed telewizorem, kiedy była emisja, wcześniej jechało się po obie babcie, które trzymając się za ręce, godzinę solidarnie płakały przez cały odcinek, a potem prosiły, żeby je przywieźć na kolejny, bo chcą oglądać film o ich młodości w kolorowym telewizorze.

Nałóg cioci Kasi przybierał różne oblicza. Od czasu do czasu Małgosia pojawiała się u nich w domu, a dzieciom mówiło się, że ciocia wyjeżdża na plan filmu zagranicznego albo do sanatorium. Ciocia bez makijażu i z włosami związanymi gumką, w zwyczajnych ubraniach dawała się zamykać w Tworkach, gdzie w izolacji poddawano ją odtruwaniu. Po miesiącu wracała spokojna, uśmiechnięta i pełna energii, chodziła z Małgosią na spacery i jeździła do Komorowa na lody. Uczyła się roli w mig i znów czarowała na scenie, odbierając gratulacje i zachwyty. Tylko rodzina wiedziała, że okres trzeźwości skończy się wraz z pierwszą krytyką, potencjalnymi trudnościami, problemami Małgosi w szkole, a ciotka znów będzie miała podkrążone oczy i chwiejny chód.

– Julia! – Zdenerwowała się siostra. – Z tobą naprawdę jest już bardzo źle. Może ty masz coś z głową, że mnie nie słuchasz?

– Nie, nie... – zaprotestowała Julia, odłożyła książkę, żeby wysłuchać w skupieniu streszczenia filmu „Poszukiwacze zaginionej arki", obejrzeć reklamę proszku Pollena 2000 z cytatem z Sienkiewicza „Ojciec prać?" oraz śliczną Nastassję Kinski, która polecała mydło Lux. Potem bez protestów obejrzała z Ulą kolejny odcinek serialu „Miasteczko Twin Peaks", w którym wyszło niestety na jaw, kto zabił Laurę Palmer, i wiedza ta była dla Julii przerażająca.

Przyszedł do nich w Wigilię koło południa. Zapukał do drzwi, jakby nie było kilku lat przerwy w świątecznych odwiedzinach.

– Kto to może być? – spytała Ulka. – Tylko Jarek przychodził do nas w Wigilię...

„To on", przemknęło przez głowę Julii i przestraszyła się tej myśli.

– To Jarek. – Mama stanęła w progu. – Do ciebie Julka. Chciał ci złożyć życzenia.

Ula czytała właśnie „Twój Styl", który prenumerowała od pierwszego numeru, zachwycając się klasą i powiewem wielkiego świata, które pismo oferuje polskim kobietom. Julia wstała gwałtownie z tapczanu, wytrącając siostrze z ręki magazyn, który spadł na podłogę. O dziwo Ula nie zwróciła na to najmniejszej uwagi, choć zazwyczaj dostawała szału, jak ktoś śmiał choćby tknąć papierowy skarb.

– Oni zerwali ze sobą prawie trzy lata temu – powiedziała specjalnie głośno, żeby Jeremi, który był gdzieś w domu, usłyszał, co mówiła. – Nie masz prawa jej zmuszać!

Mama oparła się o framugę drzwi i spojrzała na córki zdumiona.

– Do niczego nikogo nie zmuszam... – stwierdziła cicho. – Moim zdaniem to, że Julia nie chodzi z Jarkiem, nie stoi na przeszkodzie, żeby złożyli sobie życzenia. O ile pamiętam, on zawsze przychodził w Wigilię. Taki był z niego mały kajtek, a zawsze pamiętał. I nigdy z pustymi rękoma. Zawsze miał jakiś drobiazg albo kwiaty...

– Ukradzione z cudzych rabatek... – syknęła Ula, ale już cicho.

– Poradzę sobie. – Julia odłożyła powoli na biurko *Króla szczurów* Jamesa Clavella, prezent imieninowy od rodziców, i wyszła z pokoju.

Jeremi siedział w salonie na kanapie i czekał, cały napięty. Na widok Julii zerwał się na równe nogi. Minęło kilka miesięcy, odkąd wrócił z wojska, ale ostatni raz z bliska Julia widziała go tamtego wieczoru, kiedy pobił Piotrka. Potem tylko z daleka, w okolicznościach, o których wolałaby zapomnieć. Schudł, może dlatego wydawał się jej wyższy, niż był. Głowę miał ogoloną na łyso i wcale nie było mu dobrze w takiej fryzurze, a raczej jej braku. Ręce zaciskał w pięści.

– Cześć... – zaczął.

– Cześć, Jarek – powiedziała, a potem uciekła wzrokiem w bok.

– Czy to możliwe, żebyśmy poszli na spacer? – spytał.

Pokręciła przecząco głową.

– Chciałem cię jeszcze raz przeprosić za wszystko, szczególnie za tamte słowa. Wiem, że nie czytałaś moich listów...

– Czytałam wszystkie – przerwała mu. – Nie ma potrzeby przepraszać. Tyle razy to zrobiłeś. Już się nie gniewam, ale...

Przez chwilę milczał. Potem z dużej reklamówki wyciągnął paczkę i podał Julii. Zawahała się.

– Weź, proszę. – Potrząsnął paczką. – To książka. A ty przecież kochasz książki.

Wzięła do ręki prezent i podziękowała kiwnięciem głowy.

– Ja nic dla ciebie nie mam – wyznała.

– Nic nie szkodzi... – powiedział. – Ważne, że mogłem cię zobaczyć.

Był bardzo poważny i czuła, że to wojsko bardzo go zmieniło.

– Co u ciebie? – spytała. Wciąż stali naprzeciwko siebie, a ona przekonana, że Ulka podsłuchuje pod drzwiami, żałowała, że odmówiła spaceru. Mogliby chociaż kilka słów zamienić spokojnie, a tak rozmawiali półgębkiem w salonie.

– Mój ojciec zmarł – powiedział. – Wczoraj był pogrzeb. Chyba dobrze, że nie chcesz iść na spacer. Byłbym nie najlepszym kompanem…

– Przykro mi…– powtórzyła.

– Długo chorował… – Opuścił głowę Jeremi. – Dziękuję…

– Jak się trzymacie? – spytała, chcąc powiedzieć coś zupełnie innego.

– Jakoś powoli sobie to wszystko układamy… – Uniósł głowę i znów przeszył ją spojrzeniem. Ponownie uciekła oczami w bok. – Jesteś szczęśliwa?

Spytał tak nagle, że nie wiedziała, co powiedzieć. Nigdy się nad tym nie zastanawiała.

– Tak – skłamała. – Bardzo…

– W takim razie bardzo się cieszę…– powiedział szeptem i uśmiechnął się smutno, jakby na zaprzeczenie wygłoszonego przez siebie zapewnienia. – Jeszcze raz wszystkiego najlepszego… i… wszystkiego dobrego… – dokończył niezręcznie.

Odprowadziła go w stronę drzwi. W progu odwrócił się i wcisnął jej do ręki kartkę.

– To jest mój numer telefonu. Tego, który mam przy sobie – uściślił, odchylając poły kurtki i pokazując słuchawkę telefoniczną. – Wierzę, że nic ci się nie może stać. Ale… Dzwoń o każdej porze dnia i nocy. O każdej…

Pokiwała głową, chowając kartkę do kieszeni. Przyciągnął ją do siebie, przytulił mocno i krótko całując we włosy, następnie puścił tak samo gwałtownie, jak złapał, i już go nie było.

Zamknęła się w swoim pokoju i ignorując pukanie siostry, rozwinęła pakunek.

– *Ptaki ciernistych krzewów* – przeczytała na głos, pogłaskała okładkę książki i szepnęła do siebie. – Tak bardzo chciałam ją mieć…

1995 ROK

Można powiedzieć, że ciężko pracował. Od rana do wieczora był na zawołanie Szefa. Zdarzało mu się nawet nocować w rezydencji na jego wyraźne życzenie, chociaż do domu miał jakieś dwieście metrów i wezwany mógł się stawić w ciągu kilku minut. Lubił go Szef, lubili chłopaki. Co więcej, czuli się z nim bezpiecznie. Jeremi wzbudzał zaufanie. Umiał też gadać z ludźmi i wiele załatwić bez pyskówek, wygrażania bronią i podkradania sobie towaru.

– Weź dziś Pieprza na Starówkę. – Zlecenia wydawał mu osobiście Szef albo jego zastępca – Łysy.

Kiwał głową i jechał BMW zbierać haracze. Starał się nie używać siły i przekonał do tego Szefa.

– Oj Młody, Młody... – Pokręcił głową Szef po wysłuchaniu monologu Jeremiego. – Życia nie znasz. Ludzie muszą się bać, inaczej zaraz ktoś zacznie kręcić, pieniędzy nie zobaczysz...

Szef wiedział, co mówi. Warszawscy restauratorzy płacili mu za ochronę. Działkę od utargu dostawał także z kantorów wymiany walut, od hurtowników, sklepikarzy i każdego, kogo można było do tego zmusić. Oporni dostawali lekcję na całe życie od zamaskowanych „ochroniarzy" z kijami bejsbolowymi, którzy na oczach właścicieli, a nierzadko nawet klientów demolowali doszczętnie sklep czy restaurację. Policja sama bała się takich jak Szef i jego ludzie, zastraszeni ludzie nie mogli liczyć na pomoc władzy, więc interes kwitł niezagrożony. Zanim Jeremi wrócił z wojska, po haracze jeździli Robek albo Trąbka. Zawsze coś rozbijali albo niszczyli. Dla zasady, jak mówili. Jeremi wiedział, że tacy jak oni nie mają zasad, czerpią siłę ze strachu innych. Gdyby znalazł się ktoś silniejszy, natychmiast podkuliliby ogony i służyli nowemu panu.

– Będą płacili, gwarantuję… – zapewniał Szefa.

Zasłynął szybko jako ten, który przychodząc po działkę, niczego nie tłucze, jeśli da mu się dobrze zjeść. Dlatego na jego widok serwowano dobre dania i wyjmowano najlepsze wina. A Jeremi się uczył. Zawsze pytał o skład potraw, sposób przyrządzania, o pochodzenie wina, które mu podano. Ludzie Szefa myśleli, że to taka poza, bo wyglądem nie różnił się od innych – tak jak oni miał ogoloną na łyso głowę i chodził w dresach, ale Jeremi naprawdę lubił dobrze zjeść. Jeśli skarżyli się Szefowi, to zawsze półgębkiem, bo co to był za argument, że Jeremi każe sobie podać dobry obiad, zamiast tłuc bejsbolem, skoro haracz przynosił i nigdy nie zgłaszał problemów, ani nie marudził. Szef nie tylko nie miał pretensji, ale obdarzał Jeremiego coraz większym zaufaniem.

– O co wam chodzi znowu? – pytał Pieprza i Robka, którzy próbowali Szefa przestrzec przed kimś tak ekscentrycznym jak Jeremi Wiśniewski.

– No, bo on je, a my musimy czekać… – Robek wykrzywiał się ohydnie, jakby mówił o czymś obrzydliwym.

– A nie możecie razem z nim zjeść? – Szef nie mógł pojąć, o co chodzi. – On kurwa je, a wy się gapicie?

– No ja też, Szefie, zwłaszcza jak człowiek obiadową porą tam… zajdzie. Ale ja to wie Szef, schaboszczak, kapustka, pomidorówka… Na służbie nie piję, ale wódzię bym do tego, jak w domu. A ten je różne paskudztwa i winem popija.

– Na przykład? – Szef miał zasadę ograniczonego zaufania wobec własnych pracowników, po tym jak swoją rodzoną zamężną siostrę nakrył z niejakim Kwiatkiem na kanapie u niej w domu. Co prawda lubił Kwiatka bardziej niż szwagra, ale z tamtym łączyły go interesy, a Kwiatek był tylko żołnierzem. Młody przypominał mu w jakiś sposób tamtego – fizycznie nie byli do siebie podobni, ale Kwiatek hodował ozdobne rośliny doniczkowe i marzył o własnej kwiaciarni. Stąd się wzięło zresztą jego przezwisko. Jeremi z kolei nie przestawał gadać o własnej restauracji, a teraz jeszcze te degustacje, które wkurzały innych chłopaków Szefa.

– No... – plątał się Robek. – Raz to o mało nie rzygnąłem, bo ropuchę jadł, żabę znaczy się. I jeszcze ślimaki. Ohyda...

– Dobra, Robek, nie będziesz już z nim jeździł – ustąpił Szef.– Zajmiesz się chłopakami z kantorów. A ja sobie z Młodym pogadam...

– Dziękuję, Szefie – ucieszył się Robek.

Robek nie znosił jeżdżenia po haracze, za to kochał robotę przy kantorach. Oszukiwanie ludzi, którzy łaszczyli się na wymianę waluty nie w banku czy kantorze, ale u cinkciarza, sprawiało mu prawdziwą przyjemność. Do tego zajęcia czuł prawdziwe powołanie, a nie do jeżdżenia z Młodym po knajpach i patrzeniu, jak znika w kuchni.

– Żeby chociaż kucharki czy kelnerki posuwał, ale ten nie... o żarciu gada – denerwował się za każdym razem, kiedy szli razem na Starówkę.

Robek uwielbiał szkolić chłopaków do pracy z walutą. Miał oko do wyławiania talentów, a robota szła pod jego kierownictwem jak w zegarku. Mechanizm oszustw był bardzo prosty. Proponowano cenę za dolara czy markę znacznie korzystniejszą od bankowej i proponowanej w kantorze. Wreszcie dobijano targu i chłopak Robka zabierał pieniądze klienta, a dawał wymienione. Klient nie był taki głupi, więc od razu na miejscu przeliczał sumę. Zwykle brakowało jakiejś drobnej kwoty, co z satysfakcją zauważał wymieniający. Chłopak przepraszał, wyjmował z kieszeni brakujący banknot, a przy okazji podmieniał plik przeliczonych wcześniej pieniędzy. W trefnej paczuszce tylko pierwszy i ostatni banknot były prawdziwe, środek zwykle składał się z pociętych równiutko kartek. Klient odkrywał przekręt albo w domu, albo przy okazji pierwszych zakupów. Naturalnie zawsze wracał na miejsce oszustwa, ale pod kantorem zwykle zastawał już zupełnie innego chłopaka, który nie wiedział, o co chodzi, naturalnie nie miał nic wspólnego z oszustwem. Świadków nie było, nawet jeśli pokrzywdzony klient zwrócił się do policji, niczego nie mógł wskórać. Robek regularnie przerzucał chłopaków po całej Warszawie. Ryzyko wpadki było minimalne, interes się kręcił, a Szef zarabiał, podobnie jak Robek i chłopaki. Wszyscy byli zadowoleni. Robek między innymi to właśnie cenił w Szefie, że każdy mógł pracować tam, gdzie czuł się najlepiej.

Jeremi do przekrętów pod kantorami się nie nadawał. Liczył wprawdzie sprawnie, ale łapy miał maślane, przynajmniej takie robił wrażenie. Wizyty w restauracjach traktował jak bonus do swojej działalności, swoiste rozgrzeszenie. Mylił się jednak ten, kto myślał, że Jeremi jest poczciwym miśkiem, którego można oszukać przy pomocy tarty francuskiej. Uderzyć też umiał i to nieźle. Przekonywali się o tym tacy, którzy chcieli wydymać Szefa. Nie hańbił się jednak nigdy straszeniem kobiet i dzieci, jak niektórzy żołnierze. On załatwiał sprawę po męsku. Szedł do winowajcy z Pieprzem albo Żurkiem, bo oni najbardziej się nadawali do tej roboty, brał delikwenta na bok i najpierw spokojnie, kulturalnie tłumaczył, co i jak. Wyjaśniał, czego się dowiedzieli ludzie Szefa, jakie mają dowody na to, że Szef jest oszukiwany, dodawał od siebie, jak bardzo jest mu przykro, żeby delikwent nie traktował tego osobiście, ale...

Niektórzy pękali od razu i oddawali, co byli winni, inni zapierali się w żywe oczy. Wtedy uderzał, najczęściej w splot słoneczny. Facet tracił dech, a kiedy zaczynał powolutku łapać powietrze, Jeremi powtarzał cios. Nie żal mu było tych ludzi. Przeważnie to byli złodzieje, którzy w poprzednim życiu byli zomowcami, milicjantami albo w taki czy inny sposób powiązani byli z partią.

Ci ostatni byli najgorsi. Wyobrażali sobie, że KC PZPR ciągle za nimi stoi i w razie czego zadzwonią do któregoś z towarzyszy, a ci przylecą i załatwią sprawę. Dawne szuje wykorzystały wszystkie swoje możliwości i po 1989 roku wzbogaciły się tak, jak uczciwym ludziom się nawet nie śniło. Mieszkali w dużych domach, jeździli wielkimi samochodami, a nadal byli tymi samymi prostakami, których na salony zaprowadziła władza ludowa. Lubili powoływać się na dawne wpływy, choć te czasy minęły bezpowrotnie. Najwięksi gładko przeskoczyli z tamtej rzeczywistości do nowej, ale nie wszyscy szeregowi towarzysze zachowali dawne możliwości. Jeremi był od tego, żeby pokazać im, gdzie ich miejsce.

Lubił też wybory Miss Polonia, które kontrolowała mafia pruszkowska. Nie ze względu na dziewczyny, które można było wykorzystać, bo żadna kobieta go nie interesowała po tym, jak Julia od niego odeszła, ale ze względu na całą otoczkę, która im towarzyszyła. Cała Polska oszalała na punkcie tego konkursu. Miss Polonia i dziewczyny, które były w ścisłym finale, dostawały sukienki za darmo, wycieczki zagraniczne, miały zdjęcia w kolorowych magazynach i występowały w telewizji. Każda chciała się dostać do finału, a większość była gotowa zrobić wszystko, byleby losowi chociaż trochę dopomóc.

Sponsorzy najczęściej rekrutowali się spośród spółek z ograniczoną odpowiedzialnością, które ochoczo fundowały lodówki, kuchenki mikrofalowe, wycieczki do Grecji czy Turcji. Nawet politycy angażowali się w takie wybory bardzo chętnie i zasiadali w lokalnych komitetach wyborczych, wierząc w misję społeczną podobnych imprez. Wybór missek był zupełnie subiektywny, bo przecież trudno dyskutować z gustem tego czy owego prezesa.

Zdarzały się kuriozalne sytuacje, jak ta w 1987 roku, kiedy zamknięto jury w piwnicy i ogłoszono werdykt. Telewizja go oprotestowała, bo ich faworytka zajęła dopiero trzecie miejsce. Jeremi ze zdumieniem patrzył, jak niektóre z dziewczyn same pchały się w objęcia Szefa i jego ludzi. Sam przed finałem Miss Mazowsza, które regularnie „ochraniał", miał co najmniej trzy dziewczyny pod pokojem hotelowym, a bywało, że biły się między sobą, która spędzi z nim noc. To na tym konkursie zauważył naiwną Małgosię Bartosiewicz, początkującą aktorkę i śpiewaczkę operową, która mówiła, że „jest z Warszawy", jakby Pruszkowa się wstydziła. Poznał ją natychmiast i zrobił wszystko, żeby ją uratować, czyli wykluczyć z konkursu. Był gotów nawet podbić jej oko albo złamać nos, żeby tylko nie mogła wziąć udziału w tych zawodach piękności. Poinformował Julię, a ona zainterweniowała u swojej ciotki. Małgosia go znienawidziła, co mało go obchodziło. Ważne, że udało się ochronić ją przed niebezpieczeństwem. A to było całkiem realne.

Niektóre dziewczyny znikały w podejrzanych lokalach za zachodnią granicą. Od jednej z takich pretendentek do tytułu Miss usłyszał radosne paplanie, że ktoś załatwił jej pracę w Niemczech. Początkowo nie zwrócił na to uwagi, ale potem co i rusz dziewczyny chwaliły się między sobą, która kiedy jedzie i jakie pieniądze zarobi. Mur berliński rozbito z hukiem w 1989 roku, w czerwcu, przy akompaniamencie piosenki Pink Floydów „The Wall". Byli jeszcze wtedy razem z Julią, tacy szczęśliwi i pełni nadziei na przyszłość. Przynajmniej on wierzył, że może zdobyć wszystko. Ludzie zaczęli wyjeżdżać na Zachód, najchętniej do Niemiec. Lekarze, inżynierowie, zwykli robotnicy łapali fuchy na budowach, przy sprzątaniu czy wycince drzewa w parkach miejskich. Mało kto pracował w swoim zawodzie.

Wyjechał też jego brat Maciek i zaczął pracę w barze pod Hanowerem. Związał się tam nawet z Polką Ewą. Przyjeżdżali regularnie raz do roku, Maciek chodził do profesora od padaczki, a Ewka z córką Paulinką do Centrum Zdrowia Dziecka, bo Paulina była uczulona na gluten, kurz i Bóg wie co jeszcze, a w Niemczech nie byli ubezpieczeni. Magda też chciała wyjechać. Dobry znajomy załatwił jej ponoć pracę kelnerki w Berlinie. Pochwaliła się w domu, że wreszcie nie będzie na łasce Jeremiego i rodziców. Pojedzie i będzie miała prawdziwą pracę za marki. Przypomniał sobie o tamtej dziewczynie. Ona też miała jechać zarabiać w restauracji w Berlinie. Tyle że wyjechała i słuch o niej zaginął. Jeremi popytał chłopaków i dowiedział się tego i owego. Nie mógł dopuścić, żeby jego siostra podzieliła tragiczny los dziewczyn, które marzyły o lepszym życiu.

– Nie zabronisz mi! – wrzeszczała Magda.

– Wiesz, jak to się odbywa? – tłumaczył. – Twój „dobry znajomy" przy przejściu przez granicę zabierze ci paszport. Więcej już go nie zobaczysz, paszportu też nie. I nie będziesz kelnerką w fajnej restauracji. Będziesz kurwą, obsługującą tirowców.

– Jesteś pojebany! – darła się siostra. – Zadajesz się z gangsterami, to wszyscy ludzie są dla ciebie tacy sami!

– Alfons będzie cię bił, jeśli klient się poskarży – kontynuował beznamiętnie. – A ci, którzy przychodzą do takich burdeli, są gorsi od samego diabła...

– Ty pojebie! I tak pojadę!.

– *Tańcz, głupia, tańcz, swoim życiem się baw...* – śpiewał, specjalnie fałszując. – *Wprost na spotkanie ognia leć...*

Magda załatwiła z matką, że ta zajmie się małą Danusią. Matka słuchała argumentów Jeremiego, ale Magda wrzeszczała, że żaden gangster nie będzie jej pouczał, choćby był własnym bratem.

– Zarobię na mieszkanie, słyszysz?! – Płakała, pakując się. – Nie będę mieszkać z wami... Mam dosyć...

– Kupię ci mieszkanie, tylko nie jedź – prosił. – Jak dobrze znasz tego znajomego?

Pokazała zdjęcie eleganckiej restauracji.

– Tu, o tu, będę pracowała. – Postukała w fotografię polakierowanym na czerwono paznokciem. – Masz adres na odwrocie.

Zapisz sobie. Ten znajomy to przyjaciel kierownika restauracji. A ty jesteś nienormalny!

– Jak dobrze znasz tego znajomego? – powtórzył.

– To narzeczony mojej koleżanki z gastronomika. Pasuje?

Zabrał zdjęcie i sprawdził restaurację. Istniała naprawdę. Mieściła się w eleganckiej dzielnicy Berlina. Tyle że każdy mógł zrobić zdjęcie dowolnej restauracji na całym świecie. Nie mógł ryzykować i zabrał siostrze paszport. Nie pojechała. Szukała dokumentu po całym domu, wrzeszcząc i złorzecząc. Zresztą nie tylko ona. Matka też wyzywała go od bękartów, szczeniaków i złodziei. Pomstowała, że nie wyskrobała go jak dwóch innych. Wtedy także dowiedział się, że próbowała usunąć Adriana, zapłaciła wujowi Julii, który był ginekologiem, potem się rozmyśliła, a tamtego wpakowała do więzienia. Przeżył szok, kiedy wyszło na jaw, że jego własna matka odpowiadała za nieszczęście tamtych, za alkoholizm ciotki Julii, która na scenie była gwiazdą, a w domowym zaciszu wypijała co się dało, przeklinając wszystko i wszystkich za swoje nieudane życie.

Wyprowadził się wtedy wśród wrzasków matki i siostry. Adrian czepiał się jego nóg i błagał, żeby zabrał go ze sobą, więc niewiele myśląc, spakował brata i razem wyszli na ulicę żegnani wyzwiskami i życzeniami, żeby ich noga już nigdy w rodzinnym domu nie postała. Przenocował wtedy razem z upośledzonym bratem u Szefa. Pieprz i Robek bawili się z dużym, wiecznie śliniącym się, łagodnym jak baranek Adrianem. Ludzie Szefa znaleźli mu mieszkanie na nowym osiedlu Bolesława Prusa, za które zapłacił grosze. Miał pieniądze. Starczyło jeszcze na urządzenie i opiekunkę, starszą panią, byłą nauczycielkę, którą zatrudnił, żeby zajmowała się Adrianem, odprowadzała go do szkoły i pilnowała nauki. Codziennie dziękował Bogu, że opuścił dom. Wreszcie czuł się panem swojego życia.

Magda nie pojechała za granicę, a kiedy wyrobiła sobie nowy paszport, nikt już jej nie chciał. Jednak rok później, kiedy jej koleżanka, która wyjechała na zaproszenie tego samego człowieka, zaginęła bez wieści, przyszła z płaczem i prosiła go, żeby pomógł ją odnaleźć. Chciała się do niego wprowadzić z Danką. Wyrzucił wtedy siostrę za drzwi. Odwiedzał jedynie Danusię w każde jej urodziny, wszystkie święta i obdarowywał prezentami. Magdzie też dawał do ręki jakieś pieniądze. Patrzyła z lekceważeniem, płakała, ale brała, mówiąc, że to na lepsze jedzenie dla córki. Wiedział, że Maciek przysyła z Niemiec marki przez znajomego, więc nie martwił się o to, że siostra i jej dziecko umrą z głodu. Matkę, miotającą przekleństwa, przegraną, a mimo to wylewającą z siebie truciznę, ignorował. Obrzydzeniem napawała go myśl, że doprowadziła do choroby Adriana. Zabijania własnych dzieci nie umiał sobie nawet wyobrazić.

Był coraz bardziej zależny od Szefa. Dopóki mieszkał w bloku na Andrzeja, zachowywał jako taką niezależność. Z chwilą, kiedy przeprowadził się z bratem na nowe osiedle, a w kupnie mieszkania maczała palce mafia, stał się cieniem tamtych. Już nie mógł powiedzieć, że nie pobrudził rąk. Przeciwnie, brudził je coraz bardziej. Transformacja ustrojowa przyniosła dobrobyt niemal tylko gangsterom i złodziejom. Zwykli ludzie znacznie zbiednieli, co wykorzystywali oszuści tacy jak Lech Grobelny. Były cinkciarz, wróg Szefa, założył własny bank i namawiał ludzi do powierzania mu pieniędzy. Obiecywał nawet trzysta procent zysku.

– Pojedziesz tam i pogadasz z nim – powiedział któregoś dnia Szef do Pieprza. – Weźmiesz ze sobą Robka, Rączkę i Dziuńka. Młodego zostawcie, jest mi tu potrzebny. Tylko spokojnie... Niech nam się to opłaca... Tylko spokojnie.

Wrócili z niczym. Grobelny i jego ludzie byli przygotowani na tego typu wizyty. Nie doszło do rozlewu krwi, ale Robek wrócił z wybitym barkiem, złamanym nosem i bez kilku zębów.

– Może niepotrzebnie wyciągał broń, Szefie – mruknął Pieprz.

– Staliście i patrzyliście, jak mi człowieka katują? Waszego kolegę, chuje złamane? – gorączkował się Szef.

– Szef kazał spokojnie, to my spokojnie... – spowiadał się Pieprz.

– I dobrze w sumie... – Szef ciężko usiadł na kanapie i zaczął sączyć whisky. – Mam dość trupów...

To było, zanim Jeremi poszedł do wojska. Kiedy wrócił, było już po sprawie. Dziesięć tysięcy osób straciło oszczędności życia, a za Grobelnym rozesłano listy gończe. Już nie był ozdobą telewizji i jurorem w konkursach piękności. Ci, którzy jeszcze tydzień wcześniej zabiegali o jego obecność w telewizji śniadaniowej, teraz udawali, że go nie znali. Chwalący wcześniej przedsiębiorczość Grobelnego analizowali publicznie, jak można było ignorować tak oczywiste sygnały jak oferowanie ludziom absurdalnie wysokich oprocentowań, brak zabezpieczenia, ciemne interesy, które Grobelny prowadził, wreszcie jego nagły wyjazd za granicę.

Wpadł dopiero w 1992 roku, w Niemczech, przy kontroli drogowej. Cała Polska śledziła proces w telewizji. Chyba więcej osób oglądało zawiłe relacje Grobelnego w sądzie niż seanse Kaszpirowskiego. Szef próbował dopaść gościa w więzieniu. Zwłaszcza po tym, jak się dowiedział, że jego własna siostra utopiła w Bezpiecznej Kasie Oszczędności sumę z sześcioma zerami. To był początek końca Szefa, z jednej strony Wołomin zabijał mu żołnierzy, z drugiej szwagier, były funkcjonariusz UB, odszedł od jego siostry i zażądał pieniędzy od Szefa, grożąc ujawnieniem jego interesów. Czemu chciał pieniędzy właśnie teraz, kiedy Grobelny bez grosza siedział w izolatce, trudno powiedzieć. Musiał ich potrzebować, skoro posunął się do tego, żeby szantażować kogoś takiego jak Szef.

Szef wysłał siostrę do Niemiec, do znajomych, a szwagra kazał śledzić. Kiedy wyszło na jaw, że spotyka się z jednym policjantem, Szef się wściekł. Najbardziej o to, że syn gliniarza był jednym z żołnierzy Pruszkowa. Krótko wprawdzie pracował i odszedł, bo się zupełnie nie nadawał, ale zawsze. Szef znalazł i tatusia, i syna.

Byli na tyle głupi, że nadal mieszkali w Pruszkowie, chodzili na zakupy na lokalny bazarek i do kościoła, bez żadnej ochrony. Poszedł do nich z Pieprzem i Jeremim. Jeremi od razu wiedział, że to będzie katastrofa. Pieprz bił syna, Jeremi stał na czatach. Ojciec patrzył, ale nie puścił pary z ust, mimo że Szef przekonywał, że da więcej niż jego szwagier, a poza tym wystawi mu Wołomin. W końcu kazał syna wywiesić przez okno, a Pieprz chwycił chłopaka tak niezręcznie, że go upuścił.

– Kurwa – powiedział tylko, kiedy ciało z chrzęstem łamanych kości upadło z piątego piętra na bruk.

Facet rzucił się w kierunku szafy i wyciągnął broń. Pieprz go zastrzelił, bo już nie było odwrotu, a potem uciekli. Jeremi prowadził czerwone BMW. Musiał przejechać koło posterunku, chociaż Szef wrzeszczał, żeby jechał pod prąd, byle nie skręcać w Lipową. Jeremi zachował zimną krew. Najpierw pojechali do parku, gdzie osobiście odebrał broń Szefowi i Pieprzowi, owinął w gazetę, wcześniej włożywszy do niej kamień i oba pistolety spoczęły na dnie mulistego jeziorka w parku. Potem wsiadł do samochodu, pojechał spokojnie, ulicą Bolesława Prusa, gdzie już roiło się od policji i karetek pogotowia. Zatrzymali ich, ale nawet nie sprawdzali samochodu, skierowali tylko objazdem w stronę Żbikowa. Jeremi kiwnął głową i spytał nawet, co się stało, czy nie trzeba pomóc, co potem Szef uznał za pewną przesadę. Funkcjonariusz, którego Jeremi widział pierwszy raz na oczy, zaprzeczył i kazał szybko odjechać, nie tarasować drogi.

Przyszli do nich dopiero wieczorem. Pieprz opowiadał wszystko potem Jeremiemu, który podczas wizyty policji był w domu z Adrianem. Znaleźli jakieś materiały w mieszkaniu policjanta, które wskazywały na powiązania ze szwagrem Szefa. Przesłuchali tamtego, tyle że jak powiedzieli, co się stało, szwagier nabrał wody w usta i nie powiedział słowa. Zrozumiał, że więzy rodzinne przegrają z pieniędzmi. Szef i Pieprz też nic nie powiedzieli, chociaż policja szalała, bo zginął jeden z nich. Pytali Szefa, gdzie był tamtego ranka, a on utrzymywał, zgodnie z sugestią Jeremiego, że pojechał ze swoimi ludźmi na pizzę i zakupy. Powiedział nawet, że widział samochody policyjne, a jego kierowca pytał się, co się stało. Funkcjonariusz policji potwierdził tę wersję.

Na tym się skończyło, chociaż policjanci odkryli powiązanie między Szefem a tamtym chłopakiem. Szef się zresztą nie wypierał, że kilka lat temu chłopak pracował u niego, ale nie był specjalnie pracowity, więc się rozstali. Słowem – Szef wyszedł ze sprawy bez szwanku dzięki Jeremiemu, który wiedział, jak się zachować. Od tego momentu Szefowi zaczął palić się grunt pod nogami. Chwilę jego słabości wykorzystał młody, szerzej nieznany Bogusław Pałka, który już kilka lat wcześniej zaczął okradać wille bogatych mieszkańców Komorowa i Milanówka, biciem zmuszając właścicieli do oddawania kosztowności i otwierania sejfów. Póki opłacał się Szefowi, tolerowano tę działalność. Zwłaszcza że Boguś był synem dawnej bliskiej znajomej Szefa, do której ten miał ciągle słabość.

– Słabość do kobiet cię w końcu zgubi – wzdychał Szef, słysząc o tym, że Boguś nie jest już zwykłym złodziejem, tylko jednym z nich, co więcej, stanowi bezpośrednią konkurencję, handluje srebrem, złotem i miedzią, a w swoim nowo wybudowanym pałacu ma dwa razy więcej ludzi i rottweilerów od Szefa. – Jakbym go puknął lata temu, to dziś byłby spokój. Ale kobieta by się obraziła. Jedyny syn bądź co bądź...

Boguś poczynał sobie coraz śmielej i w pewnym momencie to jego wymieniano jako głównego bossa mafii pruszkowskiej. A Szefowi pętla wokół szyi zaciskała się coraz mocniej, bo Wołomin też chciał mieć swoją strefę wpływów. Coraz więcej przemycanych artykułów wpadało w ręce policji, a haracze, które Szef musiał opłacać za swoje bezpieczeństwo, zaczynały przewyższać te, które płacono jemu. Sprawa Wołomina stawała się bardzo paląca, nie można było już załatwić jej polubownie, ponieważ tamci nie chcieli rezygnować ani z kawałka swojej strefy wpływów, nie chcieli się także rozsądnie podzielić terenem. Jedni zaczynali donosić na drugich i napadać na siebie wzajemnie, policja zacierała ręce, bo wpadało coraz więcej małych rybek, ale trafiały się także grubsze szczupaki. Ludzie mieli nadzieję, że gangsterzy wystrzelają się wzajemnie i wreszcie będzie spokój.

Postawiony pod ścianą Szef nie wiedział, czy najpierw załatwić sprawę Bogusia czy kwestię wołomińską, lawirował między jednym tematem a drugim. Wreszcie, kiedy dwa tiry wypełnione spirytusem, zamiast trafić do rąk pośredników z nim związanych, zasiliły kieszenie niejakiego Tatka z Wołomina, który jawnie kpił z Szefa i jego utraconego towaru, miarka się przebrała i Szef zdecydował się porozmawiać z wołomińskimi gangsterami.

Pojechali do Wołomina we trzech, Szef, Pieprz i Jeremi. Pieprz prowadził samochód, Jeremi siedział z tyłu z pryncypałem. Zastanawiał się wiele razy, czemu Szef zgodził się na spotkanie na obcym terenie. Próbował nawet o to pytać, ale Pieprz zgasił zaraz dyskusję, a Szef pokiwał głową i rzucił coś o myśleniu i uczeniu się.

– Pieprz, czekasz na dole, ja i Młody idziemy – rzucił Szef, kiedy zaparkowali pod niepozornym blokiem w centrum Wołomina.

– Ale... – zaczął Pieprz. Oczy miał rozbiegane i rozglądał się nerwowo na boki. – Nie lepiej jak i ja pójdę na górę?

– Nie bój się tak. – Szef kichnął. Powiało nieco koniakiem i Jeremi pomyślał, że jednak za dużo pije, skoro bladym świtem zalatuje od niego alkoholem.

– Nie boję się, Szefie. – Pieprz odzyskał rezon. – Tylko z samym Młodym to może być...

Szef skinął na Jeremiego i weszli do bloku. Nie skorzystali z windy, tylko piechotą weszli na piąte piętro. Szef położył palec na ustach. Weszli do mieszkania, stojącego nieco na uboczu. Dwóch żołnierzy wyszło do nich, do przedpokoju.

– Broń. – Jeden z nich wyciągnął rękę.

– Nie mamy broni – wolno powiedział Szef. – To przyjacielska wizyta. Chyba nie sądzisz, że będziemy tu strzelać...

Żołnierz uśmiechnął się i podszedł do Szefa, potem do Jeremiego. Drugi stał na lekko ugiętych nogach i obserwował ich. Zostali fachowo przeszukani, niczym na amerykańskich filmach sensacyjnych. Nie znalazłszy broni, żołnierz zabrał im jedynie komórki.

– Tatko zaprasza...

Weszli do pokoju. W pustym pomieszczeniu stała duża, przestronna kanapa. Na niej siedział starszy, siwiejący, otyły mężczyzna i popijał piwo z dużego kufla. „Oni wszyscy skończą na marskość wątroby, jeśli wcześniej ich nie pozamykają", pomyślał Jeremi. „Jeśli nas nie pozamykają", skorygował po chwili. Tymczasem Szef przysiadł się do Tatka na kanapę i rozmawiali, szepcząc sobie wzajemnie do uszu. Wyglądało to nawet zabawnie. Jeremi nie tracił jednak czujności. Coś nie grało. Rozbiegane oczy Pieprza, kiedy się dowiedział, że ma zostać w samochodzie, dwóch tępych żołnierzy, którzy nie weszli do pokoju. Napiął mięśnie i czekał. Wreszcie gospodarz i Szef oderwali się od siebie. Tatko uśmiechnął się zadowolony, a Szef poklepał z upodobaniem po łysinie.

– Idziemy, Młody – powiedział.

– Nie napijemy się? – Tatko oparł się wygodnie o poduszki.

– Innym razem... No i zapraszamy do nas. – Szef wstał i ruszył w kierunku wyjścia.

Jeremi zdążył pomyśleć, że to on powinien wychodzić pierwszy, dla bezpieczeństwa, kiedy drzwi otworzyły się i stanął w nich Pieprz.

– Co do?... – zdążył burknąć Szef, kiedy Pieprz wyciągnął pistolet i strzelił.

Jeremi w ułamku sekundy rzucił się do przodu, podcinając koledze nogi. Pieprz wystrzelił jeszcze raz, upuścił pistolet i runął na parkiet. Jeremi poczuł, jak broń upada ciężko na podłogę. W ułamku sekundy ocenił sytuację. Pieprz leżał na ziemi, trzymając się za głowę i jęcząc. Szef też leżał, a z jego ramienia leciała krew. Odwrócił głowę w kierunku Tatka, ale ten siedział na kanapie z takim zdumieniem na twarzy, jakby nie miał pojęcia, co się dzieje. Sięgnął po leżący pistolet w chwili, kiedy dwóch żołnierzy wpadło do środka. Zobaczył dwa pistolety wycelowane w niego i przemknęło mu przez głowę, że nie mógłby zabić człowieka, więc pewnie sam zginie. Kiedy usłyszał strzał, czekał na ból, ale on nie nastąpił. Jeden z tamtych upadł na kolana, a potem zwalił się ciałem na Pieprza, który próbował z krzykiem wyswobodzić się spod trupa.

– Zamknij się! – rzucił drugi i skierował lufę w kierunku Jeremiego.

W korytarzu przy pierwszym spotkaniu Jeremi go nie poznał, ale kiedy tamten się odezwał, przypomniał sobie aroganckie spojrzenie na pamiętnym meczu i groźby, że kiedyś się policzą. Gangster patrzył mu prosto w oczy. Przez jego twarz przemknął błysk wspomnienia tamtego spotkania. Chwila wahania tamtego wystarczyła, żeby Jeremi podjął decyzję i strzelił. Pocisk przeszedł tuż nad rzepką. Ranny wrzasnął i ponownie wycelował, ale Jeremi znowu strzelił, celując w to samo miejsce. Kula przeszła kilka centymetrów obok pierwszego pocisku. Gangster nie panował ani nad bólem, ani nad własnym ciałem. Upadł, kierując broń w stronę wrzeszczącego Pieprza. Pocisk wszedł Pieprzowi prosto między oczy. Krzyk urwał się nagle. Jeremi dopadł strzelającego i kopnął go w postrzeloną nogę, a potem zabrał pistolet. Chłopak zacharczał z bólu, a potem zemdlał. Jeremi spojrzał na leżących na ziemi mężczyzn. Pieprz wpatrywał się w niego otwartymi oczami, a Szef miał plamę na spodniach. Tatko siedział na kanapie z zagadkowym wyrazem twarzy. Z kąta ust ściekała mu krew. Jeremi chwilowo nie zastanawiał się nad tym, kto kogo zdradził, dlaczego i co chciał uzyskać. Wiedział tylko, że natychmiast musi opuścić to mieszkanie. Sięgnął do kieszeni Pieprza i wyjął kluczyki do samochodu i dowód rejestracyjny.

– Szefie. – Kilka razy uderzył bossa po twarzy.

Mężczyzna jęknął, ale wciąż miał zamknięte oczy. Jeremi podniósł go za ramiona i znów uderzył w twarz.

– Niech mi Szef pomoże, bo sam nie dam rady! – krzyknął mu do ucha.

Szef kiwnął wolno głową i krok po kroku, o tyle, o ile pozwalało rozerwane ramię, wyszli z mieszkania. Pojechali na dół windą, choć pewnie rozsądniej byłoby zejść schodami. Tyle że Szef słaniał się na nogach, brocząc krwią. Jeremiemu tysiąc myśli przelatywało przez głowę. Nie wiedział, czego się spodziewać na korytarzu i pod samym blokiem, oczyma strachu widział czekających na nich ludzi z pistoletami i karabinami maszynowymi, ale jego anioł stróż dobrze wykonał swoją robotę i nikogo nie spotkali. Wsadził jęczącego mężczyznę na tylne siedzenie i okrył kocem, który znalazł w bagażniku.

– Niech się Szef trzyma, zaraz będziemy w domu – powiedział i odjechał powoli, starając się nie zwracać na siebie uwagi, co było dosyć trudne, zważywszy na barwę i markę samochodu, którym kierował.

Przypomniał sobie słowa Szefa, kiedy zapytał go, dlaczego mają jechać czerwonym sportowym oplem.

– Bo wtedy nikt nas nie zapamięta, Młody – wyjaśnił mu Szef. – Wszyscy będą patrzyli na samochód.

– Przecież tylko pan, Szefie, ma w okolicy taki samochód...

– W całym kraju, Młody, jest jeszcze pięć takich samochodów, a cztery z nich jeżdżą po naszej okolicy...

Fakt, do legendy przeszło zdarzenie, kiedy Szef jechał lewym pasem swoim samochodem, a jadący prawidłowo z przeciwnej strony pewien znany aktor nie wiedział, że należy ustąpić drogi i doszło do zderzenia czołowego. Z dwóch identycznych samochodów wysiedli kierowcy i rzucili się na siebie. Racja była po stronie znanego aktora, natomiast za Szefem przemawiało przeświadczenie, że w tym mieście to on ustala, która strona jest właściwa. W końcu jeden poznał drugiego, pierwszy odpuścił znany aktor, bo kwestie typu „co ty wiesz o zabijaniu" wygłaszał tylko przed kamerami, a Szef jednak w prawdziwym życiu. Gangster naprawił oba auta na swój koszt i od tej pory napomykał po koniaku, że przyjaźni się z wielką gwiazdą polskiego filmu.

Jeremi odrzucił tamte wspomnienia. Myślał gorączkowo, co powinien zrobić, dokąd pojechać. Szef był ranny i powinien znaleźć się w szpitalu, ale oznaczało to, że natychmiast zjawi się tam policja. Wprawdzie przemknęła mu myśl, żeby zadzwonić do lekarza, do którego kiedyś wysłał go Szef, ale po pierwsze nie wiedział, czy tamten jeszcze pracuje, a po drugie nie miał żadnej gwarancji, że natychmiast nie wezwie policji. A zresztą nawet jeśli lekarz sam by tego nie zrobił, mógł zrobić to ktoś inny – salowa czy pielęgniarka. Myśli przelatywały Jeremiemu przez głowę jak błyskawice.

– Niech Szef nie zasypia, tylko powie mi, dokąd jechać – spojrzał we wsteczne lusterko. Mężczyzna nie poruszył się.

– Kurwa! – Spanikował Jeremi, bo w zdenerwowaniu przejechał na czerwonym świetle, mało nie rozjeżdżając jakiegoś człowieka. Jakby co, to tamten na pewno zapamięta taki charakterystyczny samochód.

– Jedź na Prusa... – usłyszał cichy szept Szefa.

– Do tamtego mieszkania na osiedle? – upewnił się.

Ranny mężczyzna kiwnął głową. Rozległ się dźwięk telefonu. Jeremi odebrał.

– Dostałem cynk, że źle jest. – To Robek dzwonił.

– Od kogo? – spytał Jeremi.

– Kurwa, ciocia zadzwoniła! – wrzasnął tamten. – Mam swojego kapusia u misków, a ty myślałeś, że co? Trzy trupy w jednym mieszkaniu zgarnęli, to do mnie zadzwonił...

– Co dokładnie powiedział? – dociekał Jeremi.

– Tylko to, że trzy trupy. Ktoś anonimowo zadzwonił, że Pruszków załatwił dwóch z Wołomina. Tyle wiem. Gdzie jesteście?

– Wracamy. – Jeremi zawahał się chwilę. Nie wiedział, czy Robek nie był w to zamieszany. Jednak z drugiej strony był jednym z najstarszych pracowników Szefa i ten mu ufał. Jeśli w ogóle komuś ufał. – Robek, Szef jest ranny. Dostał w ramię. Powinien być operowany, ale…

– Weź się kurwa zamknij! – usłyszał wrzask. – Nie przyjeżdżaj do jego domu, bo tam pewnie już czekają. Spróbuję zadzwonić do Królowej, niech powie, że pojechał na wczasy, jakby co…

– Kazał jechać na Prusa…

– Dobry pomysł – podsumował Robek. – Jedź tam i nie dzwoń od siebie. Ja to załatwię. Za ile tam będziecie?

– Jakąś godzinę...

– Zaparkuj od lasu – dodał i rozłączył się, zanim Jeremi zdążył odpowiedzieć.

Jechał niespokojnie, pilnując, żeby nie przekraczać dozwolonej prędkości. Gdyby nakryli go z rannym Szefem, byłoby po nich. „Całe szczęście, że samochód ma przyciemniane szyby", pomyślał. Kierowcy, którzy mijali go lewym pasem, ciekawie spoglądali, starając się dostrzec kierowcę. Te szyby zawsze wydawały mu się głupotą, teraz był zadowolony, że Szef wywalił niemożliwą kasę na ekstrawagancję, która miała uratować mu życie. Był na wysokości Michałowic, kiedy zadzwonił jego telefon.

– Za piętnaście minut będę… – rzucił w słuchawkę w przekonaniu, że to Robek się niecierpliwi.

W słuchawce usłyszał jednak zupełnie inny głos.

Pierwszy dzień lipca 1995 roku był słoneczny i wyjątkowo ciepły. Delikatny wiatr wiał od zachodu, niebo było czyste jak łza. Julia szła wolno ulicą Armii Krajowej do salonu fryzjerskiego na ulicę Bolesława Prusa, gdzie miała się uczesać do ślubu. Salon poleciła jej koleżanka Monika z romanistyki, która także mieszkała w Pruszkowie i w tym miejscu zrobiono jej udaną weselną fryzurę. Julii niespecjalnie podobały się lakierowane loki koleżanki, postanowiła jednak poddać się ogólnemu trendowi weselnemu i poszła jakiś czas temu na próbne czesanie. Tam wyjaśniła miłej pani, która już nie była fryzjerką, tylko „stylistką włosów", że chciałaby wyglądać ładnie, a jednocześnie naturalnie. Dziewczyna skinęła głową i przy pomocy pokaźnych obłoków lakieru do włosów marki L'Oréal upięła jej na czubku głowy bardzo ładny kok, na którym można było z kolei przymocować welon po babci Mani.

Umówiła się więc na wykonanie identycznej fryzury już w dzień ślubu i obecnie szła sobie spacerkiem, zastanawiając się, jak to będzie, kiedy w końcu wyjdzie za mąż. Ślub cywilny był zaplanowany na godzinę czternastą, kościelny miał się odbyć trzy godziny później. Czasu między jedną a drugą ceremonią nie było wiele, właściwie tylko na zrzucenie jednej sukienki i założenie drugiej, ale nie było się o co kłócić. Wszystko zostało starannie zaplanowane, od przyjazdu krewnych, po potrawy weselne, każdy wiedział, co ma robić i o której godzinie. Ostatni miesiąc przed uroczystością to była katorżnicza praca, jej i Piotrka, oraz całej rodziny Winnych, mamy, cioci, obu babć, a przede wszystkim Ulki i Małgosi, które dołożyły wszelkich starań, żeby ślub Julii, która pierwsza z całego pokolenia wychodziła za mąż, miał godną oprawę. Ula, świeżo upieczony magister farmakologii, zdała ostatni egzamin z początkiem czerwca i z pasją oddała się wcielaniu w życie wyobrażenia o najpiękniejszej ceremonii weselnej na świecie.

Julia wolałaby skromną uroczystość. Wydawało jej się, że wystarczy pójść do kościoła, a potem zjeść uroczysty obiad w domu, żeby wszyscy byli zadowoleni. Piotrek podzielał jej opinię, on zresztą we wszystkim się z nią zgadzał, mówił „jak chcesz kochanie" i „jak uważasz, Juleczko", aż Ulka kiedyś nie wytrzymała i burknęła pod nosem, że można by go wysłać kopniakiem na księżyc, a on lecąc, pytałby Julii, czy dobrą trajektorię obrał. Julia wtedy obraziła się na siostrę, ale w głębi duszy przyznawała jej rację. Piotr był spokojny, uległy i zupełnie nieskomplikowany. Na dobrą sprawę interesowały go dwie sprawy – komputery i Julia. Obu pasjom był oddany w różnym stopniu, chociaż w kwestii komputerów wykazywał jeśli nie większy zapał, to na pewno większą kreatywność.

Skończył Instytut Informatyki na Politechnice Warszawskiej, bardzo prestiżowy, na który trudno było się dostać, i komputery nie miały przed nim tajemnic. Zanim jeszcze skończył studia, zaczął badania, które miały zakończyć się obroną pracy doktorskiej, a firmy poszukujące młodych informatycznych talentów na wyścigi składały oferty pracy w dziekanacie, aż sekretarka, pani Basia, do kartki „Akwizytorom dziękujemy" dodała jeszcze jedną: „Proszę zatrudniać naszych studentów, nie korzystając z uprzejmości sekretariatu". Piotrek natychmiast po obronie pracy magisterskiej dostał pracę w firmie, która produkowała komputery Macintosh. Stary komputer Atari został zamieniony na firmowy, okazały pod względem wyglądu i budowy sprzęt, a Piotrek założył garnitur i zarabiał bardzo dużo pieniędzy.

Julia była z niego bardzo dumna, chociaż komputer był dla niej równie interesującym sprzętem, co kuchenka mikrofalowa albo toster. Jej siostra podkreślała, że przyszły szwagier zrobi karierę i siostra będzie miała z nim dobrze. Wprawdzie nie przestała uważać go za nudziarza, ale doceniała stabilizację małżeńską, która miała stać się udziałem Julii. Snuła przy tym plany, jakby to ona miała zostać szczęśliwą oblubienicą, opowiadała, jak to Julia i Piotrek wybudują dom i będą jeździli na zagraniczne wycieczki. Ula uważała wyjazd do południowych krajów za szczyt szczęścia. Regularnie brała udział we wszelkich konkursach, które mogły przynieść jej wygraną w postaci wyjazdu na Wyspy Kanaryjskie, Cypr czy Rodos. Za każdym razem z wypiekami na twarzy sprawdzała wyniki konkursu i po krótkim rozczarowaniu wypełniała kolejną krzyżówkę, wymyślała hasło reklamowe, które miało wysłać ją w upragnione egzotyczne miejsce. Julia chciała oszczędzić na podróży poślubnej, bo mieli przecież remontować mieszkanie Piotrka i przenieść się tam, ale Ula słyszeć nawet o tym nie chciała.

– Ślub jest raz w życiu – tłumaczyła. – Macie mieszkanie, więc nie ma potrzeby rezygnować z czegoś tak ważnego jak podróż poślubna.

Wyliczała przy tym dziesiątki filmów, w których para młoda spędzała upojne dnie i noce nad oceanem, całując się w blasku gwiazd i umacniając tym samym swoją miłość.

– My z Piotrkiem nie przywiązujemy aż takiej wagi do podróży poślubnej – argumentowała Julia. – Naprawdę są ważniejsze sprawy między dwojgiem ludzi...

– Osobiście nie zamierzam poślubić kogoś, kto nie chciałby mieć podróży poślubnej, a piękną suknię nazywałby „niepotrzebnym strojem ślubnym".

Julia pod naciskiem siostry zgodziła się wreszcie na suknię, za którą zapłaciła krocie, i podróż poślubną, na szczęście do Adele, do Francji, gdzie nie będą musieli płacić za wikt i opierunek, odwiedzą groby bliskich i umocnią więzi rodzinne. Kiwała zatem głową, udając zachwyt nad wszelkimi działaniami Ulki i wyobrażała sobie siebie u boku Piotrka za rok, dwa, pięć i pięćdziesiąt lat. Ostatnio babcia Mania i babunia Ania obchodziły czterdzieste rocznice swoich ślubów. Wszyscy spotkali się na wzruszającej uroczystości. Były dwa torty, francuski szampan przysłany przez

Adele, przemowy i prezenty. Karol, który interesował się fotografią i miał aparat Kodak, zrobił obu parom mnóstwo zdjęć. Julia patrzyła na przytulone do swoich mężów babcie, takie piękne i dostojne, mimo podeszłego wieku, i zastanawiała się, czy ona i Piotrek też będą tacy szczęśliwi ze sobą za czterdzieści lat.

Kiedyś myślała, że zostanie żoną Jarka. Ostatnio bardzo często o nim myślała i co tu dużo mówić – tęskniła. Gdyby mogła go zaprosić na ślub, a on przyszedłby i życzył im wszystkiego najlepszego, o ile łatwiej by jej było. Słyszała, że wyprowadził się z Adriankiem z domu i przypuszczała, że rodzina dowiedziała się o jego powiązaniach z tamtymi ludźmi. Widywała Magdę i Danusię, ale i jedna, i druga odwracały głowę na widok Julii, jakby były obrażone. Wszystko mogło być inaczej, gdyby nie tamten feralny egzamin, jej słowa, potem pobicie Piotrka, myślała, idąc ulicą. Coś ją wyraźnie niepokoiło, ale nie potrafiła powiedzieć co. To było jakieś wrażenie czy odczucie, ale zupełnie niezwiązane z jej osobą czy ślubem, tylko raczej z otaczającym ją bezpośrednio światem.

Rozejrzała się dyskretnie i wtedy ich dostrzegła. Ludzie w czarnych kombinezonach, co najmniej dwóch kryjących się w krzakach. U jednego widać było hełm, drugi straszył czarnym, połyskującym butem. „Policja albo antyterroryści", przemknęło jej przez głowę. „Idą kogoś z mafii aresztować". Zachciało jej się śmiać, bo poczuła się jak w kiepskim filmie. Przecież skoro ona ich widzi, to każdy może zobaczyć, a co dopiero gangsterzy. Cóż to za konspiracja? Żałosne po prostu... Nic dziwnego, że gangsterzy w tym mieście i całym kraju czują się świetnie. Z drugiej jednak strony, analizowała nieoczekiwanie zainteresowana sprawą, jeśli podjadą pod ich dom albo blok, to tamci pouciekają, jak zobaczą uzbrojonych ludzi. Pewnie ci tutaj zabezpieczają tyły, a na miejscu już są odpowiedni ludzie i jak na filmach „zdejmują" przestępców jednego po drugim.

Zrobiła jeszcze dwa kroki i przystanęła. Szli w stronę nowego osiedla, a przecież domy mafiosów były w Komorowie i Pęcicach, to jest w przeciwną stronę. Czego mogli szukać na Nowej Wsi? I dlaczego podchodzili nie w nocy, ale w sobotni poranek? Skupiła się, bo nieoczekiwanie jej serce zaczęło mocno i szybko bić. Jej przyszły mąż miał mieszkanie, w którym mieli zamieszkać po remoncie. Była tam kilka razy i podczas jednego z takich pobytów dostrzegła Jarka, jak w towarzystwie kilku mężczyzn otaczali niskiego, drobnego starszego pana. Wszyscy weszli do klatki bloku stojącego naprzeciwko domu Julii i Piotra, a ona zastanawiała się, czego mogą tam szukać. Jej zdziwienie podyktowane było plotkami, że ten człowiek wychodzi ze swojej słynnej w Komorowie willi tylko na przejażdżki sportowym samochodem, a wszystko, czego potrzebuje, dostarczają mu jego ludzie.

„Idą po Jarka", przemknęło jej przez głowę. „Może już go aresztowali", pomyślała w panice. Policja była wobec mafii pruszkowskiej zupełnie bezradna, ale od czasu do czasu wpadali szeregowi mafijni żołnierze, jak wtedy po śmierci słynnej pisarki, a stróże bezpieczeństwa stawali na głowie, żeby kogoś złapać i pokazać społeczeństwu, że pilnują bezpieczeństwa. Czasami oglądali w „Wiadomościach", jak jakiś gangster leży na podłodze własnej kuchni, a potem policjant zniekształconym głosem donosi o wielkim sukcesie i bliskim rozbiciu mafii. Julia wtedy zastanawiała się, dlaczego wszyscy w chwili aresztowania ubrani są tylko w majtki, ale potem gdzieś wyczytała, że to policja ich rozbiera, żeby nie chowali broni w nogawkach czy ukrytych kieszeniach. Z jednym takim większym szefem miała później rozmawiać ciocia Michele, a potem napisać książkę, za którą dostanie kilka ważnych nagród, ale na razie rodzimi mafiosi panoszyli się, zbierając haracze i podpalając niepokornym sklepy i restauracje.

Zapomniała o fryzurze, a nawet o ślubie i zaczęła myśleć, co powinna zrobić. „Muszę go zawiadomić, może nie jest za późno", myślała w panice. Odwróciła się i zaczęła biec. Mimo że upłynęły ponad dwa lata od tamtej wigilijnej wizyty, pamiętała cyfry, które napisał na kartce. Miała zdolności do zapamiętywania ciągów cyfr, już w dzieciństwie pamiętała numery telefonów wszystkich znajomych rodziców i poproszona, recytowała je niczym żywa książka telefoniczna. Zresztą wielokrotnie patrzyła na tę kartkę, szukając jakiegoś przesłania wśród znaków zakreślonych mocnym pismem jej dawnego przyjaciela i ukochanego. Było za mało czasu, żeby wracała do domu. Zresztą rodzice mogli wypytywać, o co chodzi, a policja jak na amerykańskich filmach mogła dojść, skąd było połączenie, a to mogło oznaczać kłopoty.

Postanowiła zadzwonić z automatu. Miała kilka żetonów, zawsze nosiła je przy sobie, bo wolała dzwonić w ten sposób do koleżanek i prosić o sprawdzenie punktów egzaminacyjnych niż z domu, gdzie stale byli rodzice, Ula albo Karol. Najbliższy automat był na Kraszewskiego vis-à-vis kościoła św. Kazimierza. Zdyszana znalazła się tam w ciągu kilku minut. Niestety pod aparatem stał jakiś mężczyzna i gadał jak najęty. Od czasu do czasu, kiedy aparat żądał „wrzuć" monetę, przykładał do otworu wrzutu małe urządzenie, naciskał guzik i impulsy były generowane nadal, jakby gość wrzucał żetony. Wściekła się. Od tego telefonu zależało czyjeś życie, a ten facet sobie gadał ze znajomym, w dodatku okradając Telekomunikację Polską.

– I z tym Wiedniem to wyszedłem na swoje... – perorował głośno. – Wziąłem normalnie konserwy z hurtowni i sprzedaliśmy z Zochą na targu. Poszły nawet parasolki i... co? Ta, jasne... Jedziemy latem... Idą tu jak woda, te tureckie. Jasne... Co? Co ty gadasz, stary?

Już się jednak nie dowiedział, co tamten rozmówca miał na myśli, bo Julia, zupełnie wbrew sobie, swojej nieśmiałości i dobremu wychowaniu, wyrwała człowiekowi słuchawkę i wydarła się jak przekupa pod samiuteńkim kościołem, w którym kilka godzin później miała przysięgać wieczną miłość przed ołtarzem.

– Oszust! Zamiast wrzucać żetony, to pan kradnie impulsy! A przyjechał pan zagranicznym samochodem! – wrzeszczała.

Facet na szczęście machnął ręką i wsiadł do czerwonego forda, najwyraźniej z zamiarem zmiany miejsca rozmowy.

– Wariatka! – krzyknął przez otwarte okno samochodu. – Nie będę płacił! Ja się państwu jebać nie pozwolę!

– Złodziej! – Julia straciła zupełnie zimną krew, ale po chwili przypomniała sobie, dlaczego chciała zadzwonić, i wstawiła żeton na przegródkę, a potem wybrała numer telefonu. Po chwili ciszy usłyszała jeden, drugi, a potem trzeci sygnał. Odebrał i powiedział, że będzie za 15 minut.

– Uciekaj, Jarek! – krzyknęła. – Idą po ciebie! Uciekaj!

Odłożyła słuchawkę, a potem stała jeszcze kilkanaście minut pod automatem. Następnie weszła do kościoła i zaczęła się modlić pod bocznym ołtarzem. Właściwie nie modliła się, tylko klepała modlitwy, bo samo przebywanie w kościele i powtarzanie tych słów przynosiło ukojenie. Od czasu do czasu szeptała:

– Panie Boże, nie pozwól, żeby mu się krzywda stała. On na pewno nic złego nie zrobił, nikogo nie zabił, nie okradł. Ja wiem, że on jest dobry. Zawsze można wybaczyć, prawda? Tak mówicie na katechezie, że Bóg jest dobry i wybacza. Matko przenajświętsza…

Święty Antoni patrzył na nią surowo, ale wytrzymywała to spojrzenie i powtarzała:

– To mój najlepszy przyjaciel. Moja wina, że on… Trochę moja, bo ja nie chciałam. Niech mu się nic nie stanie, niech on będzie zdrowy. Tak cię proszę…

Wróciła do domu prawie w południe, nieuczesana, bez ślubnego makijażu, wprawiając w zdumienie Ulkę i mamę.

– Co się stało? – spytały obie jednocześnie.

Karol już czekał ubrany w białą koszulę i spodnie od garnituru, a ojciec, w niemal identycznym stroju, wiązał mu krawat. Brat gwizdnął przeciągle na widok Julii, został skarcony jak dziecko przez oboje rodziców, ale wypowiedział pytanie, które wszystkim cisnęło się na usta.

– Gdzie byłaś? I czemu nie u fryzjera?

– Nie podobała mi się ta fryzura – wyjaśniła krótko Julia i rozłożyła ręce. – Co tak patrzycie? Bez koka też mogę iść do ślubu...

– Jasne – odzyskała mowę Urszula, plując sobie w brodę, że osobiście nie zaprowadziła siostrzyczki do fryzjera. Mogła przewidzieć, że ta dziwaczka wykręci taki numer. – Chodź...

Pociągnęła ją do łazienki, gdzie najpierw umyła jej głowę szamponem jojoba „dwa w jednym", potem wysuszyła, bardzo ładnie podkręcając końcówki włosów.

– Spuścić cię z oka... – utyskiwała podczas tej czynności. – To pójdziesz nie wiadomo gdzie... Gdybym wiedziała, tobym cię dowlokła do tego fryzjera. Powiesz, co się stało?

– Nie – krótko odpowiedziała jej siostra. – Nie teraz...

– Jak sobie radzicie? – Mama zajrzała do łazienki – Ooo... pięknie, córeczki moje, pięknie.

– Będzie jeszcze piękniej po makijażu. – Ula była z siebie wielce zadowolona. Sama była już uczesana i umalowana. Miała tylko włożyć brzoskwiniową sukienkę, którą kupiła specjalnie na ślub siostry za zarobione w cukierni pieniądze. Sukienka pochodziła z najbardziej eleganckiego sklepu w Pruszkowie – butiku Fabrizio, który prowadził prawdziwy Włoch. Kupiono tam także kostium Julii na ślub cywilny i sukienkę mamy.

– Nie mrugaj rzęsami – zarządziła Ulka.

– Staram się, ale nie mogę – westchnęła siostra, która nie malowała się na co dzień i ciężko jej było przyzwyczaić się do tańczącej przy jej powiekach spirali do rzęs.

– Może to jej urok – zanuciła Ula. – Może to Maybelline...

– Dziękuję ci, siostro – powiedziała Julia cicho.

Spojrzała kątem oka na biały kostium obszyty kolorowymi

kamyczkami, a potem na przepiękną suknię ślubną, która wisiała w panieńskim pokoju Julii.

– What the friends are for... – Ula zanuciła wielki przebój Dionne Warwick. – Albo siostry... A powiesz, czemu nie byłaś u fryzjera?

– Ja nie chciałam tego koka i tapety na twarzy... – skłamała.

Ula, która właśnie nakładała jej szary, matowy cień na powieki, odchyliła głowę od twarzy Julii i spojrzała uważnie na swoje dzieło.

– Bujać to my... – mruknęła. – Za dobrze cię znam. Trzęsiesz się jak galareta.

Nie naciskała więcej. Jeśli siostra nie chciała jej powiedzieć, gdzie była, to widocznie miała ku temu dobry powód albo więcej powodów. Ula, która znała ją bardzo dobrze, wiedziała, że nie należy naciskać. Przyparta do muru, Julia zacinała się i albo nie mówiła nic, albo przyznawała do wszystkiego, mimo że często nawet nie wiedziała, o co chodzi. Zawsze tak robiła i w szkole, i w domu. Kiedyś Ula wyjadła całą bitą śmietanę przygotowaną na tort, a potem się wyparła. Julia natychmiast przyznała się do winy, chociaż bitej śmietany nie lubiła. Innym razem w szkole jeden z chłopaków zdjął z wieszaków wszystkie kurtki i płaszcze, porozrzucał na podłodze w całej szatni, a potem podpalił. Dyrekcja przyszła rozmawiać z klasą. Nikt się nie przyznał, więc wzięto wszystkich na przesłuchanie indywidualne. Julia była pierwsza na liście i natychmiast się przyznała do wszystkiego. Musiał interweniować ich wychowawca, który wiedział, że Julia nie byłaby zdolna do takiego czynu. Taka już była, albo wszystko, albo nic.

– Zdążymy? – spytała.

– No pewnie, spokojnie. – Ulka skończyła właśnie makijaż siostry i z zadowoleniem przyglądała się dziełu. – Zaraz pomogę ci się ubrać, bo jeszcze coś się rozmaże na tej bieli, a potem idziemy.

Kiedy wyszły z pokoju, powitał je pełen wyczekiwania wzrok mamy, cioci Kasi, Karola i obu babć.

– A wy co tak stoicie? – spytała Urszula i popchnęła lekko Julię przodem.

– Takie śliczne moje córeczki... – powiedział tata, który zachowywał się, jakby Julię w kosmos wyprawiał, a nie za mąż wydawał. Między innymi z tego właśnie powodu Ula nie pchała się do zalegalizowania związku ze swoim Remkiem, chociaż uważała, że to wreszcie ten jedyny.

Julia wkładała powoli buty na wysokim obcasie, również efekt zakupów z siostrą, tym razem w butiku na Chmielnej, dawniej Rutkowskiego.

– Wszyscy gotowi? – spytał przejęty Karol, który miał być kierowcą swoich sióstr, więc stał w garniturze i potrząsał kluczykami.

– Tak – czystym głosem powiedziała Julia. – Jestem gotowa.

Nie bez powodu uznała, że pytanie jest skierowane właśnie do niej, w końcu to ona zniknęła na cały ranek nie wiadomo gdzie i wróciła w stanie wskazującym co najmniej na jakieś wątpliwości. Nagle wszyscy odetchnęli z ulgą i zaczęli się tłoczyć do wyjścia. Dziewczyny wyszły i Ula pomogła Julii wsiąść do zaparkowanego przed domem samochodu rodziców, a potem z mamą i ciocią usadowiła się na tylnym siedzeniu. Tata jechał razem z babciami i dziadkami samochodem dziadka Andruszkiewicza. Pozostali zapakowali się do innych samochodów albo szli piechotą, bo dzień był piękny.

W urzędzie stanu cywilnego powitali ich szczęśliwy oblubieniec oraz dostojna pani we fioletowej szacie i srebrnym łańcuchu na szyi.

– Najpierw zapraszam państwa młodych z dowodami osobistymi – powiedziała pani, zatrzęsła siwymi lokami i spojrzała zachęcająco na Julię i Piotrka.

Kiedy zniknęli za białymi drzwiami, Ula poczuła, że ktoś dotyka jej ramienia. Spojrzała i ze zdumieniem zobaczyła, że to babunia Ania stoi obok i najwyraźniej chce coś powiedzieć.

– Co, babuniu? – spytała.

Do babci Mani wszyscy mówili „babciu", natomiast Ania była „babunią", trudno powiedzieć dlaczego. Do babci Andruszkiewiczowej dzieci zwracały się „babciu Teresko".

– Źle się czuję trochę, dziecko, i wyjdę na zewnątrz – powiedziała cicho.

– Ja wyjdę z babunią – zaproponowała, szukając wzrokiem cioci Ewy, ale nie mogła jej dostrzec w tłoczących się w sieni USC krewnych. – Albo kogoś poproszę – dodała, przypominając sobie, że jest świadkiem i raczej powinna stać tutaj.

– Nie, dziecko – powiedziała stanowczo. – Ja wyjdę sobie sama, po angielsku, posiedzę w parku. W końcu to ślub cywilny, więc nic ważnego...

Ula kiwnęła głową, młodzi w tym czasie wyszli z „urzędową panią" z pokoju i podążyli do sali głównej. Ulka razem ze wszystkimi gośćmi udała się za nimi. Z sali rozległy się dźwięki skrzypiec, wiolonczeli i gitary. Ceremonia się zaczęła.

Ania westchnęła i wyszła z odremontowanego świeżo budynku wprost do parku i przysiadła na ławeczce przed pustą fontanną. Obok niej stała kamienna rzeźba Narcyza, który patrzył w nieistniejącą taflę wody. W domyśle miał zachwycać się swoim obliczem, ale rzeźba była nieudana, a fontanna z reguły pusta i pełna śmieci. Ania przyjrzała mu się i stwierdziła, że Narcyz wygląda, jakby miał zamiar wymiotować. Była kilka razy w tym miejscu, ale dopiero teraz zwróciła uwagę na dziwne położenie rzeźby. Postanowiła przejść się między alejkami. Opuściła ławkę przy Narcyzie i poszła w stronę jeziora z łabędziami.

– Mamo! – usłyszała za sobą głos.

Odwróciła się i poczekała chwilę na swoją córkę Ewę.

– Ula powiedziała, że źle się poczułaś...

– Nie, kochanie. – Ania uśmiechnęła się łagodnie. – Wszystko w porządku, chciałam tylko chwilę pobyć z tobą tu w parku sama.

– To nie mogłaś powiedzieć? – Ewa wzięła matkę pod rękę. – Tylko ludzi straszysz...

Biały łabędź podpłynął do nich i spojrzał zachęcająco.

– Czemu nie jesteśmy na ślubie Julki? – spytała Ewa. – Jest jakiś szczególny powód?

Był szczególny powód. Ani nie podobał się ten ślub. Nie bardzo potrafiła powiedzieć, o co dokładnie chodzi, miała jednak pewność, że to wielkie nieporozumienie i nie powinno do tego dojść.

– To nie jest dla niej odpowiedni chłopak – powiedziała.

– To czemu jej tego nie powiedziałaś? – spytała Ewa. – Przecież to twoja ulubiona wnuczka, nawet nie próbuj zaprzeczać, że tak nie jest.

– Dzieci kocha się po równo, a wnuki inaczej. Ma się ulubieńców... Moją jest właśnie Julka. Ona kiedyś była u mnie i pytała o różne sprawy, ale nie jest moją rolą nakazywanie czegokolwiek...

Ewa zatrzymała się na chwilę.

– Mamuś, ale ty masz ogromne doświadczenie życiowe, jesteś taka mądra. Masz poza tym ten swój dar... Jeśli wiedziałaś o czymś, co było ważne dla Julki, co może zaważyć na całym jej życiu, to powinnaś powiedzieć.

– Właśnie ty, Ewuś, nie powinnaś tak mówić. – Ania popatrzyła na zegarek, prezent od Michała z Hiszpanii, i zdecydowała, że ceremonia już pewnie dobiega końca i trzeba wracać do urzędu. – W twoim przypadku próbowałam wpłynąć na twoje decyzje, a...

Córka opuściła głowę.

– Uciekłam tam, bo wydawało mi się, że w Izraelu jest moje miejsce. Straciłam wiele lat, żeby zrozumieć, że jestem tam zupełnie obca, a mój dom jest przy tobie i ojcu...

– Mogłabyś teraz tak nie twierdzić, jeśli wtedy zatrzymałabym cię siłą.

Ewa pokiwała głową i objęła matkę.

– Życia mi nie starczy, żeby ci to wynagrodzić...

– Nie wolno tak. – Ania pogłaskała córkę po piegowatej twarzy. – Matki są od tego, żeby pozwalać córkom odejść. A córki nie powinny oglądać się za siebie.

– Będę o tym pamiętała, kiedy Anna Maria zechce wyjść za mąż. Chociaż dzisiejsze dziewczyny chcą być niezależne, nie chcą ślubów, sukien, tej całej, jak to mówią, „szopki".

– Niektóre chcą. – Ania pokazała palcem na młodą parę, która w parku Potulickich miała ślubną sesję zdjęciową. – Zobacz, jacy zadowoleni...

Młoda para przybierała dziwne pozy na tle drzew, które miały chyba zilustrować ich wielką miłość oraz pieniądze wyłożone na ślub.

– Dziewczyna wygląda jak beza... – Ewa roześmiała się.

Ania jej zawtórowała. Ewa miała coraz więcej piegów, jakby z upływem lat ich przybywało. Ania uważała, że jej córka jest coraz piękniejsza mimo pięćdziesięciu pięciu lat na karku. Wyglądała najwyżej na czterdziestkę. Po powrocie z Izraela nie wróciła już na Lindleya, tylko zaczęła pracę w szpitalu dziecięcym na Kasprzaka. Zawsze chciała zostać pediatrą i jeszcze w Izraelu otworzyła specjalizację, którą skończyła w Polsce. Bardzo szybko zrobiła też habilitację, obecnie była już profesorem zwyczajnym, kierownikiem kliniki, jeździła na światowe kongresy, zapraszana na odczyty i obsypywana nagrodami. Ania była z niej ogromnie dumna. Basia, która nie zrobiła takiej kariery naukowej, ogromnie podziwiała siostrę cioteczną i na każdym kroku podkreślała, że Ewa to geniusz. Po powrocie Ewy dwie kuzynki, kiedyś także najlepsze przyjaciółki, unikały się przez kilka tygodni, wreszcie spotkały, a potem stopniowo odnowiły przyjaźń. Mimo że Ewa nie wróciła już do Pruszkowa, a mieszkała w domku na Woli, znów były blisko.

– Wracajmy, bo nie zdążymy powitać Julii – zarządziła Ewa.

Doszły jednak na czas, żeby stanąć jakby nigdy nic w sali, powitać parę młodą i wypić lampkę szampana za zdrowie wnuczki i siostrzenicy.

– Wszystko w porządku, babuniu? – spytała cicho Ulka.

– Tak, kochanie. Potrzebowałam tylko świeżego powietrza. – Ania złapała ją za rękę. – Tu obyło się bez niespodzianek?

– Tak, tak... – powiedziała Ula z ulgą i poprawiła fryzurę.

Skrzypce, wiolonczela i gitara znów zaczęły grać. Oprawą muzyczną zajęła się Kasia, która sprowadziła swoich znajomych, żeby zagrali na ślubie siostrzenicy i trzeba było przyznać, że wybrali przepiękne utwory. Jednak największe niespodzianki zostały przygotowane na ślub kościelny. Julia mogła się tylko domyślać, że zagra wuj Michał, ale nie wiedziała, jakie utwory wybrał. No, ale że ciotka Kasia sprowadzi bardzo znaną aktorkę, żeby przeczytała *Hymn o miłości*, to już nie mogła wiedzieć. Na razie panna młoda wyglądała na zrelaksowaną i z uśmiechem przyjmowała życzenia od krewnych i znajomych, trzymając Piotrka za rękę. Ula sterowała ruchem, więc w pewnym momencie zarządziła, żeby goście trochę szybciej składali życzenia, bo panna młoda musi iść do domu i tam przebrać się na ślub kościelny, który jest ważniejszy od cywilnego. Kiedy tylko ostatnia koleżanka złożyła gratulacje, Ula niezbyt grzecznie pociągnęła siostrę z powrotem do samochodu. Julia ledwo zdążyła pomachać świeżo poślubionemu małżonkowi.

– Czekaj, Ula – zaprotestowała słabym głosem. – Ja mu nie złożyłam nawet życzeń...

– Złożycie sobie po ślubie kościelnym. Zobaczycie się za godzinę z kawałkiem, spędzicie ze sobą całe życie, a teraz zróbcie sobie pa pa... – rozkazała siostra i po chwili jechali wszyscy w stronę domu, żeby tam zmieniać suknie i upinać welon.

Suknia Julii była przepiękna. Cała z gipiury, dopasowana u góry, swobodnie opadająca prawie do kostek, w kolorze ecru.

Ula wypatrzyła ją w małym pawilonie w Alejach Jerozolimskich i była gotowa kupić ją siostrze za własne pieniądze. Suknia była bowiem zjawiskowa i w dodatku kosztowała jedną piątą tego, co kreacje najbardziej ekskluzywnego salonu sukien ślubnych Cymbeline. Julia początkowo chciała brać ślub w sukience swojej matki, ale Basia była znacznie niższa i nieco tęższa od córki, więc jej sukienka leżała na Julii fatalnie.

– A poza tym już koniec z tym skromnie, skromnie... Myślałby kto, że jakaś z ciebie szara mysz i w kącie pod miotłą będziesz ślub brała. Dosyć tego!

Ula, co wszyscy zgodnie przyznali, miałaby szansę w konkursie na druhnę roku. Mama dołożyła się do sukienki, a babcie do całej reszty. Rodzice pary młodej wespół w zespół sfinansowali całe przedsięwzięcie. Ula nie spała po nocach, ustalając w myślach szczegóły wesela, menu, nawet kolejność piosenek. Długo zastanawiała się nad wyborem didżeja, wreszcie wybrała jednego spośród polecanych przez koleżanki. Jednak nawet ten, starannie wybrany, nie spełniał jej wygórowanych oczekiwań.

– Gust z pralni i tanich programów telewizyjnych, ale poprzedni jeszcze gorsi – utyskiwała na tydzień przed ceremonią.

– Nie przejmuj się tak. – Śmiała się Julia. – Zobaczysz, że rodzina będzie tańczyła przy jakiejkolwiek muzyce.

– Jak mam się nie przejmować, kiedy on chciał jako waszą piosenkę puścić „Złoty pierścionek"... – denerwowała się.

Mama chwyciła się za serce.

– A pamiętasz, Tomeczku, naszą piosenkę? – Przytuliła się do ramienia taty.

Obie siostry i Karol wpatrzyli się w rodziców, którzy nagle wyglądali, jakby im ubyło po dwadzieścia lat.

– „Wszystko mi mówi, że mnie ktoś pokochał" Skaldów – powiedział tata i najwyraźniej była to prawidłowa odpowiedź, bo mama rozanieliła się jeszcze bardziej.

– A co wybrałaś dla nas? – ostrożnie zapytała Julia.

– „I will always love you"... – Ula z zadowoleniem wzięła do ust kawałek owocu kiwi, który dopiero niedawno pojawił się w Polsce. Rzadko sobie pozwalała na taki luksus, tylko raz albo dwa w miesiącu. Na szczęście reszta rodziny nie podzielała jej egzotycznych upodobań, ze smakiem zajadając jabłka i gruszki z ogrodu w Brwinowie, więc zielone cuda mogła pałaszować sama.

– Mogłaś mnie zapytać... – nieśmiało powiedziała Julia.

– Przecież płakałaś na tym filmie jak bóbr – oburzyła się siostra.

– Julia z reguły płacze na filmach – zauważyła mama.

– Ja nie – wtrąciła Ula.

– Ty nie – zgodził się tata.

– A jaką piosenkę chciałaś? – zainteresowała się mama.

– „Dance me to the end of love" – nieśmiało wyznała Julia.

– Ooo... – Ula się nieco skonfundowała, bo dotarło do niej, że to w końcu ślub jej siostry, a nie jej własny i powinna raczej dobierać repertuar, jaki odpowiada Julii. – Zmienię w takim razie...

– Nie, nie musisz... Piotrek nie umie przecież tańczyć, będzie mu wszystko jedno.

Ula pod spojrzeniem mamy nic nie powiedziała, ale pomyślała, że jej siostra będzie miała okropne życie z takim nudziarzem.

Julia stała w nawie kościoła ubrana w królewską suknię, z upiętym na włosach welonem babci, lekko drżąc w butach na wysokim obcasie. Kościół św. Kazimierza w Pruszkowie pękał w szwach. Na ślub przyszło mnóstwo znajomych jej i Piotrka, liczna rodzina, przyjaciele rodziców, a nawet dziadków. Na chórze wuj Michał, który przyjechał z rodziną na ślub z Hiszpanii, zaczął grać „Ave Maria", a zgromadzeni ludzie zastygli z zachwytu. Znana aktorka, znajoma cioci Kasi, stała schowana w bocznej nawie, żeby nikt jej wcześniej niż podczas szykowanej niespodzianki nie zobaczył. Kasia także stała na górze, obok organów, i spoglądała na kuzyna Michała, który przesłał jej krzepiące spojrzenie, jakby wiedział, że Kasia znów od miesiąca nie wypiła ani kropelki i teraz to miał być już naprawdę koniec z alkoholem. Nawet w urzędzie stanu cywilnego udawała tylko, że pije za zdrowie młodej pary.

Julia wydawała się bardziej zdenerwowana niż w urzędzie. „Może to przez obcasy", pomyślała Ulka, „takie wysokie, ona przecież nieprzyzwyczajona, ale trudno, jakoś da radę, a potem na weselu się zmieni na coś wygodniejszego". Ich ojciec także wyglądał na wzruszonego, w końcu pierwszą córkę wydawał za mąż. Ściskał ramię Julii i oddychał nieco za głęboko, więc trochę kręciło mu się w głowie.

Ruszyli, kiedy ksiądz zaprosił ich do ołtarza w rytm granego przez wuja Michała „Dance me...", do czego Ulka w ostatniej chwili przekonała i wuja, i księdza, który upierał się, że to jednak świecka piosenka i nie powinno jej się grać w kościele. Wuj jednak tak zagrał Cohena, że brzmiał jak preludium Chopina, pięknie to wypadło i było ogromnie wzruszające. Msza się zaczęła. Ula zerkała na plecy siostry, widziała, jak drżą jej ramiona ukryte pod welonem. Piotrek, nieco zgarbiony w garniturze, kręcił się również niespokojnie. Jego świadkiem był rodzony brat, a jakże, bo przecież jak z przekąsem odnotowała Ula, ten nudziarz nie miał przyjaciół. Zapomniała, że sama jest świadkiem swojej siostry, mimo że obie miały przyjaciółki. „Wuj Michał na chórze gra nieco zbyt rozdzierająco", zauważyła. „Ostatecznie to nie pogrzeb, a ślub". Na szczęście ciocia Kasia śpiewała zupełnie normalnie, a jej głos przywracał duszy Uli spokój.

Nie mogła się skupić na słowach księdza, chyba udzielała jej się siostrzana niepewność. Odwróciła się dyskretnie i spojrzała w oczy babuni Ani. Zobaczyła w nich ten sam niepokój, który miała Julia, kiedy rozczochrana wróciła rano do domu. „Co się dzieje?", nie mogła zrozumieć. Państwo młodzi tymczasem wstali do przysięgi. „Wiąże im stułą stęsknione ręce ksiądz, co podobny jest do księżyca", przemknęły Uli w głowie słowa Gałczyńskiego.

„Mogłam zorganizować dorożkę", skarciła się w myśli, „nie pomyślałam, a przecież dałoby się to zrobić, konie wyglądałyby super...".

– Ja, Julia Anna... – zaczął kapłan szczupły i przystojny, wcale niepodobny do księżyca.

Zaległa cisza. Julia wpatrywała się w Piotrka jak królik w fuzję i nie mogła wykrztusić słowa. Uniosła dłoń i zakryła usta. Kościół zamarł w oczekiwaniu. Ksiądz uśmiechnął się uspokajająco, zbliżył do młodych i cichutko coś powiedział najpierw Julii, potem Piotrkowi. Julia kaszlnęła, a Piotrek przygładził włosy.

– Ja, Julia Anna... – zaczął ponownie.

– Ja... – łamiącym głosem wyszeptała panna młoda, po czym opuściła głowę. – Przepraszam, nie mogę...

Stuła opadła, splecione ręce rozłączyły się. Panna młoda odwróciła się od ołtarza i przebiegła przez czerwony dywan, znikając w drzwiach kościoła otwartych z powodu liczby ludzi i upału. Ula spojrzała na zdumienie malujące się na twarzy księdza oraz niedoszłego oblubieńca, na wszelki wypadek nie spojrzała na miny ani swoich rodziców, ani przyszłych teściów i wybiegła z kościoła za siostrą. Słusznie założyła, że Julia pobiegnie w kierunku domu, bo niby dokąd miałaby pójść. Zobaczyła powiewający welon w połowie drogi między kościołem a tylną furtką i pobiegła za uciekającą panną młodą.

– Jak na bieganie na obcasach, to jesteś mistrzyni olimpijska – krzyknęła, doganiając siostrę.

Rzuciła się na nią i przewróciła niczym policjant złodzieja na amerykańskich filmach. Julia upadła, ale natychmiast próbowała wstać i wyrwać się z uścisku siostry.

– Co ty wyprawiasz?! – krzyknęła Ula, wyplątując się z welonu i gipiury. – Właśnie zwiałaś z własnego ślubu!

Julia dyszała ciężko. Znów miała rozczochrane włosy, makijaż rozmazał się od płaczu, a suknia była ubrudzona po upadku. Ula zaczęła poprawiać jej welon i otrzepywać sukienkę.

– Chodź szybko – szarpnęła ją za ręce. – Shit! – dodała, nie licząc się z tym, że stoi na poświęconym miejscu. – Złamałam obcas... Ale to nic, zaraz oderwę ten drugi jak w reklamie mentosów.

– Nie wrócę do kościoła – Julia odzyskała mowę. – Nie mogę wyjść za Piotrka...

– Już wyszłaś za Piotrka – przypomniała jej Urszula, oglądając się za siebie. Jak słusznie przypuszczała, z kościoła zaczęli wychodzić ludzie. Zobaczyła swojego ojca biegnącego w ich kierunku. – Jesteś po ślubie cywilnym. Teraz to tylko... potwierdzenie kulturowe.

Julia wyrwała się z uścisku, spojrzała dziko na Ulę, biegnącego ojca, a potem zrzuciła buty i boso zaczęła biec w kierunku wyjścia.

– Zatrzymaj ją – wydyszał ojciec, kiedy dotarł do Uli. – Zatrzymaj i zawróć...

Ula stała jak słup i nic z tego nie rozumiała. To było zupełnie nie w stylu Julii. Ona sama mogłaby się posądzać o podobną ekstrawagancję, ale nigdy o to, że tak mogłaby się zachować jej cicha, dobra i spolegliwa siostra, która zawsze i wszędzie liczyła się z uczuciami innych.

– Siłą mam ją tu przywlec z powrotem? – Ula w swojej włoskiej kreacji usiadła na kościelnej trawie. Obok ciężko usiadł jej ojciec w garniturze od Hugo Bossa, prawdziwej ekstrawagancji zafundowanej specjalnie na tę okazję.

– Dlaczego? – spytał.

Ula wzruszyła ramionami. Przyszło jej do głowy, że właśnie ona powinna znać przyczynę. W końcu były razem od poczęcia. Trudno o bliższe sobie osoby. Niestety nie znała odpowiedzi na to pytanie. Co gorsza nie miała nawet przypuszczeń co do przyczyny ucieczki Julii. Pierwsi goście dołączali do nich. Niektórzy stali, komentując, niektórzy siadali na trawie.

– Co za nieodpowiedzialność! – rzuciła w przestrzeń starsza pani w peruce, która wydawała się babcią Piotrka.

– Brak kultury – zawtórowała jej brzydka dziewczyna z lakierowaną fryzurą, w której Ula rozpoznała kuzynkę pana młodego.

– Co się stało?! – spytały jednocześnie Basia i mama Piotrka. Jego samego nigdzie nie było widać.

Ula ponownie wzruszyła ramionami, ale spojrzała w oczy obu matek i zrobiło jej się strasznie przykro i głupio.

– Nie mogłam jej zatrzymać… Co miałam robić?

– Ale jak to tak? – Z mózgów obu kobiet wyraźnie wypływały te same komunikaty, bo wygłaszały pytania jednocześnie.

– A skąd ja mogę wiedzieć? – zdenerwowała się Ula. Spojrzała na swoją przepiękną sukienkę pogniecioną i uwalaną trawą, stwierdziła, że jedno pasmo włosów wymknęło się z koka i wisi żałośnie z boku głowy. – No mamuś, ja nic nie wiem!

Obie kobiety spojrzały na siebie, przy czym mama Basia z niepewnością na twarzy, a mama Piotra z wyrazem wyrzutu i tłumionych pretensji.

– Ja naprawdę nie wiem, Krysiu, co się stało – powiedziała mama do niedoszłej teściowej swojej córki. – Przecież wszystko było dobrze…

– Wzięli ślub cywilny – mama Krysia wzięła pod rękę swojego męża, który nic nie mówił, spoglądał tylko na swoją wystrojoną żonę, matkę, córkę, siostrę i siostrzenice ze zmarszczonym czołem i najwyraźniej zastanawiał się, jakie stanowisko powinien zająć jako głowa rodziny.

– A wesele się odbędzie? – dociekała brzydka kuzynka, która zainwestowała w sukienkę i fryzjera. Miała nadzieję, że na weselu pozna kogoś, kto po całonocnych tańcach odmieni jej smutny los absolwentki Technikum Odzieżowego w Łodzi.

– Ależ oczywiście – pospieszyła z zapewnieniem mama Basia, ale urwała w pół słowa pod wzrokiem swojego męża.

– Nie wiadomo, czy ta… Julia wyszła za naszego Piotrka czy nie – powiedziała jego babcia z naciskiem na „ta" i naszego".

– Idę z Piotrkiem porozmawiać. – Ula podniosła się z trawy i powiedziała w kierunku tłumku zbierającego się na trawniku: – Panna młoda źle się poczuła, więc ślub... się nie odbędzie... dzisiaj... A wesele... to nie wiem, bo ja tu tylko sprzątam.

Potem zostawiła wszystkich gości na pastwę losu i poszła do wnętrza kościoła, gdzie kilku niedobitkom, którzy postanowili czekać w kościele, tłumaczyła, że niestety ceremonia się nie odbędzie, ale nie da się ustalić przyczyny ani także terminu ewentualnego kolejnego ślubu. „O ile w ogóle, w co wątpię", nie powiedziała już tego głośno. Piotrka nigdzie nie było. Mszę przerwano. Znana aktorka po obejrzeniu z ukrycia tego szczególnego spektaklu pożegnała się z Kasią i pojechała do domu. Ksiądz, czego Ula nie mogła wiedzieć, postał chwilę przed ołtarzem, a potem zdjął szaty liturgiczne i poszedł do zakrystii. Pierwszy raz w życiu spotkało go coś takiego. Pewnie powinien dokończyć święty sakrament, ale kościół w jednej chwili opustoszał, jakby ogłoszono, że podłożono bombę pod ołtarzem świętego Antoniego. W zakrystii zastał pewne poruszenie. Siwiutka staruszka, pewnie babcia któregoś z młodych, stała i machała chińskim wachlarzem przed twarzą starszego pana, bladego jak papier, który siedział na krześle przyniesionym przez księdza Mariana i oddychał ciężko.

– Co się stało? – spytał, ale na pierwszy rzut oka było widać, że mężczyzna z trudem zniósł ucieczkę panny młodej i wszystkie ewentualne konsekwencje tego czynu.

– Czy może ksiądz zadzwonić po karetkę pogotowia? – spytała starsza pani.– On jest bardzo chory i trzeba go przewieźć do szpitala.

Ula w poszukiwaniu Piotrka weszła do zakrystii, w sam raz, żeby zobaczyć dziwną scenę. Podeszła do babuni.

– Może ja pójdę po mamę albo ciocię? – zasugerowała. – To ktoś od Piotrka?

– O dziecko. – Babunia odetchnęła z ulgą. – Dobrze, że jesteś. Ksiądz zadzwoni po pogotowie, a ty idź, znajdź mojego męża, babcię Manię i dziadka Ryszarda. Trzymaj ich z daleka od zakrystii. Niech idą do domu, gdziekolwiek, byle nie tu. Zwłaszcza Mania nie może tu wejść...

Babcia wyglądała, jakby ją ogarnęło szaleństwo. Ula kiwała głową, uznając, że nie czas na pytania.

– A potem wrócisz tu z Karolem, twoją matką i ciocią. Pojedziemy do szpitala...

– A Julia? – wykrztusiła Ula.

– Ona teraz potrzebuje spokoju. – Babunia machnęła ręką. – A on potrzebuje nas...

Ula zerknęła na starszego pana siedzącego z zamkniętymi oczami i szybko pokiwała głową. Potem wyszła z zakrystii. Kiedy ponownie wróciła, staruszek wyglądał nieco lepiej, miał bladoróżowe policzki i oddychał spokojnie. Oczy też miał otwarte i z ciekawością patrzył na Ulę.

– Kto to? – spytał cicho. – Czy to ona ze ślubu uciekła?

– Nie, tamta jest pewnie w domu. To jej siostra bliźniaczka...

– Babuniu. – Ula nic nie rozumiała, ale uznała, że na pytania jeszcze przyjdzie czas. – Zaraz mama i ciocia przyjdą. Mama to niechętnie, bo chciała do Julii do domu, ale przekonałam ją, że babcia, ciocia Ewa i Małgosia lepiej sobie dadzą radę, jak to kobiety...

– Świetnie, moje dziecko – przerwała jej babunia. – A gdzie mój mąż i szwagier?

– Obu dziadków posłałam razem z tatą do pałacyku, żeby tam odkręcili wesele albo przyjęli gości na wypadek, gdyby przyszli...

– Bardzo dobrze – podsumowała babunia, zerkając z niepokojem na starszego pana. – Gdzie ta karetka?

– Przyjechała właśnie – oznajmił ksiądz.

Dwóch sanitariuszy wniosło nosze do zakrystii. Za nimi wszedł lekarz.

– Jak pan się czuje? – spytał, podchodząc do pacjenta. – Choruje pan na serce?

– Zasłabłem – odpowiedział spokojnie starszy człowiek. – Nie choruję na serce. Mam raka skóry z przerzutami...

– Zgadza się pan na hospitalizację?

Mężczyzna zerknął na babcię Anię, a ta pokiwała głową.

– Tak, zgadza się...

Sanitariusze pomogli mu przejść do karetki. Ania wstała.

– Nie możemy pani zabrać z pacjentem – powiedział lekarz. – Wieziemy męża na Wrzesinek. Proszę tam przyjechać.

– Babuniu... – zaczęła ponownie Ula. Obok niej stały zdenerwowane Kasia i Basia oraz Karol, który zdążył zdjąć krawat i marynarkę. Wszyscy, nadal w szoku, ocierali pot z czoła i czekali na dalsze instrukcje.

– Jedziemy na Wrzesinek, a po drodze wam opowiem, o co chodzi... – zarządziła babunia.

Zapakowali się do samochodu i Karol odjechał, o mało nie uderzając w inny samochód, taki był zdenerwowany. Ania pokrótce opowiedziała historię Pawła.

– To wasz ojciec i dziadek. Nie mógł być przy Mani, patrzeć, jak dorastacie. Teraz umiera i powinniśmy być przy nim...

W aucie panowało pełne niedowierzania milczenie.

– Ale nasz ojciec umarł – cicho powiedziała Kasia. – Mamie trzeba powiedzieć, jeśli to naprawdę...

– Jej akurat wam nie wolno powiedzieć, jeśli nie chcecie, żeby cały jej świat się zawalił... – babunia pogroziła im palcem, jakby chodziło o jakiś psikus, a nie tak poważną sprawę.

– Albo żeby babunię zamordowała gołymi rękoma. – Do Uli w końcu zaczynało docierać, że ucieczka ze ślubu jej siostry to pikuś przy wydarzeniach, które właśnie miały nastąpić.

– Bystre dziecko – przyznała babunia. – Śmierci to ja się nie boję, tylko bólu bliskich...

Tak jak babunia mówiła, Paweł Bartosiewicz, znany jako Daniel Umiński, nie przeżył nocy. Umarł przed północą, trzymając w jednym ręku dłoń Ani, w drugim swoich dwóch córek Basi i Kasi, w obecności wzruszonych wnuków, którzy opowiadali jedno przez drugie o szkole, studiach, kolegach, koleżankach, słowem o wszystkim, czego Paweł nie wiedział od Ani, z którą spotykał się od czasu do czasu w tajemnicy przed wszystkimi.

A kiedy było już po wszystkim, Ania została z Pawłem sama, bo Ula, która wszystko w końcu zrozumiała, kazała reszcie wyjść i zaczekać na ławce pod szpitalem.

– Co my mamie powiemy? – spytała Basia siostrę. – Przecież trzeba będzie pogrzeb zorganizować…

– Myślałam o tym i trzeba powiedzieć, że to przyjaciel ojca z wojska. Nikogo bliskiego… Ostatnia wola, żeby go pochowała rodzina przyjaciela.

– Trochę naciągane – wtrąciła się Ula. – Ale można spróbować…

– Ja nie mam siły – wyznała Kasia. – Całe życie szukałyśmy ojca, potem go pochowaliśmy. Dwa razy… teraz trzeci… Ja nie wiem, czy to przeżyję. Jak my to mamie powiemy? I ojcu?

– Jesteś aktorką, ciociu – przypomniała jej Ula. – Wierzę, że dasz radę. A zresztą wyobrażasz sobie, jaka tam krwawa jatka w domu? Ślub, wesele… A podróż poślubna? Kto pojedzie w podróż poślubną? Przy tym pogrzeb przyjaciela ojca to małe miki. Babcia nawet słuchać nas nie będzie…

Najbliższe dni obfitowały w dziwne wydarzenia. Julia, jak się okazało, wymagała pomocy lekarskiej i to nie z powodu stanu psychicznego. Kiedy dobiegła do domu, zorientowała się, że nie ma kluczy, a drzwi są zamknięte. Niewiele myśląc, stłukła łokciem szybę w kuchennym oknie i tą drogą dostała się do domu. Potem znacząc drogę krwawymi śladami, dotarła do swojego pokoju, zamknęła się na klucz i dopiero po dwóch godzinach perswazji, gróźb i próśb wpuściła w końcu babcię Manię, ciocię Ewę i Małgosię. Ciocia Ewa zajęła się fachowo ręką siostrzenicy, babcia Mania w tym czasie usiłowała się dowiedzieć, jakie Julia ma dalsze plany i czy ceremonia kościelna zostanie powtórzona.

Ponieważ Julia nie odzywała się słowem i uparcie patrzyła w jedno miejsce w kącie pokoju, babcia Mania opowiedziała jej historię o własnym odwołanym w przeddzień ślubie z dziadkiem Ryszardem. Julia znała tę historię z opowiadań mamy, oczywiście bez drastycznych szczegółów. Uważała jednak, że w niczym nie przypomina to jej ucieczki z kościoła, więc nadal nie uważała za stosowne się odezwać. Małgosia z kolei delikatnie nawiązała do własnej sytuacji. U niej z kolei narzeczony zdradzał ją z jej najlepszą przyjaciółką. Ona także odwołała ślub. Wprawdzie nie poczyniono żadnych przygotowań, ustalono jedynie termin, ale można było powiedzieć, że Małgosia była po tej drugiej stronie, pokrzywdzonej, dlatego powiedziała kuzynce wprost, że nie można chować głowy w piasek, tylko należy porozmawiać z rodziną narzeczonego, a przede wszystkim z nim samym.

Historia Małgosi przypomniała Julii o Jeremim, ponieważ to on właśnie powiedział Julii o wyborach Miss Polonia, które tak chętnie finansowała mafia pruszkowska, kulisach wyboru missek, a Julia zrobiła z tej wiedzy użytek. Przekonała wtedy Małgosię, żeby trzymała się z daleka od „sponsorów" i nie dawała się absolutnie nikomu komplementować ani nigdzie zapraszać. Co więcej, powiedziała o tym cioci Kasi, która przeraziła się nie na żarty i błagała córkę, żeby zrezygnowała ze startu w wyborach. Małgosia, wprawdzie niechętnie, ale posłuchała kuzynki, o rezygnacji w ogóle słyszeć nie chciała, ale trzymała się z daleka od różnych panów. Odpadła przed półfinałem, a wspomniana przyjaciółka zgarnęła tytuł, a potem jej narzeczonego. Małgosia raczej nie wybaczyła tego kuzynce, bo wiadomo – w każdej sytuacji musi być ktoś winny. Wtedy padło na Julię. Wspomniana historia przypomniała Julii, że jedyne, co w chwili obecnej ją interesuje, to los Jarka.

– Która jest godzina? – przemówiła po raz pierwszy od kilku godzin.

– Dziewiętnasta dwadzieścia, ale jest za późno, żeby wracać do kościoła. – Babcia Mania odetchnęła z ulgą, że wnuczka coś tam zaczyna rozumieć.

– Chcę obejrzeć wiadomości – powiedziała Julia, co wprawiło wszystkich w zadziwienie.

– W wiadomościach o tym nie powiedzą... – zdumiała się Małgosia.

Julia wstała z łóżka, zrzuciła suknię na podłogę, wyjęła z szuflady stary, rozciągnięty dres, wciągnęła go wprost na pończochy, ozdobny stanik i majtki Triumpha, a potem zasiadła przed telewizorem. Wiadomość o aresztowaniu kilku ważnych postaci mafii pruszkowskiej była wiadomością dnia. Julia siedziała wpatrzona w ekran ku zdumieniu trzech kobiet, które nie bardzo widziały związek między odwołanym ślubem a wyświetlanymi rewelacjami.

– To jeszcze za wcześnie, żeby powiedzieć, że ucięto łeb hydrze, ale poważnie osłabiliśmy struktury mafii – mówił zmienionym głosem odwrócony tyłem mężczyzna.

Na ekranie pokazywano ślady krwi w wołomińskim mieszkaniu i trzy ciała zakryte prześcieradłami. Policjanci udostępnili także nagrania operacyjne z aresztowania „bossów mafii pruszkowskiej". Zobaczyła rozciągniętych na podłodze Robka i Baryłkę, potem relacja przeniosła się do szpitala, gdzie pokazano Szefa po operacji. Zasłonięto twarze, więc Julia nikogo nie poznała. Szukała wzrokiem sylwetki Jeremiego, ale pokazywali tylko tamtych. Westchnęła i wróciła do swojego pokoju, a za nią wierna gwardia złożona z babki, ciotki i kuzynki.

– Gdzie właściwie jest reszta? – spytała babcia Mania około dwudziestej drugiej.

Siedziały we trzy w kuchni Andruszkiewiczów, pijąc herbatę

earl grey i jedząc frykasy przygotowane dla gości, którzy mieli odwiedzić dom panny młodej. Główna bohaterka dnia spała twardo na swoim panieńskim łóżku, nieprzebrana w piżamę, na szczęście Małgosia przekonała ją przynajmniej do zmycia makijażu ślubnego. Ewa, która miała ochotę zadać to samo pytanie już kilka godzin wcześniej, rozłożyła bezradnie ręce.

– Pewnie odkręcają wszystko... – cicho powiedziała Małgosia. – Rozmawiają z rodzicami Piotrka, z nim...

– Pewnie poszli na wesele – dodała Mania. – Przecież szkoda, żeby to jedzenie się zmarnowało. Myślałam, że Rysio tu przyjdzie i Ania z Michałem, ale ich nie ma.

– Znając mamę, poszła pewnie tam, gdzie uważała, że jest bardziej potrzebna – pospieszyła z wyjaśnieniem Ewa.

– Albo pojechała do domu spać... – powiedziała Mania z przekąsem. – Jutro się pewnie dowiemy, że od razu wiedziała, że to się tak skończy, dlatego nie była w pałacu ślubów. Myślała, że tego nie zauważyłam, ale widziałam, że wyszła.

– Ciociu, mamie się słabo zrobiło – zaprotestowała Ewa. – Ja z nią byłam, to wiem...

– Ale że nie ma Basi, Tomka, no i Ulki. Nie wiem, co się stało...

– Ulka pewnie z Piotrkiem jest i go pociesza – z przekonaniem rzuciła Małgosia.

Ojciec Julii wrócił do domu około drugiej nad ranem, ale nie położył się, tylko zaproponował Mani, że zawiezie ją i Ryszarda do domu, do Brwinowa. Mania, która miała w końcu prawie osiemdziesiąt lat, a dzisiejszych wzruszeń powyżej uszu, ciężko dźwignęła się z kuchennego krzesła i poczłapała do samochodu, gdzie drzemał już znużony Ryszard.

– I co teraz będzie? – spytała Mania po drodze.

– Sam chciałbym to wiedzieć... – westchnął Tomasz. – Odprowadzić was, kochani? – spytał, parkując przed domem Mani i Ryszarda w Brwinowie.

– Damy sobie radę ... – Mania pogłaskała zięcia po głowie. – A właściwie gdzie jest twoja żona, Urszula i Karol?

– A nie ma ich w domu? – zdumiał się Tomasz.

Ryszard, który był ledwie żywy ze zmęczenia, pociągnął żonę w stronę bramy, pozostawiając Tomasza od nowa zaniepokojonego nie na żarty, ponieważ w tej chwili właśnie dotarło do niego, że nie ma pojęcia, gdzie się podziewa jego Basia i pozostałe dzieci.

Rano Julia wstała, weszła do kuchni, budząc ojca, który spał na krześle, wzięła sobie z lodówki karton mleka „prosto od krowy" oraz płatki kukurydziane, usiadła obok niego i zaczęła jeść.

– Boże – sapnął Tomasz. Kark miał zupełnie sztywny. – Ty tu sobie jesz w najlepsze...

Julia spojrzała obojętnie i dokończyła jedzenie. Potem wstała i pocałowała ojca w czoło.

– Idę to wszystko odkręcić – powiedziała spokojnie.

Tomasz pokręcił głową z niedowierzaniem. Zupełnie nie poznawał córki. Prędzej spodziewałby się czegoś takiego po Ulce czy Małgosi. Ubrała się szybko w dżinsy i zwykłą bluzkę. Potem zebrała włosy w węzeł i powiedziała, że wychodzi. W drzwiach minęła się z matką, siostrą i bratem, pomachała im, jakby wybierała się na przechadzkę, i wyszła.

– Gdzie byliście? – spytał Tomasz.

– Odwieźliśmy babunię do domu – powiedziała jego żona, a potem dodała, że z nim porozmawia, wszystko mu wyjaśni, ale teraz wszyscy idą spać, bo już ledwo trzymają się na nogach.

Wszystko się jakoś poukładało, co dowodziło tego, że nawet z najgorszych zapętleń można wyjść z honorem i obronną ręką. Julia najpierw spotkała się z mężem, potem z jego rodzicami. Przeprosiła z całego serca, bo co innego mogła zrobić. Nikt jej nie oskarżał. Piotrek zapytał tylko, czy chodziło o jakiegoś innego mężczyznę. Zaprzeczyła. Po prostu zdała sobie sprawę z tego, że go nie kocha i nie może spędzić z nim reszty życia. Wydawał się rozumieć, lecz na prośbę, żeby zostali przyjaciółmi, powiedział, że nie może być o tym mowy. Ona także rozumiała jego odmowę. Rozeszli się więc zgodnie, w sądzie, bo przecież byli małżeństwem. Tyle że jak wyjaśnił mąż cioci Michele, nie skonsumowali związku, więc sąd uwzględnił niedojrzałość obojga, wyznaczył dwie rozprawy w ciągu jednego miesiąca i na tym się zakończyło dziwne małżeństwo Julii Andruszkiewicz.

– Swoją drogą pierwsza rozwódka w naszej rodzinie... – zauważyła Ula. – Już mieliśmy bigamistkę, trzeba przyznać nieświadomą niczego, nieślubne dzieci, porwane... Zaginionych krewnych, ślub ponad siedemdziesięcioletniego pradziadka. Ale rozwódki z powodu nieskonsumowanego związku wynikającego z jej niedojrzałości to nie...

– Można się było jeszcze powołać na niepoczytalność, ale wuj Janusz odradzał. – Westchnęła Basia. – W papierach by zostało...

– I do wojska by nie wzięli... – Skrzywiła się zabawnie Ulka.

Zaczęła się śmiać, Basia jej zawtórowała, a po chwili tarzały się obie po podłodze salonu, zanosząc śmiechem.

– Ja nie wyjdę za mąż – zapewniła Ula.

– Wiesz, wystarczy, że spotkasz odpowiedniego człowieka... – przekonywała ją matka, ale słabo to wypadło, więc pospieszyła z zapewnieniem, że dobrze się stało, bo jakby po ślubie miała dopiero się rozmyślić, to gorsze nieszczęście by było.

– A tłumaczenia ile. – Westchnął Tomasz, którego o przyczynę odwołanego ślubu pytali koledzy z pracy, sąsiedzi, a nawet dawni znajomi, których nie widział sto lat, a którzy właśnie przy tej okazji się ujawnili.

Basia westchnęła, bo w pracy przechodziła dokładnie przez to samo, kiedy wróciła wcześniej do kliniki. Skróciła urlop, bo nie było żadnego powodu, żeby w domu siedziała i rozmyślała nad wyborami życiowymi córki.

– Taka sukienka piękna i garnitur twój, Tomeczku… – nie mogła odżałować. – Nie chcę Julce wypominać, ale przecież tyle pieniędzy w te przygotowania poszło.

Tomasz pocałował żonę w czoło.

– To nie wypominaj. Dobrze, że kupiłaś ten kostiumik. Ślicznie w nim wyglądasz. Będę musiał pomyśleć nad okazjami do włożenia eleganckiego stroju. Będziemy częściej chodzić do filharmonii. O, wiem – uniósł palec – pójdziemy do teatru na tę sztukę, co się chodzi za aktorem, a na końcu dają jeść, zapomniałem tytułu…

– „Tamara" – podpowiedziała Ula. – Też bym chciała. Idźcie jeszcze na „Metro", chociaż to dla… młodszych ludzi.

– Właśnie. – Ożywiła się Basia. – Na „Tamarę" trzeba pójść, Tomeczku. A garnitur przyda się na ślub Karola albo może twój, Urszulko, mimo wszystko…

– Na Karola to ja bym nie liczyła – wyrwało się Ulce, która wiedziała o skłonnościach brata już od kilku lat, zdążyła się z nimi oswoić, ale nie pisnęła ani słowa, nawet własnej siostrze.

W podróż poślubną pojechała z Julią siostra. Tak uradzono podczas rodzinnej nasiadówki. Julia z Piotrem mieli jechać do Francji, do Adele, która serdecznie zapraszała młodą parę. Bilety na autobus były kupione, więc nie było powodu, żeby rezygnować, a Ula miała paszport wyrobiony, więc klamka zapadła.

Tę podróż siostry miały wspominać do końca życia. Adele przyjęła je serdecznie, a przez całe wakacje nie padło ani jedno pytanie dotyczące odwołanego ślubu. Pod tym względem Adele okazała się niezwykle francuska i dyskretna, za co Julia była jej bardzo wdzięczna. Jej restauracja była miejscem obleganym przez miejscowych i przyjezdnych, które szczyciło się posiadaniem jednej gwiazdki Michelina – prawdziwy prestiż i powód do dumy. Serwowano tam dania kuchni bretońskiej, kulinarne arcydzieła, które pod wodzą Adele przygotowywało dziesięciu kucharzy i jedna kucharka. Już pierwszego dnia poprosiła Ulę i Julię, żeby mówiły do niej po imieniu, i od razu spytała, czy nie pomogłyby w restauracji.

Francuska ciotka okazała się zupełnie niepodobna do cioci Michele, ani z wyglądu, ani z charakteru. Znacznie spokojniejsza, uwielbiała dzieci, których sama miała dwójkę, też bliźniaki, ale chłopaków. Nie było ich niestety, bo mieszkali ze swoimi rodzinami w Paryżu. Jeden był restauratorem jak Adele, a drugi architektem. Adele swoją restauracją o nazwie „Les tournesols" kierowała żelazną ręką, komenderując podwładnymi niczym dowódca w wojsku.

– Może masz to, Adelko, po swoim tacie – zasugerowała któregoś dnia Julia, która z radością zgodziła się pomagać w kuchni i właśnie pobierała trudną naukę krojenia cebuli.

– Bardzo możliwe, moja droga. – Pokiwała głową Adele i skorygowała ruch ręki siostrzenicy, w wyniku czego cebula przestała się wyślizgiwać z dłoni Julii i dała w końcu pokroić w cienkie piórka. – Świeć panie nad jego duszą. Papa tak chciał, żebyśmy mówiły po polsku...

Łzy Julii leciały od cebuli. Miała trochę dość, ale cierpliwie uczyła się trudnej sztuki – nawet jeszcze nie gotowania, ale terminowania w kuchni.

– Ciocia Michele mówi świetnie. Nikt by nie poznał, że to nie Polka.

– Ona zawsze chciała mieszkać w Polsce, uczyć się, studiować, pracować. Zostaw już tę cebulę, dziecko, jutro znów od tego zaczniemy. Teraz obierz grzyby – podała jej miseczkę pieczarek, a Julia, która nie miała pojęcia, że grzyby można „obierać", odłożyła na bok i podanym nożem zaczęła odrywać cieniutką białą skórkę.

– Mnie też tak mówiła. To znaczy, że we Francji urodziła się przez pomyłkę. – Julia zamilkła, spostrzegłszy się, że mogła powiedzieć coś, co by Adele uraziło.

– O właśnie, dokładnie tak było. – Pokiwała głową ciotka. – Ojciec nie chciał słyszeć o powrocie do Polski, a ona ciągle wierciła mu dziurę w brzuchu. Papa to nawet nie chciał pojechać w odwiedziny, tak się bał, że go nie wypuszczą z powrotem…

– Tu był szczęśliwy – dodała Julia, mozoląc się z pieczarkami. – A nasz dom, tam, gdzie nasze szczęście. Jeśli ktoś urodził się w stodole, to wcale nie znaczy, że jest koniem…

Adele zabrała siostrzenicy talerz z obranymi pieczarkami, wzięła do ręki specjalny nóż i zaczęła jej pokazywać, jak się kroi grzyby. Julia nie spodziewała się, że naukę zacznie właśnie od krojenia, co uważała za zajęcie zbyt oczywiste, żeby wymagało specjalnych technik. Adele jednak wytłumaczyła jej, że proces wybierania produktów, przechowywanie oraz krojenie jest kluczowym elementem gotowania.

– Możesz być najlepszą kucharką, ale jak na targu dasz sobie wcisnąć byle jakie owoce albo warzywa, a potem byle jak skroisz nie tym nożem, co potrzeba, to choćbyś nie wiem, jakich przypraw dodała, efekt będzie taki sobie.

Były na targu codziennie rano. Julia mimo wakacji wstawała koło czwartej nad ranem i towarzyszyła ciotce w wyprawach po warzywa, owoce i mięso. Zrobiło na niej wrażenie, że tu nic się nie mroziło, nie „wstawiało do lodówki", tylko ciągle kupowało świeże i dokładnie tyle, ile potrzeba.

– Mówisz pięknie, moja droga, naprawdę pięknie i tak bez akcentu – w głosie Adele słychać było podziw.

– Kończyłam studia, ale to ciocia Michele mnie nauczyła. – Uśmiechnęła się Julia. – W przyszłym roku skończę studia i wtedy… Chciałabym tłumaczyć książki z francuskiego na polski.

Nikomu na razie nie przyznała się do swoich planów, rodzina uważała za oczywiste, że Julia będzie uczyła dzieci, a za szczyt jej możliwości uznawała prywatną szkołę, a nie państwową posadę.

– To pięknie... – entuzjazmowała się Adele. – Chociaż ja w tobie, moja droga, widzę talent wybitnie kulinarny. Szkoda by było go zmarnować. Pomyśl o tym.

– Adele. – Julia aż przystanęła. – Przecież ja tylko... kroję. Od miesiąca.

– Tak właśnie rozpoznaję talent. Kroisz, moja droga, jak mój najmłodszy pomocnik, a on się uczył cały rok. Ty zaledwie miesiąc. Masz cierpliwość, rękę do owoców i warzyw, umiesz od razu wybrać właściwy nóż i ciągle się starasz. Jesteś materiałem na kucharza! A od jutra już nie kroisz, tylko uczysz się robić sosy.

Julia pojaśniała i rzuciła się ciotce na szyję.

– A w sobotę na pewno mogę iść na koncert? – upewniła się. – W restauracji największy ruch...

– Możesz, możesz... – uspokoiła ją Adele. – Mireille Mathieu to nasza wielka pieśniarka. Śpiewa niedaleko, grzech byłby wielki, gdybym was tam nie posłała. Szkoda, że nie możesz usłyszeć Jacquesa Brela, mojego kochanego Brela... Ani Serge'a Gainsbourge'a. Też go kochałam... ech...

– No szkoda wielka. – Pokiwała głową Julia, bo wprawdzie o tym drugim niewiele słyszała, ale Brela też kochała i widziała słynne przedstawienie z jego piosenkami w teatrze Ateneum, na które jej ojciec zdobył bilety, uruchamiając wszelkie kontakty. Po chwili dodała:

– Chociaż ja najbardziej to kocham Charlesa Aznavoura. Mamy w domu jego płytę i jak on śpiewa „La boheme", to mnie ciarki przechodzą...

– Naprawdę? – Ciocia aż przystanęła. – A wiesz, że on przychodzi do naszych „Słoneczników" w trzecią niedzielę sierpnia? Odwiedza rodzinę w okolicy. Zawsze bierze zupę bouillabaisse, jeżowce, mój camembert, no i gruszki na deser...

– Jeżowce... – powtórzyła zachwycona nowiną ciotki Julia.

– Wiesz co? Jak Charles przyjedzie, to właśnie ty oczyścisz dla niego ryby i pokroisz warzywa. Należy ci się, bo jesteś bardzo utalentowana. Oczywiście będziesz mogła go też poznać i powiedzieć, że lubisz jego piosenki.

Adele wiedziała, co mówi. W końcu niejednego kucharza do pracy przyjmowała, a sama terminowała w Paryżu w restauracji, która miała aż dwie gwiazdki Michelin. Z drugą siostrzenicą nie miała aż takiej więzi, może dlatego, że Ula pracowała na sali, a za jej naukę kelnerowania odpowiadała wspólniczka Adele, Helena. Uli nie przeszkadzało, że Adele jest bliżej z Julką, przeciwnie, cieszyła się, że siostra promienieje, z przysłowiową pieśnią na ustach wstaje bladym świtem, żeby towarzyszyć ciotce na targu, a po pracy jeździ na rowerze po okolicy. Ona sama wdała się w płomienny romans z drugim zastępcą szefa kuchni i po pracy oddawała się z zapałem naukom zupełnie innym niż sztuka dekorowania stołu czy wybór noży do sera.

– Francuzi to są jednak... Francuzi – zwierzyła się potem Julii, która tylko spytała, czy ten Guillome nie ma przypadkiem żony i dzieci, ale uzyskawszy przeczącą odpowiedź i pełne oburzenia „za kogo ty mnie uważasz", mruknęła tylko, żeby z tej miłości francuskiej nie było jakiegoś nieszczęścia.

– Żadnego nieszczęścia nie będzie, bo on nie jest jak nasi, co to wiesz, niby uważają... Zabezpieczamy się – dodała z nutką wyższości.

Julia miała na myśli raczej złamane serce i tęsknotę niż ciążową wpadkę, ale pokiwała tylko głową i nazwała siostrę „niewrażliwą larwą". Zmieniła zdanie dopiero, kiedy zaczęły rozmawiać o pamiętnej poślubnej nocy i Ula opowiedziała jej, gdzie, z kim i w jakich okolicznościach spędziła ten szczególny czas.

– Chcesz powiedzieć, że mityczny dziadek Paweł nie zginął z rąk UB, tylko mieszkał w Szwajcarii? A teraz wrócił i umarł w dzień mojego ślubu?

– Właśnie. – Pokiwała głową Ula.– A najlepsze to, że babunia cały czas o tym wiedziała. Bo to ona go uratowała. A babcia myślała, że on nie żyje.

– Babunia mi kiedyś opowiadała o tym, jak się z babcią zakochały w tym samym chłopaku... – wyznała Julia. – W dziadku właśnie, ale on wybrał babcię.

– Ja tego, wiesz, jeszcze nie rozkminiłam, ale to tak całkiem nie było. Bo wiesz, on tak na babunię patrzył i ciągle powtarzał „ukochana moja, jedyna moja". Taki dziadek, a tak ładnie mówił, że nigdy nie zapomniał i w każdej sekundzie swojego życia... No takie tam... Kilka razy się poryczałam, a mama to cały czas płakała. I ciocia też.

– Na łożu śmierci to różne rzeczy się mówi... – powątpiewała Julia. – Ale że babunia zakazała naszej babci mówić?

– Ja też nie do końca rozumiem, ale wiem jedno. Jak powiesz chociaż słówko, to babcia będzie cierpieć, a dziadek jeszcze bardziej. Ciebie nikt nie wypytywał co, dlaczego... Nikt ci nie wypomniał, ile kasy poszło na ślub i wesele...

– Nic nie powiem – cicho powiedziała Julia. – Nie dlatego, że mnie nikt nie pytał, tylko dlatego, że babunia prosiła.

Siedziały na cmentarzu, na którym spoczywali dwaj bracia babci i babuni, patrzyły na tablicę upamiętniającą Wacława Winnego i starały sobie wyobrazić, jak wuj musiał się tutaj czuć na obcej ziemi, w czasie działań wojennych.

– Dobrze, że chociaż zakochał się w dziewczynie. – Julii zakręciły się łzy w oczach. – Jaki on musiał tu być samotny...

Grób drugiego wuja był zupełnie inny, miał ozdobną dużą tablicę. Obsadzono go krzakami róż.

– Zmarł dwa lata temu, nie poznałyśmy go w ogóle...

– Ciocia Michele była na pogrzebie z wujkiem Januszem – przypomniała sobie Ula. – Babcia mówiła, że może ciocia zostanie we Francji, ale od razu wróciła...

– Wujek z Ameryki też umarł w dzień twojego ślubu – zauważyła Ula.– To nie był najlepszy dzień...

– Też żeśmy go nie poznały... – westchnęła Julia. – Bo nie chciał wracać do Polski.

W ferworze walki telegram z zawiadomieniem o śmierci Janka Winnego, który nadała nieutulona w żalu Dana, nie zrobił specjalnego wrażenia. Nikt z Winnych nie pojechał na sam pogrzeb, bo samo wyrobienie wizy trwało. Babunia Ania, mimo sędziwego wieku, zgłosiła się do ambasady, porozmawiała, z kim przyszło jej porozmawiać, a po miesiącu siedziała w samolocie lecącym do Nowego Jorku. Opowiadała tylko, że spotkała się z Daną, poszła na grób Janka i zwiedzała miasto. Kiedy ktoś pytał o szczegóły, machała ręką i mówiła, że miasto jak miasto, może rzeczywiście wysokie ma budynki i ludzi z dziesięć razy więcej niż w Warszawie, ale generalnie to nie ma o czym mówić. Nawet Michał z niej wyciągnął tylko tyle, że wszystko już nieważne i ona wie, czemu Jasiek nigdy wrócić nie chciał do Polski. „Można żyć albo tu, albo tam", podsumowała dyskusję „i nasz Jasiek doskonale o tym wiedział".

– Ciocia Ewa jedynie wróciła. Przynajmniej ona – przypomniała matce Ulka.

Julka i Ulka wróciły po dwóch miesiącach, wypoczęte, z nowym zapałem i walizkami pełnymi przypraw oraz przepisów kulinarnych, które Julia stopniowo, przy okazji różnych rodzinnych świąt wprowadzała w życie. Nad łóżkiem powiesiła mnóstwo zdjęć z Francji, między innymi z Charlesem Aznavourem, który zgodnie z tradycją zatrzymał się w „Słonecznikach" i jadł specjały Adele. Wiele lat później przyjechał do Polski na koncert i Julia poszła się z nim przywitać. Była przekonana, że jej nie pamięta, ale Charles wykrzyknął na jej widok: „Julia, petite jolie fille!". A potem zadedykował jej piosenkę „She". Julia była już w takim momencie życia, że słowa: „May be my treasure or the price I have to pay" brzmiały bardzo symbolicznie.

Po oficjalnym rozwodzie były mąż Piotrek wyjechał na stypendium do USA, do samej Doliny Krzemowej, poznał tam Chinkę Lin i po roku wziął z nią ślub w Las Vegas. Na wesele przyjechali do Pruszkowa i postarali się, żeby wszyscy o ceremonii mówili. Zorganizowano ją w dworku w Pęcicach, z wielkim rozmachem, znanym zespołem śpiewającym na żywo i pokazem ogni sztucznych. Julia także otrzymała zaproszenie, ale nie poszła ani do kościoła, ani tym bardziej na przyjęcie. Rozumiała oczywiście intencję zaproszenia i nie miała żalu, przeciwnie, odetchnęła z ulgą, że Piotrek ułożył sobie życie.

1998 ROK

Julia patrzyła przez okno na przebarwiające się liście kasztanowców. Dziwna zaraza niszczyła jej ulubione drzewa.

– Okropny ten szrotówek ... – powiedziała do koleżanki, która weszła właśnie z wydrukami na konferencję zorganizowaną przez francuskiego szefa.

– Co mówiłaś? – zapytała nieuważnie koleżanka.

– Nic, nic... – mruknęła Julia, podziękowała za dostarczone materiały i wróciła do pisania artykułu reklamowego o kosmetykach, które ujędrniają i odmładzają skórę.

Jeszcze dwa lata temu myślała, że będzie pracowała w wydawnictwie i tłumaczyła książki francuskich klasyków na język polski. Zaproponowano jej jednak pracę marzeń, za którą wszyscy daliby się pozabijać i posiekać, czyli asystentki dyrektora w polskim przedstawicielstwie francuskiej firmy kosmetycznej. Pośrednio zawdzięczała tę pracę cioci Adele. Znajomy jej znajomego miał za zadanie owe przedstawicielstwo otworzyć i poszukiwał asystentki dobrze mówiącej po francusku. Posada sekretarki, która nazywała się „asystentką", była najbardziej pożądanym zajęciem w całym kraju. Dziewczyny przeglądające ogłoszenia o pracę w „Gazecie Wyborczej" pisały CV po polsku i angielsku i ubiegały się o posadę marzeń. Wyobrażały sobie wtedy, jak w eleganckich kostiumach będą robiły prezentacje w PowerPoincie, zamawiały catering i chodziły na lunche lub kolacje w drogich lokalach. Niektórym rzeczywiście się udawało, ale większość takie życie obserwowała jedynie w serialach „Miłość i dyplomacja", „Pokolenia" czy „Powrót do Edenu", marząc, że i one kiedyś dostaną swoją szansę, ubiorą się w drogie ciuchy i będą piły wino do kolacji.

Julii się udało, chociaż wcale o to nie zabiegała. Ciocia Adele oraz ciocia Michele znalazły ją w domu, wyciągnęły znad tłumaczenia genialnej książki Michela Houellebecqa *Extension du domaine de la lutte*, którą dostała od Michele pod choinkę, i kazały pójść na rozmowę kwalifikacyjną. Julia ubrała się w najlepszą sukienkę i poszła, gdzie pracę dostała od razu, ponieważ jako jedyna z setek kandydatek mówiła po francusku jak rodowita paryżanka, a po angielsku, jakby przyszła na świat u podnóża Tamizy. Na dodatek była oczytana, znała klasykę literatury, uwielbiała francuskich pieśniarzy, a informacja, że terminowała kilka miesięcy w restauracji szczycącej się posiadaniem jednej gwiazdki Michelin, ostatecznie przekonała szefa do jej kandydatury. Obawiał się on wprawdzie, że Julia jest zbyt mało przebojowa. Inne kandydatki może nie mówiły tak dobrze, ale miały w oczach determinację, żeby zostać w Warszawie i znaleźć tutaj pracę, a następnie męża. Julia tej żądzy nie miała. Przeciwnie, wyglądała, jakby jej zupełnie nie zależało. Jej strój też pozostawiał wiele do życzenia. Sukienka była pretensjonalna i zaprzeczała pojęciu „francuski szyk". Makijaż zrobiony przez Ulkę był zbyt mocny, odpowiedni raczej na popołudnie niż do pracy. Od kandydatki na taką posadę wymagało się pewnego stylu, ale po rozpatrzeniu wszystkich za i przeciw szef doszedł do wniosku, że makijażu można kandydatkę nauczyć, sukienki pomóc kupić, a inne dziewczyny nie opanują francuskiego w mowie i piśmie w stopniu tak zadowalającym.

Już po miesiącu pracy Julii stało się jasne, że Jacques Cointreau miał nigdy nie żałować tej decyzji. Pierwszego dnia Julia przyszła do pracy ubrana zupełnie normalnie, w spódnicę i koszulową bluzkę z apaszką, uczesana normalnie i z delikatnie podkreślonymi rzęsami. Na pytające spojrzenie koleżanki, która odpowiadała w nowo powstającej firmie za dział handlowy, wyznała, że na spotkanie rekrutacyjne to siostra tak ją wyszykowała, bo sama pracuje w firmie farmaceutycznej na podobnym stanowisku i wie, jak się należy ubrać, przynajmniej na rozmowę kwalifikacyjną. Koleżanka powiedziała jej życzliwie, że na rozmowie kwalifikacyjnej Julia wyglądała jak panienka z kabaretu, a teraz wygląda odpowiednio i bardzo francusko. Julia poczuła, że ona i Iwona Banasiewicz zaprzyjaźnią się ze sobą, na tyle oczywiście, na ile umożliwi im to wspólna praca.

Wszystko byłoby wspaniale, gdyby pisanie tekstów reklamujących kosmetyki dawało jej radość albo przynajmniej poczucie, że robi coś ważnego i pożytecznego. Tymczasem miała wrażenie, że oszukuje złaknione zachodnich rzeczy polskie kobiety, które uważały, że francuskie perfumy są synonimem luksusu i lepszego życia. Julia dostawała je do domu, nie oddała ich wszystkich Uli tylko dlatego, że oczekiwano, że będzie pachniała tymi piżmami i różami od samego rana. Wyrobiła sobie nawyk skrapiania się zapachami z podobnych do dzieł sztuki flakonów każdego Bożego dnia, żeby już nikt jej nie wyganiał do działu z próbkami, napominając, że ma używać kosmetyków, które reklamuje.

– Julia, ten artykuł trzeba wzmocnić emocjonalnie. – Iwona położyła jej na biurku tekst pokreślony na czerwono, jak niegdyś klasówki słabszych uczniów w szkole. – Na zdjęciach są szczęśliwe kobiety, a napisałaś trochę smutno.

– O tęsknocie, bo one tęsknią za tym kremem...

– Ale sugerujesz, że nie mogą go mieć, tymczasem... mogą.

Julia kiwnęła głową i zaczęła poprawiać zdanie po zdaniu. Jeśli o nią chodzi, tęskniła za normalnym życiem, wstawaniem rano, czytaniem bajek i tłumaczeniem, którego nikt nie potrzebował. Miała dość patrzenia na modelki, które reklamowały kremy odmładzające, a same mały nie więcej jak dwadzieścia lat. Nie chciała pisać o tym, że perfumy są najważniejsze i pozwolą współczesnej kobiecie rozwiązać wszystkie problemy.

– Dostajesz kupę kasy – przypominała jej Ula, kiedy próbowała zwierzyć się siostrze ze swoich wątpliwości.

– Owszem... – wzdychała, przypominając sobie, jak w odpowiedzi na pytanie: „jakiego wynagrodzenia pani oczekuje?", zażądała zawrotnej sumy. Była pewna, że nikt nie zgodzi się tyle zapłacić, ale dostała żądaną kwotę. Dokładała się do opłat domowych, chociaż rodzice wcale tego od niej nie oczekiwali, pomogła Karolowi, który chciał się usamodzielnić i wyprowadził do kawalerki, na którą solidarnie złożyła się rodzina Winnych, w tym właśnie ona.

– Powinnaś sobie kupić trochę ciuchów – zdecydowała Ula, która ubrania uważała za jedną z najważniejszych rzeczy w życiu kobiety, odzwierciedlenie osobowości, światopoglądu, a nawet literackiego gustu.

– Ciuchy to nie wszystko. – Julia wzniosła oczu ku niebu, zamknęła *Dublerkę* Debory Moggach i poszła zrobić sobie coś do jedzenia.

– Oczywiście, że nie wszystko, ale pomagają żyć. – Ula spojrzała na okładkę książki czytanej przez siostrę i westchnęła głęboko.

Sama też lubiła czytać, ale preferowała lżejszą literaturę. Ukradkiem, bojąc się miażdżącej krytyki oczytanej rodziny, pochłaniała harlequiny, romanse opisujące prawdziwą, wyrafinowaną miłość, gdzie on ją tak bardzo kocha, inaczej niż w prawdziwym życiu, gdzie jej kolejny chłopak mimo zasobnego portfela był nudny jak flaki z olejem, a za grę wstępną uważał kolację w restauracji. Kupno nowego ciucha zawsze poprawiało nastrój. Zresztą Ula tłumaczyła się przed sobą i rodziną, która uważała, że warto odkładać część zarobionych pieniędzy, że na zajmowanym stanowisku musi odpowiednio wyglądać.

– Ta farmacja to jednak był strzał w dziesiątkę… – powtarzała rodzinie, która już dawno pogodziła się z faktem, że w ich rodzinie nie pojawił się na razie nowy lekarz.

Kiedy Ula była bliska ukończenia studiów, mama bliźniaczek zaczęła rozglądać się za pracą dla swojej córki. Rozpoczęła nawet rozmowy z koleżanką, która była właścicielką apteki. Tyle że Ula słyszeć o tym nie chciała, bo miała inny pomysł na życie.

– Firma farmaceutyczna? – dziwiła się rodzina. – A co ty będziesz tam, kochanie, robiła?

– To samo co w aptece, tylko na większą skalę, z samochodem służbowym i dobrą pensją.

Zatrudnienie się na stanowisku przedstawiciela handlowego wcale nie było takie łatwe, ale Ula mówiła świetnie po angielsku i prawie równie dobrze po francusku, za co mogła podziękować uporowi cioci Michele, która wtłaczała ten język w głowę zachwyconej Julii, ale również jej niechętnej do nauki bliźniaczce. Firma, do której Ula aplikowała, miała główną siedzibę w Paryżu, więc znajomość tego języka, przebojowość i pewność siebie zrobiły swoje. Ula została przedstawicielką handlową, jeździła po klinikach, oddziałach i przychodniach, wciskając lek na nadciśnienie lekarzom ogólnym i rodzinnym, których było coraz więcej na rynku. Miała szczęście, bo lek okazał się bardzo dobry, więc sprzedawał się niejako sam, przy niewielkiej jedynie pomocy Uli i jeszcze dwóch osób, które dzieliły między sobą całe nowo powstałe województwo mazowieckie.

Codziennie rano wsiadała do swojego służbowego renault i jechała do Warszawy, Płocka, Radomia czy Pruszkowa, przypominała o leku, wychwalała jego zalety, pokazywała kolorowe ulotki. Przede wszystkim jednak kupowała prezenty. Miała określony budżet i mogła lekarzowi kupić, co tylko chciała, a on odwdzięczał się jej ilością wypisanych recept. Do każdego miała klucz. Lekarzowi z przychodni oferowała kosz delikatesowy z kawami, likierami i czekoladą, tym z kliniki ciastka od Bliklego, profesorom sponsoring konferencji naukowych. Wyróżniała się na tle innych przedstawicieli, w większości lekarzy, na których środowisko spoglądało niechętnie, zazdroszcząc samochodów i w ich pojęciu łatwego życia. Ona jako farmaceutka nie miała podobnych problemów.

Bardzo szybko awansowała. Po roku była już szefową regionalnych przedstawicieli, natomiast po dwóch kierowała zespołem pracowników z całej Polski. Rok później nie jeździła już sama w trasy, nawet żeby sprawdzać aktywność podwładnych, tylko siedziała w biurze jako zastępca kierownika działu marketingu. Nie zajmowała się już osobiście rezerwacją stolików w kawiarniach i restauracjach, gdzie zapraszała ważnych lekarzy na pogawędki, albo zamawianiem wykładów. Tym zajmowały się jej dwie asystentki. Już nie jeździła małym renaultem megane, a większym grandtour, którego kolor wybrała samodzielnie, podobnie jak rodzaj tapicerki i różne gadżety, którym salon wypełnił samochód. Miała ponadto mały, elegancki telefon komórkowy, którym dzwoniła wszędzie, także do domu, a firma płaciła jej rachunki. Za rok planowała zająć gabinet dyrektora marketingu, słusznie przewidując, że wskoczy on na wyższe stanowisko, a osoba, którą zastąpi, zajmie jeszcze wyższe, chociażby w samej siedzibie firmy w Paryżu.

Ile razy Julia spoglądała na telefon komórkowy siostry, małe różowe cudo wyklejone błyszczącymi dżetami udającymi diamenty, przypominała sobie Jeremiego i obezwładniał ją strach.

Po tamtym telefonie nie miała z nim żadnego kontaktu. Ich ostatnia rozmowa miała miejsce w wigilijny dzień kilka lat wcześniej, kiedy dał jej *Ptaki z ciernistych krzewów* i numer telefonu. Pewnie myślał, że to ona może potrzebować pomocy, a nie odwrotnie. Stało się, jak się stało. W sumie całe szczęście, że mogła wtedy zadzwonić. Nie miała pojęcia, czy uniknął aresztowania. Śledziła programy informacyjne, artykuły w gazetach, ale nie uzyskała jednoznacznych informacji. Wybrała się nawet do Magdy i pytała o Jeremiego, ale ta powiedziała tylko, że jej brat już nie jest jej bratem, po tym jak uciekł, wcześniej umieściwszy Adriana w drogim ośrodku rehabilitacyjnym opłaconym na rok z góry.

– Dlaczego nie jest już twoim bratem? – spytała ją w progu starego mieszkania. Magda nawet nie zaproponowała jej, żeby weszła do środka.

– Sprzedał mieszkanie i zniknął. Wcześniej przestał się nami interesować.

Potem zamknęła jej drzwi przed nosem.

– Jak was latami utrzymywał, to było dobrze – mruknęła w stronę odrapanej tabliczki Wiśniewscy. Posłuchała jeszcze chwilę, jak Danusia płacze, a potem poszła, bo była zanadto przygnębiona.

W domu spytała matkę, czy mogłaby dowiedzieć się czegokolwiek o Jeremim przez ośrodek, w którym przebywał Adrian. Może mama miała tam jakiegoś znajomego, który mógł odpowiedzieć na pytanie, czy Adrianka ktoś odwiedza albo skąd przychodzą pieniądze.

– Już pytałam... – powiedziała mama cicho. – Przecież wiem, że to twój przyjaciel...

– Dowiedziałaś się czegoś? – spytała cicho.

– Tata też pytał, bo zna kogoś w policji...

– Jak to w policji? Skąd wiecie...

– Juleczko... – Basia pogłaskała ją po głowie. – Wszyscy o tym mówili. To nie jest takie duże miasto.

Spuściła głowę. Wszyscy wiedzieli. Pruszków to małe miasto.

– No to czego się dowiedzieliście?

– Niczego niestety... Tutejsi policjanci nie zajmowali się sprawami... mafii. – Basia przełknęła to słowo nie bez goryczy.

– On nie był w mafii – szepnęła Julia. – On tylko...

– On był z tamtymi ludźmi, córeczko. – Basia objęła ją, dziękując Bogu, że córka w porę zerwała wszelkie stosunki z tym chłopakiem. – Nie wiem, co konkretnie zrobił, ale był z nimi. A to straszni ludzie, wiesz sama...

Julia z czasem przestała wierzyć, że Jarek nie zrobił nic złego. Miała tylko nadzieję, że tam, gdzie jest, pokutuje za swoje winy. Mafia dogorywała. W lutym dwa lata wcześniej w biały dzień w samym centrum miasta pod kościołem zginął jeden z najbardziej niebezpiecznych gangsterów „Pruszkowa". Jego czarne volvo podziurawione od kul długo więziło ukochanego psa, którego dopiero żona, dawna wicemiss Polonia, przyszła uwolnić, bo żaden z policjantów nie miał odwagi otworzyć drzwi i zmierzyć się z kłami zwierzęcia. Egzekucja wstrząsnęła światkiem mafii i zwykłymi obywatelami. Mieszkańcom Pruszkowa nie mieściło się w głowach, że w biały dzień można w centrum miasta ostrzelać samochód z karabinów maszynowych, zabić człowieka i odjechać w nieznane. Kimkolwiek był zabity gangster, nie powinien był w taki sposób zakończyć żywota, na zawsze zmienić koszykarskie miasto w symbol przemocy i złodziejstwa. Mieli rację stróże porządku, wystarczyło trochę poczekać, a hydra sama zżarła swoje głowy.

Spojrzała w zatroskane oczy matki i zrobiło się jej przykro. Ulka, która przyprowadzała do domu coraz to nowych chłopaków, wydawała pieniądze na głupoty i w ogóle miała, jak to określała babcia, „fiu bdździu w głowie", nie dostarczyła rodzicom takich trosk jak ona.

– Kiedy mamo, ja go znam, on taki nie był nigdy. Zawsze był dobry i troszczył się o innych. Mnie on by krzywdy nie zrobił...

– Pewnie nie, przynajmniej nie specjalnie. – Westchnęła Basia, która wdzięczna była losowi za to, że Jeremi nie pokazał się po nieudanym ślubie Julki, zapadł się pod ziemię i jej dziecko nie musiało przeżywać tego, co dziewczyny i żony gangsterów, które albo odpowiadały za współudział, albo znikały, pozostawiając swoje rodziny w niepewności.

– *Jest tyle dziewczyn w Portofino, a on zobaczył tylko ją...** – jej siostra Kasia śpiewała podczas jakiejś gali piosenkę, która idealnie ilustrowała taką sytuację.

„Boże jedyny", myślała Basia, kiedy zobaczyła w ogólnopolskiej telewizji list gończy wysłany za Jeremim W., pseudonim „Młody".

– Przychodził przecież do naszego domu – mówiła do męża zbielałymi ze strachu wargami. – Jakie nieszczęście mogło się stać....

– *Wiedzieli ludzie w Portofino/ że do wesela dzień czy dwa/ Gadali, z jaką dumną miną/ przez Portofino będzie szła...* – Kasia umiała pięknie śpiewać piosenki o porzuceniu. – *Lecz wyjechałeś z Portofino/ Na drodze został żółty kurz/ Nie mogę śmiać się w nos dziewczynom/ A w Portofino jest jesień już...*

W Pruszkowie też była jesień, dwie koleżanki Julii i Uli zniknęły bez śladu, podobnie jak Jeremi, tyle że kilka miesięcy później. Szepty zamieniały się w rozmowy, rozmowy w oskarżenia. Na szczęście nikt nie wiązał Julii z łysym chłopakiem ze zdjęcia, więc Basia liczyła, że córka zapomni, a przynajmniej przestanie się martwić. Julia niby żyła normalnie, spotykała się z koleżankami, pracowała we francuskiej firmie i sprawiała wrażenie, że nic specjalnego się z nią nie dzieje. Basia wiedziała jednak, że jej córka nie przestanie się martwić, póki nie dowie się, co stało się z jej przyjacielem.

* *Miłość w Portofino*, Agnieszka Osiecka.

Ula tymczasem zatracała się w korporacyjnym życiu. Basia i Tomek byli przyzwyczajeni, że jedna z ich córek siedzi w domu i zaczytuje się w literaturze pięknej, a druga spędza każdy wolny wieczór poza domem. Martwiło ich to, że Julia po rozwodzie z Piotrkiem nie poznała nikogo innego, nie chodziła do kina, rzadko do teatru, natomiast Ula w kółko biegała na jakieś spotkania, spędzała wieczory w kawiarniach, restauracjach, a na całe weekendy wyjeżdżała ze znajomymi, których nie przyprowadzała do domu.

– Martwimy się o Julkę, a to z Ulą może być problem – Basia zwierzyła się swojej matce i ciotce podczas obiadu rodzinnego.

– A co was konkretnie martwi? – zapytała Mania, która po odwołanym ślubie Julii uznała wnuczkę za istotę nieobliczalną i co tu dużo mówić – źle wychowaną.

– Niemal nie pojawia się w domu, ciągle gdzieś jeździ z ludźmi, których my nie znamy – powiedział Tomek.

– Teraz nie takie czasy, żeby każdą koleżankę do domu przyprowadzać. – Mania miała na twarzy wypisaną znajomość czasów współczesnych.

– Wiem, mamuniu, ale jak była młodsza, to ciągle przyprowadzała swoich chłopców do domu. Teraz ja nawet nie wiem, czy jest z kimś związana…

– My w jej wieku miałyśmy już dzieci, tyle że mężów z nami nie było. – Westchnęła Mania. – To chyba nie było lepsze. O wojnie już nie wspominając.

– Julia jest bardzo wrażliwa – wspomniała Ania, a Mania spojrzała na siostrę z wyrzutem.

– Wszyscy wiedzą, że Julia jest bardzo wrażliwa – powiedziała z lekkim sarkazmem w głosie. – Zapewne ta wrażliwość kazała jej wtedy...

– Mamo, błagam, nie wracamy już do tego... – Basia położyła dłoń na ramieniu Mani. – Co to da, jeśli będziemy jej to w kółko wypominać?

– Lepiej tak, niż całe życie żałować... – cicho powiedziała Ania, a Mania znów się zdenerwowała, że jej przemądrzała siostra ma więcej do powiedzenia na temat uczuć jej własnej wnuczki niż ona sama.

– Ciekawe, co tamten chłopak na to... – mruknęła.

– Zaraz potem się ożenił i ma już dwoje dzieci – przypomniała matce Basia. – Jakoś szczególnie się nie nacierpiał.

– To też jakiś znak czasów. – Mania wzniosła oczy ku niebu. – Za moich czasów, jakby panna rzuciła kawalera tuż przed ślubem, to ten by sobie strzelił w głowę.

– Co też mama mówi, Boże jedyny. – Przestraszyła się Basia. – Jakby coś takiego się stało, to przecież Julia nigdy by nie doszła do siebie...

– A tak doszła bez kłopotu – ironizowała Mania. – Wzięła rozwód i siedziała w domu, tyle czasu marnując na czytanie bajek. Teraz przynajmniej pracuje...

– Manieczko, ja ciebie nie poznaję. – Zmarszczyła brwi Ania. – Julia pracuje w tej francuskiej korporacji. Zresztą teraz świat jest inny. Nie trzeba wychodzić za mąż...

– Za naszych czasów taka osoba jak Julia nie byłaby tolerowana w towarzystwie – powiedziała Mania z mocą.

– W jakim towarzystwie? – spytała Ania. – Byłyśmy obie ze wsi. O towarzystwie to jedynie słyszałyśmy u Platerek...

Spojrzała na siostrę uważnie, a po spotkaniu poprosiła Basię, żeby się przyjrzała własnej matce, nie jak córka, ale jak lekarz.

– Od śmierci Ryszarda prawie nie wychodzi... – mówiła w kuchni cicho, żeby Mania nie słyszała. – Nie jest niedołężna, ale wyraźnie zdziwaczała. Mówi do siebie, robi awantury w sklepie.

– Faktycznie, jakby się zmieniła. Staramy się przecież jeździć tak często, jak to tylko możliwe. Jakaś taka… złośliwa. Myślałam, że to po odejściu taty.

Wyszła z pracy jak zwykle później, ciągle się nie wyrabiała z notatkami, tekstami reklamowymi i tłumaczeniami. Była też wolniejsza, dlatego musiała pracować po godzinach. Chociaż chciała jak najszybciej wychodzić z biura, to do domu jej się nie spieszyło. Ulka właśnie wyszła za mąż i urodziła Lenkę, więc cała rodzina tańczyła wokoło nowo narodzonego maleństwa. Jula kochała Lenkę i gotowa była siedzieć u siostry, podziwiając doskonałość dzieła Twórcy w detalach typu mikroskopijne paznokietki albo uszka, które przypominały dzieła sztuki.

Był tam jednak jej mąż Kuba, który nie znosił ich rodziny, zachowywał się dość arogancko, a Ulka nie umiała mu się przeciwstawić. Może słyszał, jak Winni usiłowali wybić go Ulce z głowy po tym, jak wyszło na jaw, że po pierwsze jest jej szefem, po drugie ma żonę i dwójkę całkiem sporych dzieci. Ulka jednak się uparła, im mocniejsze argumenty padały, tym bardziej pragnęła Jakuba, człowieka przystojnego jak Bogusław Linda i zepsutego jak bohaterowie, których grał. W końcu dopięła swego, Kuba rozwiódł się z żoną, zostawiając jej dom w Konstancinie i pokaźne alimenty na dzieci. Potem wprowadził się do nich i zaczął się zachowywać jak pan domu, generując sporo spięć z jej ojcem. Wieczór był przepiękny i nogi same zaniosły ją na Stare Miasto. Usiadła w kawiarence na rynku i słuchała kataryniarza, który wygrywał na katarynce stare melodie. Wyraźnie rozbawiona małpka ubrana w kraciasty kubraczek skrzeczała i wyciągała z maszyny losy.

– Wolne? – spytało dwóch mężczyzn ubranych w dżinsy i skórzane kurtki, wskazując na krzesła koło niej.

Obejrzała się. Wszystkie stoliki były zajęte.

– Tak, proszę – powiedziała uprzejmie i wróciła do obserwowania małpiszonka.

Kelnerka przyniosła jej herbatę i zebrała zamówienie od sąsiadów ze stolika.

– Ma pani ogień? – spytał uprzejmie jeden nich.

– Nie palę – odpowiedziała.

– To rzadkość dziś – powiedział drugi. – I takie kobiece... Pani chłopak musi być szczęśliwy z tego powodu.

Nie podjęła tematu. Ci mężczyźni byli uciążliwi i wyraźnie się jej naprzykrzali. Postanowiła dopić herbatę i ruszyć piechotą w stronę dworca, żeby wrócić do domu o przyzwoitej porze. Taksówki były tak drogie, że nie wchodziło w grę branie pod uwagę tego właśnie środka transportu.

– A gdybyśmy panią zaprosili na spacer? – spytał wyższy grzecznym tonem.

– Naprawdę dziękuję. – Zaczynała się denerwować. Żałowała, że wybrała się na spacer, zamiast wracać do domu.

– Pani Julio... – powiedział drugi. – Spokojnie, spokojnie... – dodał, widząc, że w panice wstaje i próbuje opuścić kawiarnię.

– Policja – dodał cicho pierwszy.

– Ja nic nie zrobiłam – powiedziała, patrząc na nich ze strachem.

– Zawieziemy panią na spotkanie ze znajomym, dobrze?

Pokiwała głową. Serce jej biło jak oszalałe.

– Zapłacimy teraz i wyjdziemy razem. Proszę jeszcze spojrzeć na nasze legitymacje. – Ten pierwszy szeroko się uśmiechał, jakby ich obserwowano. – Powinna pani od razu o to zapytać...

Znów pokiwała głową. Zapłacili sennej kelnerce, pokazali jej legitymacje policyjne, na które ledwie rzuciła okiem, i wyszli. Myślała, że pojadą policyjnym samochodem, ale zobaczyła srebrną toyotę zaparkowaną na Nowym Mieście. Wsiadła z lekkimi oporami i pojechali.

– To musi być bardzo krótka rozmowa. Nie wolno pani pytać o to, dokąd go wywieziemy. Nie wolno pytać o to, co robił przez ostatnie lata, gdzie był... Nie wolno.

– To o co wolno mi zapytać? – starała się zrozumieć.

– Najlepiej o nic. Lepiej się pożegnać, bo nie zobaczycie się już pewnie nigdy w życiu.

– Boże... – szepnęła. – Ja muszę zadzwonić do rodziców. Będą się niepokoić...

– Dzwoniła do nich oficer operacyjna i poinformowała, że poszłyście do kina. Odwieziemy panią do domu, spokojnie...

Nie pojechali na komendę, tylko do jakiegoś domu, chyba na Muranowie. Nie widziała dobrze przez przyciemnione szyby.

Schudł i zmizerniał, ale wyraźnie wyprzystojniał. Głowy nie miał już ogolonej na łyso, tylko nosił krótką fryzurę, w której było mu do twarzy. Podeszła szybko i objęła go, a on przycisnął ją mocno do siebie.

– Nie płacz – powiedział i rozluźnił uścisk. – Nie chcę, żebyś płakała przeze mnie...

– Sam płaczesz... – otarła mu łzę z oka.

Ponownie zamknął ją w ramionach.

– Co możesz mi powiedzieć? – spytała szeptem.

– Że cię kocham...

– Ja ciebie też. – Wstrząsał nią szloch. – Nie chcę cię stracić po raz drugi... Na pewno można coś zrobić... Na pewno można coś zrobić...

– Cicho – uspokajał ją, całując po mokrej od łez twarzy. – Tak jest sprawiedliwie, przecież wiesz, kim byłem...

– To jest sprawiedliwość? – Zachłysnęła się własnymi łzami.

– Tak – potwierdził. – Powiedziałem, że nie dokończę zeznawać, jeśli ciebie mi tu nie sprowadzą. Sprawiedliwość kosztuje, jak widzisz.

Ktoś zapukał do drzwi.

– Jarek, nie... – objęła go mocniej. – Nie mogą...

– Julia... moja Julia... Spotkamy się w lepszym świecie. Będę tam kucharzem i codziennie zrobię ci coś pysznego na śniadanie. Założymy hodowlę pieczarek, uwielbiamy je oboje, a tam nie rosną... – pocałował ją krótko i mocno, tak jak dawniej, a potem odgarnął włosy z czoła.

Do pokoju wszedł jeden z mężczyzn, którzy zaczepili ją w kawiarni.

– Koniec seansu... – powiedział.

Wyszła posłusznie, a potem zalana łzami wsiadła do samochodu prowadzonego przez jakąś kobietę, pewnie oficera, która udawała jej koleżankę, z którą były w kinie.

Do domu weszła zapłakana, na szczęście nikt jej nie usłyszał, bo wszyscy już spali. Nie zmrużyła oka tej nocy ani następnej, a przez kilka kolejnych miesięcy spała jak zając, co chwila budząc się albo z powodu snu – koszmaru dzieciństwa, który znów powrócił. Po wakacjach, które spędziła z małą Lenką w parku, chociaż babunia proponowała jej przyjazd do Brwinowa albo wspólny wyjazd na wczasy, poszła do francuskiego szefa i złożyła wymówienie.

– Ale co się stało? – pytał tata, a mama załamywała ręce.

Ulka, bujając Lenkę w wózeczku, kręciła z niedowierzaniem głową.

– Przecież zarabiasz kupę kasy. – Pukała się w czoło.

– Mam depresję w tej pracy, nie rozumiecie tego? – pytała słabo, a oni kręcili przecząco głowami.

– Weź prozac, wszyscy teraz biorą – powiedział sarkastycznie Jakub, który uważał za stosowne wtrącać swoje trzy grosze za każdym razem, kiedy miała miejsce jakakolwiek narada rodzinna.

– Pojadę do Adele. Zapraszała mnie. Dobrze? – oświadczyła któregoś dnia.

– To dobry pomysł. – Jej ojciec odetchnął z ulgą, bo patrzeć nie mógł, jak córka chodzi po domu jak zombie.

– Tak – zgodziła się mama, która odliczała dni, kiedy jej druga córka i zięć będą mogli wprowadzić się do nowego domu, który on kupił za kredyt we frankach szwajcarskich. – Jedź, trochę się rozerwij. Adelka mówiła, że tak dobrze tam się czułaś...

Julia wyjechała targana wyrzutami sumienia, że zostawia rodzinę w potrzebie, teraz, kiedy babcia Mania jest chora, a mała Lenka wymaga opieki. Czuła jednak, że jeśli nie ucieknie z tego kraju, to się udusi, zrobi coś sobie albo komuś innemu.

2000 ROK

Basi z pomocą Ani udało się wreszcie przekonać matkę, żeby wykonała stosowne badania. Wyniki były przerażające i stało się jasne, że odejście Ryszarda niewiele miało wspólnego z dziwacznym zachowaniem Mani, jej huśtawkami nastrojów i agresją wobec całej rodziny. W jej czole rósł potężny guz, który zmienił Manię z miłej i łagodnej osoby w utyskującą, narzekającą i zgryźliwą staruszkę. Byłaby się przepoczwarzyła w osobę zjadliwą, pełną wszelkich pretensji i posądzającą najbliższych o próby uczynienia jej krzywdy, gdyby pewnej nocy splątane naczynia krwionośne wewnątrz guza nie pękły. Mania już się nie obudziła.

– Dlaczego ja się nie zorientowałam?– płakała Basia na pogrzebie. – Przecież jestem lekarzem...

– Ja też się nie zorientowałam, jeśli ci to pomoże w czymkolwiek – cicho powiedziała Ania.

Przez niemal dziewięćdziesiąt lat Mania była jej siostrą, drugą połówką, krwią z krwi i ciałem z ciała. Mimo że nie wszystko o sobie wiedziały, nie zawsze panowała między nimi zgoda, były sobie najbliższe na świecie. Czuła się tak, jakby w niej samej coś umarło wraz z Manią.

– W dodatku odeszła tak nagle. – Basia nie mogła się uspokoić. – Wiem, że długo żyła, wszystko wiem. Dobrze, że nie cierpiała, bo przecież jak by wyglądała operacja w jej wieku...

– Naświetlania, leczenie... – Tomek objął ramieniem żonę. Jego rodzice odeszli dziesięć lat wcześniej. Teścia zabrał rak płuc, a teściową – nietypowo jak na kardiologa – rozległy zawał serca. – Wiesz, jak by to wyglądało...

Basia wiedziała, ale nie pocieszało jej to specjalnie.

– Pamiętam, jak babcia Bronia odchodziła i mogliśmy wszyscy się z nią pożegnać. Też miała dziewięćdziesiąt lat...

– Nie każdemu jest dane... – zaczął Tomek, ale Basia nie mogła się uspokoić.

– Ja też się z nią nie pożegnałam... – Ania pochyliła głowę. – I ogromnie mi to ciąży...

– Mnie się śniły anioły – powiedziała Kasia.

– Mamo, proszę cię. – Małgosia wzięła matkę za rękę, a drugą objęła ją za ramię.

Kasia zaczęła płakać i wtuliła głowę w pierś swojej córki. Podeszła do nich mała Janina, córka Małgosi, i objęła matkę. Ania poczuła, jak ktoś kładzie jej głowę na ramieniu.

– Co tam, kochanie? – spytała swoją wnuczkę cioteczną Lenkę.

– Czy babcia pójdzie do nieba? – Lenka miała niebieskie oczy i jasne włoski.

– Na pewno. – Uśmiechnęła się Basia. – Pan Bóg byłby... niespełna rozumu, gdyby jej nie wpuścił do nieba.

Ania także pokiwała głową.

– A ty, babuniu? Pójdziesz do nieba? – pytało dziecko.

– Jeśli babcia Mania za mną się wstawi, to kto wie. Może święty Piotr mnie wpuści. – Pocałowała dziecko w jasną główkę.

– Pogadam z siostrą na religii, żeby powiedziała o tym Panu Bogu. – Lenka wzięła na talerzyk pasztecik z mięsem, nabiła go na widelec i zaczęła gryźć.

– Ile razy mówiłam, że w ten sposób się nie je... – denerwowała się Ula.

– Daj spokój, proszę – nie wytrzymał Tomek. – Mamy stypę. Niech je, jak chce.

– Tata nie powinien się wtrącać do jej wychowania – zauważył Jakub, mąż Uli.

Towarzystwo przy stole umilkło, bo nikt nie chciał się narażać nielubianemu Jakubowi ani Uli, która uparła się, że wyjdzie za mąż za tego człowieka wbrew radom matki, ciotki, obu babek i siostry.

– Przyniosę ciasto z kuchni, ty, Basiu, siedź. – Tomek wstał z krzesła.

Kłopotliwe milczenie przy stole utrzymywało się.

– Czemu nie jesz, Janina? – głos Kasi przebił się przez ciszę.

– Nie jestem głodna. – Janina odsunęła talerz. – Zresztą już jadłam, sałatki, zupę... i drugie danie.

– Tylko rozgrzebałaś na talerzu trochę sałatki – zauważyła Basia. – A zupy nie chciałaś, bo podobno nie lubisz zup...

– Rzeczywiście, nie lubię zup. Po nich się pocę i dostaję czerwonych plam na twarzy – powiedziała Janina i zaraz podskoczyła na krześle, a potem pobiegła do kuchni, żeby, jak stwierdziła, pomóc dziadkowi w krojeniu ciasta i wypróbować kremów i eklerów, zanim je podadzą na stół.

– Czy ona nie jest za szczupła? – Ania zwróciła się bezpośrednio do Kasi.

– Teraz, ciociu, nie ma takiego pojęcia jak „za szczupła". – Skrzywiła się Kasia. – Wszystkie dziewczyny się odchudzają, ograniczają. Janina jest wegetarianką, nie je mięsa...

– Wygląda, jakby nic nie jadła – skwitowała Basia. – Ja ci mówię, Kaśka, że ona jest za szczupła. Może to przez naukę?

Małgosia nałożyła sobie na talerz kawał ciasta czekoladowego.

– Babcia najbardziej lubiła czekoladowe – zmieniła temat niezadowolona, że nikt nie pyta jej o córkę, nie współczuje tego, że została porzucona zaraz po urodzeniu Janiny przez chłopaka, który nie chciał nawet dać dziecku nazwiska. Jej matka i ciotka nie komentowały specjalnie tej sytuacji, za to wypowiadały się na tematy, o których nie miały pojęcia.

Ciotka Basia nie powinna nic mówić, bo zawsze miała dobrze z wujem Tomkiem, Karolem i kuzynkami. Jej matka natomiast zgotowała jej w dzieciństwie piekło swoimi nastrojami, lękami przed premierą, każdym przedstawieniem. Bała się, że jest za stara do jakiejś roli, że jej nie obsadzą albo co gorsza źle obsadzą. Dopiero Julian wprowadził w ich życie jakiś porządek. Ożenił się z matką i kilka lat było dobrze. A potem, kiedy trafił do więzienia, matka zaczęła pić. Kiedy wrócił, piła już za dwoje, a po jego śmierci nie trzeźwiała przez kilka miesięcy. Straciła etat w teatrze i umarłyby z głodu, gdyby nie ciotka i babcie. Siłą trzeba ją było zmusić do leczenia, a potem pilnować, żeby znów nie zaczęła. Winni znali oczywiście całą historię, ale cóż oni tak naprawdę wiedzieli o codziennym życiu w piekle. Czemu wypowiadali się na tematy, na które nie mieli bladego pojęcia? I to na stypie babci.

– To prawda. – Ania zrozumiała aluzję ciotecznej wnuczki. – Mania dałaby się pokrajać za ciasto czekoladowe.

– Mamy też ulubione ciasto babuni. – Janina wniosła talerz pełen szarlotki.

– Z bitą śmietaną... – Ania powąchała kawałek ciasta. – Ty też skosztuj, moja droga. Twoja ciocia piecze najlepszą szarlotkę zaraz po mojej babci Broni.

– Z szarej renety... – Basia uśmiechnęła się smutno i znów zaczęła płakać. – Mama mówiła, że nie ma już prawdziwych szarych renet.

Wszyscy jak jeden mąż rzucili się obejmować Basię i Kasię, przeglądać zdjęcia w albumie. Janina tymczasem poszła do łazienki i wypluła kawałek ciasta, który miała w ustach. Potem wyrzuciła resztę szarlotki, którą wzięła do ręki. Starannie wypłukała usta, żeby nie został ani jeden kawałek kalorycznego pokarmu, a i tak czuła się, jakby oblepiały ją zwały tłuszczu, które rosły jej na udach, brzuchu i pośladkach, czyniąc ją znów grubą i nieatrakcyjną w jej własnych oczach.

– Coś ty zrobiła, Ania? – krzyknął Ignacy.

Michele zapaliła światło, wstała z łóżka i włożyła szlafrok.

– Zostań, ja zejdę – zaproponował Janusz.

Pocałowała go w czoło i powiedziała, żeby spał, ona da sobie radę.

– Co tam, wujaszku? – spytała łagodnie, zabierając mu z rąk garnek pełen wody i odstawiając na kuchenny stół.

Ignacy spojrzał na nią podejrzliwie. Znów jej nie poznawał.

– Chciał się wujek napić herbaty? – spytała.

Pokręcił głową i wpatrywał się w nią intensywnie.

– Zrobię herbatki – zdecydowała. – Sama też się napiję, dobrze?

Nastawiła czajnik i poszła do sypialni po sweter dla Ignacego. W jego sypialni materac był wywrócony na drugą stronę, skołtuniona pościel leżała na podłodze, a wywleczone z szafy ubrania tworzyły na łóżku pokaźną górę. Ogarnęła pobieżnie, wzdychając głęboko. Kiedy wróciła do kuchni, zastała Ignacego siedzącego przy stole, bębniącego palcami o blat. Zalała dwie torebki herbaty malinowej gorącą wodą i wrzuciła kilka kostek cukru do kubka wuja. Przepadał za słodyczami. Herbatę pił tak słodką, że kleiła się do łyżki.

– Bóg nie wybaczy – powiedział konspiracyjnym tonem.

– Oczywiście, że wybaczy – powiedziała z przekonaniem Michele. – Jest miłosierny... Sam to przecież wiesz.

Ignacy pokręcił głową.

– Wojna to bestia – wyszeptał.

– Wujeczku, już nie ma wojny. – Michele uśmiechnęła się łagodnie i poklepała go po starej dłoni. – Nie ma czego się bać...

– Zawsze jest wojna. – Zacisnął usta. – Krysia zginęła, bo mnie pokochała, wiesz?

Nie miała pojęcia, o czym mówi, ale kiwnęła głową.

– Matka ją zabiła – rzucił w przestrzeń i zaczął płakać.

Janusz wszedł do kuchni.

– Może pójdziemy do łóżka? – zaproponował.

– Stanisławie, ona urodziła twoje dziecko, a ty ją zabiłeś... – Ignacy rozszlochał się jeszcze bardziej.

– O kim to tym razem? – spytał Janusz cicho swojej żony.

– Pewnie o czymś z czasów wojny, tylko że miesza do tego swoją matkę, która zginęła ponad siedemdziesiąt lat temu. Coraz częściej ma te swoje wizje, wspomnienia, przebłyski...

Michele westchnęła i objęła roztrzęsionego Ignacego. Złapał Janusza kurczowo za rękę.

– Nie możesz jej zostawić, ona jest z Winnych. To twoja córka na miłość boską – wyszeptał i zaczął trwożnie oglądać się za siebie. – Pan Bóg nie pobłogosławił związku żadnej z was. Obie miałyście mężów, święte więzy małżeńskie. Za bliskie pokrewieństwo, tak jak własna siostra. Bój się Boga, bój się Boga...

Zapowiadała się ciężka noc.

– Straszne to – szepnął Janusz.

Michele zaczęła drzemać na krześle. Janusz przykrył ją kocem, a sam usiadł obok Ignacego. Kiedy ocknął się nad ranem, już tylko on i Michele siedzieli w kuchni. Wuja znaleźli zwiniętego w kłębek na podłodze pokoju. Znów się rozebrał prawie do naga i drżał teraz z zimna przez sen. Michele strąciła z łóżka skołtunione ubrania, a Janusz dźwignął Ignacego i położył na łóżku.

– Biedak... – powiedziała ze współczuciem, otulając wuja kołdrą. – Może powiedzieć Ani o tym. Jego coś dręczy. Matka zabiła jakieś dziecko.

– Daj spokój. – Westchnął Janusz. – Przecież to choroba. Miesza pewnie wspomnienia swoje i ludzi, którzy się u niego spowiadali. A może i z filmów lub książek. Nic z tego, co mówi, nie ma przecież sensu.

Michele pokiwała głową i wróciła do sypialni. Do rana jednak nie mogła zasnąć. Słowa Ignacego nie dawały jej spokoju.

2010 ROK

Ula Andruszkiewicz-Pawełczyk stała nad swoją nastoletnią córką Lenką i ze zgrozą w oczach patrzyła na kolczyk, który wystawał z języka dziewczyny.

– Na litość boską, masz dopiero dwanaście lat, a to – wycelowała palec oskarżycielsko w twarz Lenki – jest szkodliwe dla zdrowia!

– No nie przesadzaj, mamo – mruknęła Lenka.

Ula nie chciała jednak odpuszczać. Może i nie była matką roku, ale nie zamierzała pozwalać, żeby smarkata weszła jej na głowę.

– Wyjmij to paskudztwo z uszu, kiedy do ciebie mówię, słyszysz?

Lenka przewróciła oczami do góry i zrobiła zbolałą minę, ale wyłączyła iPoda.

– Czego słuchasz? – zainteresowała się.

– Katy Perry. – Lenka miała minę, jakby jej matka była kosmitką i właśnie spytała ją, czy przeprowadzi się razem z nią na Marsa. – Od kiedy interesuje cię, czego ja słucham?

– Od zawsze. – Ula mijała się z prawdą. Te krzywiące się na scenie nastolatki wydające urywane dźwięki zupełnie jej nie interesowały. – To ta córka pastora, która całuje dziewczyny, tak?

Lenka zmarszczyła brwi.

– No, no... – powiedziała. – Jestem pod wrażeniem.

– Ale wolę Lady Gagę – Ula rzuciła następnym kłamstwem. – I tę Adele, ona ładnie śpiewa.

– A czego słuchałaś w moim wieku? – Lenka uznała, że więcej zyska przyjacielską pogawędką niż oślim uporem. Babcia Basia kiedyś opowiadała, że jej matka była zawsze uparta jak osioł. I jeszcze że ciotka Julia była najłagodniejszą istotą na świecie, ale tylko do dwudziestego czwartego roku życia, kiedy to uciekła z własnego ślubu. Potem robiła wszystko po swojemu. Pouczyła wtedy wnuczkę, żeby nie próbowała tej samej metody z matką, bo niczego nie wskóra.

– Stinga, Eurythmics, U2, George'a Michaela... – Ula uśmiechnęła się do swoich wspomnień. – Michaela Jacksona, Prince'a, Shinead O'Connor...

– Jakieś przedpotopy – podsumowała Lenka. – Z całym szacunkiem.

– Myśmy ich z twoją ciocią uwielbiały. Raz w „Dzienniku Ludowym" był plakat George'a Michaela. Ale byłyśmy szczęśliwe. Zawsze w soboty były plakaty. – Ula się zamyśliła. – Trzeba było wstać o siódmej i lecieć do kiosku, bo potem wykupili.

Lenka udała zainteresowanie, chociaż niewiele rozumiała z tego, co matka do niej mówiła.

– Jaki „Dziennik Ludowy"? – spytała dla podtrzymania rozmowy. Przy odrobinie szczęścia matka pogada jeszcze trochę o „swoich czasach" i da jej spokój.

– Taka gazeta. Miała w sobotę dodatek w postaci plakatu jakiegoś zespołu. Nie wiadomo było oczywiście, jaki to zespół.

– To po co kupować, jak się nie wiedziało?

Ula uśmiechnęła się.

– Bo to mógł być plakat właśnie George'a Michaela... Twoja ciocia wstawała, bo ja byłam leniwa. Chociaż jej mniej zależało na tych plakatach. Ona wolała francuskie piosenki. Edith Piaf, Brela, Mireille Mathieu...

– Kogo? – Nie wytrzymała Lenka, chociaż o Piaf naturalnie słyszała.

Ula zignorowała minę córki.

– Nie było Internetu i kolorowych pism. „Bravo" trzeba było przywozić z zagranicy. Ciocia Michele nam załatwiała albo wuj Michał.

Lenka wystarczającą ilość razy słyszała, jak to ona ma dobrze i nic nie musi, w przeciwieństwie do swojej matki i ciotki, które pod choinkę dostawały kredki i ubrania, a w czasie stanu wojennego stały w kolejce po tanią wędlinę jak inne dzieci. Tak, ona miała wszystko podane na tacy. Mogła grymasić, że nie chce szynki babuni, dziadunia, Bohuna, a tymczasem jej rodzice mieli w jej wieku mgliste pojęcie, czym jest w ogóle szynka i czym się różni od baleronu i polędwicy. Tak, słyszała to tysiąc razy.

– Ja nie lubię plakatów – przypomniała matce. – Nie wieszam niczego na ścianach.

Rzeczywiście, Lenka nie miała na ścianach żadnych plakatów, za to były one pokryte cytatami z wierszy Williama Blake'a, Keatsa, sonetów Szekspira, ale również mądrościami z Internetu typu: „Nikt cię nie nauczy życia, jeśli ono samo cię nie nauczy, jak żyć". Kiedy miała 10 lat, dostała pod choinkę książkę Paulo Coelho *Alchemik* i ściana pokryła się cytatami z jego dzieł, na przykład: „Skoro nie można się cofnąć, trzeba znaleźć najlepszy sposób, by pójść naprzód" albo „Strach przed cierpieniem jest straszniejszy niż samo cierpienie". I wreszcie najlepszy: „Człowiek żyje dla swojej przyszłości", który nie wiedzieć czemu wzbudził największy niepokój jej matki. Lence wydawały się bardzo trafne, a i książka zrobiła na niej wielkie wrażenie. Mama jak zwykle się niepokoiła, bo tylko to umiała robić. Do jej głównego źródła niepokoju należało: czy córka nie zakochała się nieszczęśliwie, nie będzie nacinać sobie skóry, brać amfetaminy albo innego świństwa, a przede wszystkim czy nie wpadnie w anoreksję jak nieszczęsna Janina.

– Nie chodzi o plakaty ani o to, że my z ciocią miałyśmy gorzej. Chodzi o ten twój kolczyk. Uszy masz nieprzekłute, chociaż nie miałabym nic przeciwko temu. A w języku dziurę...

– Nie lubię kolczyków w uszach. To takie barbarzyńskie... – Lenka skrzywiła się.

– Barbarzyńskie... – Ula wstała z krzesła i podeszła do okna. Z domu w Brwinowie widać było kawałek lasu. Panowała cisza. Dopiero za kilka lat zacznie dochodzić tu szum z przebiegającej nieopodal autostrady. – Chcieliśmy z ojcem, żebyś miała wszystko...

– I dlatego się rozwiedliście, tak? – Lenka miała dość tej rozmowy.

– Rozwiedliśmy się, bo ojciec pojechał pracować do Szwajcarii i tam... nasze drogi się rozeszły... – podsumowała zdradę Jakuba, awantury, wreszcie jego ostateczny wyjazd do Szwajcarii. Ona została z Lenką w nowo wybudowanym domu, z kredytem we frankach szwajcarskich, który po kryzysie wysysał z niej wszystkie soki. Nie radziła sobie z córką, odkąd ta skończyła pięć lat.

– Wiem, wiem... – Lenka znów włożyła słuchawki do uszu. – Ma tam nową rodzinę, a nas w nosie. A ja powinnam ci współczuć i pomagać, zamiast przekłuwać język.

– Chciałabym mieć więcej czasu dla ciebie, ale muszę pracować... – Ula gotowa była się rozpłakać. Ta rozmowa stanowczo nie była miła.

– No wiem, mamo, przecież ja nic nie mówię. – Lenka znów zdjęła słuchawki i objęła matkę ramieniem. – No nie płacz, no... nie płacz. Radzisz sobie, kobieto, no...

Ula ryczała, rozmazując starannie umalowane oczy. To nie powinno tak wyglądać. Matka nie powinna być pocieszana przez córkę. Córki nie potrzebują kumpelek, tylko matki.

– Przecież nie biorę prochów – perswadowała Lenka. – Uczę się dobrze. Nie mam anoreksji jak Janina...

Słysząc imię córki Małgosi, Ula zaniosła się płaczem na dobre.

– Chociaż jakbym się nazywała Janina i wyglądała jak ona, pewnie też miałabym anoreksję.

Ula na obecnym etapie dyskusji gotowa była przyznać córce rację i jeszcze zwrócić jej koszt przekłucia języka. Anoreksja Janiny stanowiła w rodzinie temat tabu. Małgosia i ciocia Kasia wypierały chorobę dziewczyny, aż wycieńczona trafiła do szpitala. Wtedy wkroczyła jej matka, bądź co bądź lekarz, i załamała ręce nad ważącą niecałe czterdzieści kilo cioteczną wnuczką. Kiedy niebezpieczeństwo już minęło, wszyscy zaczęli się zastanawiać, jak to się mogło stać, że nikt nie zauważył, że z Janiną coś jest nie tak. Miała w końcu matkę, ojczyma, młodszego brata. Mieszkała w mieszkaniu w Pruszkowie, miała swój pokój, jej rodzice się nie rozwodzili, nie spłacali kredytu, bo jej ojczym miał mieszkanie kupione przez rodziców. Janina dobrze się uczyła, chodziła do szkoły muzycznej i grała na pianinie.

– Ona wyzdrowiała... – Ula wytarła oczy. – Obiecaj, że ty nigdy nic takiego nie zrobisz.

– Mamo, ja jestem chuda. – Lenka miała nieco dość. – Daj spokój... Wyjmę ten kolczyk i po sprawie...

– Wyjmij, błagam, bo jak babcia zobaczy... – Ula całkiem się uspokoiła. – Tylko żebyś tatuażu sobie nie zrobiła, bo tego już mogę nie wytrzymać.

– Nie ma obawy. – Lenka aż się wzdrygnęła na myśl o igle wbijanej w jej skórę.

Babcia obecność kolczyka zniosła lepiej niż jej matka, ale Lenka musiała i tak wysłuchać pogadanki o możliwości zarażenia się wirusowym zapaleniem wątroby. Uspokoiła się dopiero wtedy, kiedy Lenka powiedziała, że przekłuwała język w salonie z certyfikatem, sterylizowanymi narzędziami, bo sama boi się chorób.

– Pytanie tylko, jaki certyfikowany salon przekłuł język nastolatce... – Babcia machnęła ręką.

Wyjęła kolczyk pół roku później, bo nie mogła już słuchać utyskiwań kobiet z rodziny Winnych. Trochę ją śmieszyło to rodowe nazwisko. Obecnie tylko jedna prababcia tak się nazywała, ale mimo to babcia, a nawet mama i ciotka lubiły mówić o sobie „my, kobiety z Winnych". Często jej przypominano, z jakiej jest rodziny. Niby że to taki klan, jak w tej telenoweli, której nie oglądała, bo była dla starych ludzi. Ale trzeba przyznać, że ogromnie lubiła prawie stuletnią prababcię, która była młodsza duchem niż babcia Basia, a czasami Lenka miała wrażenie, że nawet jej matka zachowywała się, jakby to ona dwie wojny przeżyła, a nie ta staruszeczka, która uwielbiała oglądać kreskówki na DVD z prawnukami i słuchała całkiem fajnej muzyki.

W gimnazjum w Brwinowie panowało wielkie poruszenie. Z okazji 95. rocznicy wybuchu pierwszej wojny światowej zaproszono starszą panią, świadka tamtych wydarzeń.

– ...niezwykły gość – mówiła pani wicedyrektor w czasie akademii. – Powitajcie panią Annę Winną...

Rozległy się oklaski i wprowadzono Anię do sali gimnastycznej. Po oficjalnej części uroczystości, w czasie której nawet Ania zaczęła się już trochę nudzić, dzieci mogły zadawać pytania. Musiała je zachęcić, bo były tak sterroryzowane przez nauczycielki, że początkowo nie było żadnych pytań. Sama zaczęła opowiadać o tamtych czasach, wskazywała miejsca znane wszystkim z Brwinowa, opowiadała o ich historii. W końcu dzieciaki ośmieliły się i zaczęły zadawać przeróżne pytania.

– Tak – powiedziała. – Uczyłam w tej szkole. Moja siostra Maria także... Sama zresztą do niej chodziłam, tyle że budynek mieścił się przecznicę dalej.

– A pamięta pani jakieś zabawne zdarzenie z czasów, kiedy była pani uczennicą? – spytała jedna z nauczycielek.

Opowiedziała, jak pierwszego dnia nauki rzuciła się na Pawła, który ją przezywał. Nawiązała do Ani z Zielonego Wzgórza, która miała podobną przygodę.

– A wyszła pani za tego chłopaka? – spytała inna nauczycielka.

– Moja siostra wyszła za niego – uśmiechnęła się Ania.

– A kiedy pani uczyła, było tak jak dzisiaj, czy może pani była łagodną nauczycielką? A było jakieś zabawne wydarzenie wtedy?

– Co wy tak pytacie tylko o te zabawne sprawy? – pani wicedyrektor wtrąciła swoje trzy grosze.

Ania zastanowiła się chwilę, a potem opowiedziała o historii z wróblem w dzień po śmierci ojca narodu Stalina.

– Naprawdę można było za to pójść do więzienia? – Chłopcu, który zadał pytanie, sypał się wąs. Nogawki spodni miał przykrótkie i Ani skojarzyli się Damian i Karol, którzy wyrastali ze spodni i chodzili w zbyt krótkich, bo nic nie można było dostać. Te spodnie jednak wyglądały na specjalnie za krótkie.

– Za dużo mniejsze przewinienia można było pójść na wiele lat za kratki. A nawet za zasługi... Kiedy dziś opowiadam moim prawnukom o tym, że ich dziadek został skazany na śmierć, ponieważ bronił wolnej Polski, nie do końca wierzą...

– To pani ma prawnuki? – zdziwiła się dziewczynka w okularach z czarnymi oprawkami.

– Tak. – Uśmiechnęła się Ania. – Mam prawnuki. Ale powiem

ci, że w środku jestem ciągle młodą dziewczyną, tyle że nie do końca nadążam za światem.

Głos miała jasny i czysty, spojrzenie bystre. Na małej, białej głowie duży kok zrobiony z warkoczyków. Lekko drżała jej głowa.

– Jak to jest przeżyć dwie wojny? – gość powtórzył pytanie pani od historii.

– Pierwszej nie pamiętam. Miałyśmy z siostrą niespełna miesiąc, kiedy wybuchła, ale moja babcia, która mnie wychowywała, mówiła, że było bardzo ciężko. Pamiętam za to drugą wojnę światową...

Gość zamilkł. W sali było cicho jak makiem zasiał.

– W obliczu zagrożenia każdy pokazuje prawdziwą twarz – powiedziała czystym, spokojnym głosem. – Niezależnie od tego, czy zagrożenie to niezapowiedziana klasówka czy wywózka na Syberię.

Kilka osób się roześmiało.

– Myśmy też pokazali swoją prawdziwą twarz. My Polacy... – Zaczerpnęła oddech. – Kto walczył, kto tchórzył... Musiał z tym żyć. Często nie było nagrody, a ofiara trafiała w próżnię. Często byliśmy winni, popełnialiśmy błędy, ale wierzyliśmy, że tak trzeba...

– Czy pamięta pani jakieś szczególnie dramatyczne wydarzenie z czasów wojny? – spytała wysoka gimnazjalistka.

Ania uśmiechnęła się lekko.

– Pamięć... To dziwny twór... O pewnych rzeczach chciałabym zapomnieć. Ja nie miałam najgorzej. Ludzie tracili wszystkich bliskich, zabijano dzieci na ich oczach... I dźwigali się z tego, zakładali nowe rodziny, znów kochali...

Chwilę wsłuchiwała się w siebie.

– Był pierwszy dzień wojny. Spędzili nas na rynek, odczytali jakieś oświadczenie po niemiecku. Potem wyciągnęli kilkunastu mężczyzn i ustawili pod ścianą...

Minęło tyle lat, a ona nie mogła zapomnieć. Śnili jej się obaj, Paweł i Antoni, zwykle przepychający się pod ścianą i błagający się nawzajem o śmierć. Budziła się wtedy mokra, zlana potem i tęskniąca za jednym i drugim, tak bardzo, że dopiero ramiona Michała przynosiły ulgę. Tyle że teraz męża już nie było, a ona codziennie rano budziła się, mając nadzieję, że to jego śmierć była tylko snem. Trzymała zamknięte powieki, czekając, aż usłyszy jego pytanie, czy nie miałaby ochotę, żeby zjedli śniadanie na werandzie. Niestety, kiedy otwierała oczy, widziała tylko nietkniętą poduszkę i puste miejsce na materacu.

– A co jest według pani najważniejsze na świecie? – tym razem pytanie zadał chłopiec, chudziutki, z kilkoma pryszczami na czole. Kogoś jej przypominał, tylko nie umiała powiedzieć kogo.

– Miłość jest najważniejsza – powiedziała z mocą. – Wierzyłam w życiu w wiele spraw. W walkę, wolność, słuszność swoich wyborów. I równie często wątpiłam. Nigdy jednak nie przestałam wierzyć w miłość. Dlatego przetrwałam. Przetrwaliśmy jako rodzina…

– Dziękujemy pani bardzo – schrypniętym głosem odpowiedziała pani wicedyrektor. – Czy zechce nas pani jeszcze kiedyś odwiedzić?

– Jeśli tylko dożyję, bardzo chętnie przyjdę. – Roześmiała się, a po sali przeszedł szmer uznania dla czaru, żywotności i niewątpliwego uroku starszej pani.

2014 ROK

– Mamusiu kochana, może to za dużo dla ciebie, co? – spytała Ewa, troskliwie otulając Anię kocem. – Może ty się jeszcze zastanów…

Ania roześmiała się i Ewa po raz tysięczny w życiu pomyślała, że jej matka jest niezwykłą osobą. Która kobieta w przededniu setnych urodzin wyraża nieodpartą chęć pojechania do Francji na groby obu braci?

– Polecimy samolotem, potem Julia po nas przyjedzie. Przecież wszystko omówiłyśmy… – przypomniała córce. – Wierzę, że się uda. Nawet w moim wieku trzeba mieć plany.

Ewa pokiwała głową. Rozległ się dzwonek do furtki i Ewa poszła otworzyć burmistrzowi Brwinowa, który miał przyjść do Ani i złożyć jej życzenia z okazji ukończenia setnego roku życia.

– Proszę pozwolić, że się przedstawię. – Młody mężczyzna ukłonił się elegancko, a potem pocałował Anię w rękę. – Arkadiusz Kosiński – burmistrz.

– Wiem, wiem, cztery lata temu głosowałam na pana. – Uśmiechnęła się Ania. – Proszę usiąść i powiedzieć nam, jak się panu u nas gospodarzy…

Burmistrz wręczył Ani dyplom, wielki bukiet kwiatów i kosz pełen różnych słodyczy, a potem usiadł, obok niego dwie sympatyczne panie, nieco wszyscy stremowani, bo spodziewali się zapewne schorowanej starszej pani, a tymczasem Ania oczarowała ich swoją witalnością. Młody człowiek zaczął opowiadać, dwie panie popijały herbatę i ciekawie zerkały na zdjęcia stojące na kominku.

– Gdyby pani chciała odwiedzić swoje ulubione miejsca w Brwinowie, proszę dać znać. Bardzo chętnie panią zawieziemy. – Uśmiechał się burmistrz. – Może ma pani ochotę pojechać do Stawiska?

– Ostatni raz byłam tam jeszcze przed wojną – powiedziała Ania i zaczęła się śmiać. – Pobiłam wtedy Iwaszkiewicza parasolką…

– Słucham? – Filiżanka herbaty w dłoniach burmistrza zakołysała się i kilka kropel wylało się na spodeczek.

– A tak. – Pokiwała Ania głową, a Ewa stłumiła śmiech. – Mieliśmy małą sprzeczkę… o mojego kuzyna. Pani Ania Iwaszkiewiczowa próbowała go zasłonić i ten mój kuzyn, ale ja mu dołożyłam…

Burmistrz popatrzył z niepokojem na Ewę, ale ona tylko pokiwała głową i zachichotała cicho.

– Nie wiedziałam, że znała pani osobiście Jarosława Iwaszkiewicza…

– Znałam. – Pokiwała głową. – Uczyłam nawet jego córeczki. Jego żonę poznałam wcześniej. Przez pana Stanisława, jej ojca.

– Pan Stanisław Lilpop przyjaźnił się z mamą – powiedziała Ewa. – Ufundował dla niej stypendium, żeby mogła pójść do szkoły i na studia.

– Coś takiego… – Burmistrz wpatrywał się w Anię szeroko rozwartymi ze zdumienia oczami.

– Mój dobroczyńca. – Uśmiechnęła się jubilatka. – Zostawił mi nawet pieniądze w spadku, żebym pojechała do Ameryki. Da pan wiarę?

– Pojechała pani? – spytała jedna z towarzyszących burmistrzowi kobiet.

– Dopiero w dziewięćdziesiątym piątym. – Ania wzięła filiżankę z herbatą i upiła łyczek. – Po prochy brata. I już nie za pieniądze wujcia Stanisława, które zaginęły w czasie wojny…

Wszyscy w milczeniu wpatrywali się w Anię.

– Skoro pan już tu jest, drogi chłopcze, to może mi pan powie, czy coś da się zrobić z pałacem Wierusz-Kowalskich?

Burmistrz odzyskał mowę.

– Bardzo bym chciał, ale niestety status tego miejsca jest dość skomplikowany – zaczął tłumaczyć.

– Wierusz-Kowalski tak to wszystko skomplikował. Uciekł z kraju tuż przed wybuchem wojny. Zabrał ze sobą całą rodzinę, w tym naszą Łucję… Ewuniu, zrób jeszcze trochę herbaty.

Ewa pokiwała głową i zniknęła w kuchni.

– Wieruszowie adoptowali moją przyrodnią siostrę Łucję. Nie wiedzieliśmy wówczas, że jest z nami spokrewniona... – Zamyśliła się. – Nie umiał z nią zupełnie postępować, a może ona od początku była naznaczona jakimś piętnem, kto to wie... W każdej rodzinie jest ktoś taki jak Łucja, pogubiony, jak niepasujący do układanki element. Gdzie się tylko pojawiała, tam zaczynało źle się dziać. Choroby, wypadki, inne nieszczęścia, w końcu śmierć...

– W mojej rodzinie też jest taka ciotka. – Jedna z pań zastygła z filiżanką uniesioną w pół drogi między stołem a ustami. – Trzech mężów pochowała, a wszyscy skończyli tragicznie. Czarna owca...

– Raczej ptak z przetrąconym skrzydłem, przynajmniej w naszym przypadku... – powiedziała cicho Ewa i zaczęła nalewać świeżo zaparzonej herbaty do filiżanek.

– No właśnie... – Ania zamyśliła się. – I czyja to wina? Niczyja Losu chyba tylko...

– Jak tylko uporamy się z najważniejszymi wydatkami, to wtedy zajmiemy się pałacem. Obiecuję...

– Nie, nie... – zaprotestowała Ania. – To tylko kupa gruzu, najmniej potrzebna mieszkańcom. Oni bardziej potrzebują dróg, nowego przedszkola, dzieci książek w bibliotece. Pałac... chyba że będzie tam ośrodek kultury, biblioteka albo teatr...

Przypomniała sobie wysokiego, przystojnego pana Wierusza, jego piękną, wyniosłą żonę i Łucję, która za wszelką cenę starała się dopasować do świata, który tylko pozornie leżał u jej stóp. Potem przed oczami stanęło jej zdjęcie starej kobiety pokazywanej przez amerykańską prasę tak podkreślającą, że morderczyni pochodzi z Polski. Guilty! – straszyły napisy, jakże adekwatnie do całej sytuacji, chociaż kontekst znało tylko kilka osób. „Dlaczego ja nie czułam, że to moja siostra? Czemu Ignacy nie powiedział słowa. Czemu? Teraz to już nie ma znaczenia", pomyślała, przypominając sobie, w jaki sposób dowiedziała się o całej historii, jaki szok przeżyła, kiedy Dana dała jej listy Łucji do Jana, a wśród tych pożółkłych kartek znalazła list od Ignasia do Łucji.

– My już pójdziemy. – Burmistrz podniósł się z krzesła. – Jeszcze raz chciałbym pani złożyć najserdeczniejsze życzenia dwustu lat w zdrowiu i szczęściu.

– Dziękuję wam bardzo. – Uśmiechnęła się Ania. – Na szczęście nie dożyję tylu, ale może jeszcze trochę...

Ewa odprowadziła gości do drzwi. Potem wróciła do matki.

– Mamo – zaczęła. – Ja ci muszę o czymś powiedzieć...

– Jeśli o przyjęciu-niespodziance jutro, to się nie martw, moja droga. – Ania poprawiła włosy. – Moje prawnuczki tyle razy tu wydzwaniały, wnuczki mają przyjechać... W końcu się domyśliłam.

Ewa położyła dłoń na sercu.

– Całe szczęście, bo bałam się, że dostaniesz zawału, kiedy wyskoczą zza kotary i zaczną krzyczeć „niespodzianka". Widziały to na filmach i wydaje im się to, jak oni to teraz mówią, „cool".

– Bo to jest cool. – Ania ponownie wzięła filiżankę do rąk. – Ale dobrze, że o tym wiem, bo mogłabym dostać zawału.

Następnego dnia jednak po mistrzowsku odegrała scenę zdumienia i wzruszenia, aż zawodowa aktorka i gwiazda rodzinna Kasia nie mogła uwierzyć, że Ania wiedziała o całej intrydze.

– Dziękuję, moje skarby kochane – mówiła wzruszona, przyjmując kolejne prezenty ofiarowane jej przez młode, młodsze i najmłodsze pokolenie Winnych.

– Takie włosy podobają mi się bardziej niż te poprzednie sznurki – powiedziała do prawnuczki Lenki, kiedy ta z talerzykiem tortu z cukierni Jarzyna, z napisem „Dwieście lat!" usiadła obok niej i przytuliła się do jej ramienia.

– To były dredy, babuniu – sprostowała. – Mamie się to nie podoba...

– Całkiem, całkiem. – Ania dotknęła wygolonych boków głowy wnuczki. Lenka wyglądała, jakby miała zagrać w filmie o kosmitach. Środkowe pasmo włosów miała przefarbowane na blond i upięte na czubku głowy w mały kok. – Zdecydowanie lepiej niż w dredach...

– Kocham cię, babuniu. – Lenka pocałowała Anię w sękatą rękę. – Torcik pyszny...

– Całą noc piekłam. – Ania mrugnęła do prawnuczki. To był taki ich stary żart, który powtarzały sobie od czasu, kiedy Lenka skończyła pięć lat i na urodziny dostała tort, który babunia piekła calutką noc, żeby tylko jej sprawić przyjemność.

– Widać, widać... – Lenka wpakowała sobie do ust kolejną porcję czekoladowego specjału. – Nawet Janina je. Wprawdzie plasterek grubości listka, ale zawsze.

Spojrzały obie na córkę Małgosi, która już nie przypominała szkieletu powleczonego skórą, ale wciąż ubierała się na czarno, jakby potrzebowała wyszczuplenia sylwetki. Tort był czteropiętrowy, po jednym piętrze na każdą jubilatkę. Przecież w tej rodzinie większość dzieci rodziło się dwudziestego szóstego, ewentualnie dwudziestego siódmego czerwca. Oprócz Ani świętowały tego dnia Julia, Ula oraz Ewa, której prawdziwa data urodzenia nie była znana, ale Ania swego czasu kazała Ignacemu wpisać do ksiąg parafialnych właśnie ten dzień.

– Tylko Mani z nami nie ma. – Spojrzała z żalem na wielki tort.

– Pradziadków też nie ma... – Lenka pogłaskała babunię po głowie. – Całe szczęście, że zdążyłam namalować ich portrety.

– Mojego nie zdążyłaś, moje dziecko – powiedziała Ania z przyganą w głosie.

– Bo jak skończę, to babunia umrze... – z prostotą odrzekła Lenka i zaintonowała „Sto lat!", ale została powstrzymana za falstart, bo dopiero przynoszono szampana.

– Umrę nawet, jak nie dokończysz. – Ania roześmiała się serdecznie. – Jestem, wiesz, w takim wieku…

– Mam prezent! – krzyknęła do wszystkich Lenka. – Będzie zdjęcie!

Ustawianie trwało kilka minut, głównie dlatego, że każdy chciał stać koło babuni, a zważywszy na jej drobną sylwetkę, miejsca było niewiele. W końcu udało się zmieścić wszystkich w kadrze i Lenka nastawiła swój drogi, bardzo skomplikowany aparat.

– No dobra – powiedziała. – Zrobione. Zaraz się do tego zabiorę i każdy dostanie ode mnie zdjęcie…

– Sama będziesz wywoływała? – spytała Joasia, żona Michała.

– Obrobię sama i wydrukuję każdemu. – Lenka wzięła laptop i znów usiadła koło babuni. Nad nią zawisło najmłodsze pokolenie Winnych, Janina, Mateusz, Bartek, Anna Maria, Maja i Natalka.

– Zrobisz nam zdjęcie? Zrobisz? – dopytywała się dzieciarnia. Ania spojrzała zdumiona na ekran.

– To ty masz dziecko już zdjęcia w komputerze? – Współczesna technika ją przerastała. – Trochę jak cud…

– Taki program, babuniu – wyjaśniła. – Zdjęcia od razu wyświetlają się w komputerze. Dobra, dzieciaki, ustawiać się. Zaraz będę was uwieczniać.

– A potem od razu wrzucisz na fejsbuka? – spytała Janina z ironią.

– Wrzuciłam tylko tort, bo jest wart pokazania światu. – Lenka puściła oko do kuzynki. – Ale osobistych zdjęć nie wrzucam. Chyba niedokładnie przeglądasz mój profil…

Dzieci stłoczyły się w gromadkę, a potem zgodnie podzieliły na mniejsze grupki. Zdjęcia „każdy z każdym" trwały dobrą godzinę, a potem Lenka zarządziła koniec sesji i przerwę.

– Zjedz coś, Helenko. – Basia i Kasia jednocześnie podały jej półmisek z pieczonym mięsem.

– Nie jem mięsa od dwóch lat… – Lenka wzniosła oczy ku niebu. – Moglibyście się już przyzwyczaić.

– No tak. – Westchnęła Ula.– Tylko ja ciągle uważam, że to nie jest zdrowe.

– Mamo, prosiłam cię…

– Wiem, wiem. – Ula wzniosła ręce ku górze. Miała świeżo zrobiony manikiur i bransoletkę z koralikami na ręku. – Ja się na niczym nie znam. Słoń nie je mięsa, a jest najsilniejszym zwierzęciem na świecie.

– Właśnie. – Lenka nakładała sobie pałeczkami sushi, które sama zrobiła i przyniosła z okazji urodzin babuni. – Babuniu, może ty skosztujesz sushi? To jest bardzo dobre jedzenie, chodziłam na kursy i sama zrobiłam.

– Ciociu, to surowe ryby – wtrąciła swoje trzy grosze Kasia.

– Dajcie, dajcie, wiem, że surowe ryby. – Ania wyciągnęła ręce po talerzyk. – Rybę z ryżem zawsze lubiłam. Tylko nie dam sobie rady z tymi pałeczkami, więc, dziecko, zrobisz wyjątek dla mojego stuletniego majestatu i pozwolisz mi zjeść widelcem.

– No pewnie, babciu, chociaż lepiej byłoby, żebyś zjadła palcami.

– Palcami, moja droga, to ja nawet w czasie wojny nie jadłam, więc tym bardziej teraz – powiedziała z przekąsem, a Kasia się roześmiała. – Mogę popróbować z pałeczkami, ale ostrzegam, jak usłyszę śmiech, zjem nożem i widelcem.

Wzięła podany talerzyk z krążkami sushi, przyjęła jedną pałeczkę i wbiła ją prosto w środek maka.

– Bardzo dobre – powiedziała, a reszta zaczęła bić brawo.

– Gratuluję ci córki, Uleczko – powiedziała Ania przy życzeniach. – Wspaniała dziewczyna i twoja w tym zasługa. Wszystkiego dobrego dla ciebie z okazji urodzin. Bądź zdrowa i ciesz się swoim szczęściem.

Ula uścisnęła babunię, a potem spojrzała w tył na Konrada, który jadł sushi i rozmawiał z jej siostrą Julią.

– Możesz mi powiedzieć, czy on jest dla mnie odpowiedni? – spytała Ani.

– Tak, to ten jedyny – potwierdziła Ania. – Długo czekałaś, ale wreszcie się zjawił...

Ula westchnęła z ulgą i zacisnęła mocno powieki w nadziei, że to, co mówi Ania, jest przepowiednią na przyszłość, a nie tylko słabym pocieszeniem przynoszącej utrapienie ciotecznej wnuczki.

– Czego tobie życzyć, kochana babuniu? – spytała.

– Żebym umarła bez bólu, najlepiej w swoim łóżku we śnie. Żebym nie przestała pamiętać i do końca mogła chodzić. Jak widzisz, w moim wieku ma się rozsądne życzenia. – Uśmiechnęła się.

– To ja tego tobie życzę, babuniu. – Julia znalazła się przy Ani. – Żebyś to urządziła tak, jak sama chcesz...

Ania przyciągnęła Julię do siebie i przytuliła.

– Jesteście tam bezpieczni? – spytała.

Julia spojrzała na babunię zdumiona.

– Odpowiedz mi tylko na pytanie i to szczerze.

– Ty naprawdę jesteś jasnowidząca.

Ania pogroziła jej palcem.

– Nie wykręcaj się, tylko odpowiedz starej kobiecie.

Julia kilka razy pokiwała głową, a potem przywarła do Ani i zaczęła szeptać jej na ucho życzenia. Mateusz i Bartek podeszli razem. Jeden trzymał w ręku jabłko, a drugi kawałek ciasta.

– Naprawdę masz sto lat? – spytał Mateusz, wnuk jej syna Michała, pyzaty siedmiolatek, bez przedniej jedynki.

– Sama się dziwię, ale naprawdę...

– Wiesz, że dziadek kupił ci książki na prezent? – spytał Bartek, który miał dziewięć lat i interesował się samochodami.

– Hmm... – uśmiechnęła się do nich Ania. – Jeszcze, żeby przyszedł i sam mi je przeczytał, byłoby miło...

– To audiobooki – wyjaśnił jej Mateusz. – Już ktoś je czyta.

– Naprawdę? – spytała ich Ania. – Ależ to sprytne. Wtedy nie trzeba przychodzić i czytać starej babci.

– No nie… – stropił się Mateusz. – Ciocia Kasia je czyta, dlatego dziadek kupił, ale powiedział, że będzie przychodził częściej, bo babcia już niedługo pożyje…

– Ale ty głupi jesteś. – Szturchnął go brat, a Ania zaczęła się śmiać.

– Faktycznie, mały głupek z ciebie – powiedziała Lenka i pokręciła głową z dezaprobatą. – Złóż babci życzenia…

– Sto lat, babciu… – wymamrotał Bartek.

– Dwieście lat, babciu – z naciskiem poprawił brata Mateusz.

– A wy czytacie książki? – spytała Ania.

– Ja to bym chciał… – wyznał Mateusz. – Ale muszę ćwiczyć na pianinie.

– Ja na skrzypcach – poskarżył się Bartek.

– Wasz dziadek kiedyś sam ćwiczył, trzeba go było siłą od skrzypiec odciągać…

Chłopcy wciąż mieli kwaśne miny. Michał podszedł do nich i położył im ręce na ramionach. Mateusz i Bartek spojrzeli na niego i westchnęli jednocześnie. Obaj wyglądali jak bliźniaki, byli podobnego wzrostu, mieli takie same blond włoski i niebieskie oczy. Nawet ubrani byli tak samo w garniturki i białe koszule z muszkami.

– Skarżycie się prababci? – spytał.

– Składamy życzenia i odpowiadamy na pytania – rezolutnie odparł starszy. – Właściwie to już skończyliśmy…

– No to zmykać na lody, a ja będę składał życzenia.

Ania nastawiła policzek do całowania. Syn pocałował ją nie tylko w prawy, nastawiony, ale w oba, a potem jeszcze uścisnął serdecznie.

– Też spytasz, czego mi życzyć?

– Zdrowia i spełnienia marzeń – powiedział. – Pociechy z wnuków i prawnuków.

– I z dzieci – dodała Ania.

– I z dzieci – powtórzył jej sędziwy syn.

– Jesteś stary – zauważyła Ania.

Towarzystwo przy stole skupiło się wokoło Lenki, która pokazywała coś na tablecie i machała rękoma, śmiejąc się przy tym głośno. Michał spojrzał na swoją matkę i zrobił zabawną minę.

– Jestem stary, mam wnuki i reumatyzm. Gazetę muszę trzymać palcami u nóg, żeby ją przeczytać, a na skrzypcach mogę zagrać jedynie kolędy, bo oprócz reumatyzmu to jeszcze słabo słyszę…

– Ale marudzisz jak dawniej. – Ania podsunęła mu swój talerzyk, na którym leżały jeszcze cztery krążki sushi. – Zjesz? Jakoś wolę tradycyjne potrawy…

– Ja też, chociaż jak byłem na koncertach w Japonii, to jedliśmy i sushi, i inne japończyki. Smakowały mi. To zdrowa kuchnia.

– Ja już mam ten przywilej, że nie muszę dbać o zdrowie. – Odsunęła talerzyk. – Mogę chyba jeść wszystko, co chcę.

– Pewnie, że możesz, mamo…

Popatrzyła na jego uduchowioną twarz i przypomniała sobie tamten dzień, kiedy go urodziła, a wybuch bomby poranił ciocię Kazię. Był taki maleński, a potem na wojennym wikcie słabo rósł, chociaż ona, jej ojciec i babcia Bronia dokonywali cudów, żeby go nieco podtuczyć.

– Jesteś pewien, że Mateusz i Bartek czerpią przyjemność z muzyki?

– Nie mam pojęcia – powiedział. – Teraz dzieci są inne. Ja kiedyś odrabiałem lekcje na kolanie, byleby mieć więcej czasu na ćwiczenia. Dziś trzeba je wozić, zachęcać… Magda i Piotr całymi dniami pracują, kto ma je wozić jak nie dzielny dziadek, pierwszy skrzypek filharmonii madryckiej…

– Jestem z ciebie taka dumna, Michał – powiedziała Ania. – Zawsze z ojcem byliśmy z ciebie ogromnie dumni…

– Wiem, mamo. – Skierował wzrok na swoją córkę Magdę i zięcia, którzy siedzieli obok Ewy i Benka i słuchali opowieści tego ostatniego. Benek był ogromnie ożywiony, gestykulował i śmiał się głośno. Wcześniej go takim nie widziała.

– Z Ewy też – dodała.

– Jak byłem mały, wydawało mi się, że ją kochacie bardziej – wyznał. – Ale nigdy nie miałem pretensji. Wiem, wiem, nie musisz zaprzeczać. Miłość dla każdego jest inna, jeden potrzebuje jej bardziej, inny mniej. Ja miałem muzykę i was, ona miała tylko was.

– Patrzę na ciebie, synu, już ponad siedemdziesiąt lat. Patrzę i zastanawiam się, jak mogły potoczyć się twoje losy, gdybyś nie musiał żyć w tamtych latach.

Michał ukroił sobie potężny kawałek tortu i wbił w niego łyżeczkę.

– Chrzanić cholesterol – powiedział. – Pyszny tort…

– To z naszej cukierni. Każde z czterech pięter jest inne. Moje jest czekoladowe, Ewy truskawkowe, Ulki śmietankowe, a Julii – bezowe.

– Jem czekoladowy, czyli twój ulubiony. Mój też zresztą. Myślę, mamo, że mnie było chyba łatwiej. Nie było tyle pokus co teraz… Prostsza droga szybciej prowadzi do celu. Teraz trudniej się wychowuje dzieci. Czy ty wiesz, że Magda ustala z rodzicami kolegów chłopców termin i czas spotkania za każdym razem, kiedy dzieci chcą się ze sobą pobawić?

– Wiem. Chrzanić leki na serce. – Ania wzięła do ręki kieliszek z szampanem i upiła łyk. – Jaki pyszny! Czytam gazety i czasopisma. Staram się zrozumieć dzisiejszy świat, chociaż łatwe to nie jest… Biorę książki od Lenki, te współczesne dla dzieci i młodzieży, i czytam.

– Nie mów, że *Harry'ego Pottera*. – Michał zaśmiał się serdecznie.

– A owszem, owszem. – Ania wspomniała przez chwilę nieprzespane noce, które spędziła z małym czarodziejem i jego przyjaciółmi. – To wspaniała książka. Czytałam po polsku i po francusku. Nawiasem mówiąc, nasza jest lepiej przetłumaczona. No i te *Igrzyska śmierci*, jaka to mądra rzecz…

– Słyszałam, że byłaś nawet w kinie na tym filmie. – Michał był pełen podziwu.

– Lenka mnie zabrała. Ona jest wielbicielką książki i filmu, więc wybrałyśmy się razem. Karol nas obie zawiózł, a potem przywiózł.

– Byłyście w normalnym kinie czy jednym z tych nowoczesnych?

– Naturalnie, że w nowoczesnym. Takich filmów nie ogląda się w malutkim, studyjnym kinie z grającym na fortepianie akompaniatorem. – Ania wzruszyła ramionami. – Z parkingu na salę trzeba przebyć drogę niczym stąd do Stawiska, ale dałam radę. Nie jestem niedołężna, tylko znacznie wolniejsza. Lenka to rozumie.

– Ale coca-coli chyba nie piłaś? – Michał był na dobre rozbawiony.

– No, no, no. – Ania pogroziła synowi palcem. – Coca-colą poczęstował mnie Stanisław Lilpop w 1924 roku. Przyjaciel mu z Ameryki przysłał.

Michał patrzył na matkę zupełnie osłupiały.

– Nie patrz się tak, synku. – Ania za to spojrzała z wyraźnym triumfem. – Bardzo mi smakowała. Winem też mnie wujcio poczęstował pierwszy. Oczywiście mam na myśli takie prawdziwe wino, nie z porzeczek. I szampanem, kiedy skończyłam pierwszy rok u Platerek. Potem… potem już go nie było…

Ewa się do nich przysiadła.

– Słyszałam coś o śmierci i przyszłam wam wybić z głowy takie rozmowy.

Oboje, Michał i Ania, zaczęli protestować i wyjaśniać Ewie, że źle zrozumiała.

– Nie wiedziałam, że rozmawiacie o literaturze. – Także zaczęła się śmiać, kiedy uświadomili jej, o czym w rzeczywistości była mowa.

Przy stole już prawie nikogo nie było. Dzieci rozpierzchły się po ogrodzie. Anna Maria rozłożyła na trawie dwa koce. Mateusz położył się na jednym z nich i zasnął natychmiast. Na drugim kocu usiadły Maja i Natalka, córki Anny Marii, z nieodłącznymi lalkami barbie w rączkach.

– Nie chcę, żebyście rozmawiali o śmierci. – Ewa wystawiła twarz ku słońcu. – Równie dobrze my możemy z Michałem odejść pierwsi...

– Nie odejdziecie. – Ania odłożyła talerzyk z niedojedzonym tortem. – Wszystko będzie jak trzeba. Najpierw ja, potem wy, dzieci i wnuki. Po bożemu... Już i tak musiałam patrzeć, jak Mania odchodzi. W części umarłam razem z nią.

– Najgorzej miała Baśka, która była przy jej łóżku.

– Baśka jest lekarzem, rozumie, że to była choroba. – Ania wzięła lekki koc ze swoich kolan i podała Michałowi. – Przykryj dzieciom nogi, bo nie powinny spać odkryte.

Na kocu leżeli zgodnie Mateusz, Bartek i Natalka z Mają, obie przytulone do swoich lalek. Dziewczynki pochrapywały przez sen. Michał podszedł i okrył je kocem.

– Dobrze, że zgodziłaś się na badania – powiedziała Ewa i wyjaśniła bratu, że namówiła Anię na tomografię komputerową głowy, żeby wykluczyć, czy przypadkiem i ona nie ma guza.

– Są przecież bliźniaczkami, słusznie – zgodził się Michał.

– Byłyśmy. – Zamyśliła się Ania. – Ale chociaż byłyśmy jak jedność, to często nasze drogi się rozchodziły. Z charakterów też nie byłyśmy podobne. Ja byłam bardziej zamknięta w sobie, ona, przeciwnie, taka „na zewnątrz". Mimo że z jednych rodziców.

– Ja dostanę alzheimera. – Skrzywił się Michał. – Jak wuj Ignacy. Wciąż coś gdzieś kładę i zapominam. Zajęcia chłopców muszę ciągle zapisywać, bo nie jestem w stanie zapamiętać. Jak mnie Magda o coś prosi, to też zapisuję.

– To normalne – uspokoiła Michała siostra. – Mózg nie jest już tak pojemny jak trzydzieści lat temu. – Nie masz się czym martwić. Tylko zapisuj wszystko, co trzeba, i nie zapomnij, gdzie zapisałeś.

– Ale wuj Ignacy... – Michał pokręcił głową.

Ania nie podjęła tematu. Musiałaby im opowiedzieć, jak po śmierci Stanisława Ignacy żałował, że nie wyznał mu przez całe życie prawdy o Łucji. Jak bardzo to przeżywał i nie mógł sobie z tym dać rady. Wtedy zaczęły się problemy z Ignasia pamięcią i musiał odejść z kościoła, co go w końcu zniszczyło od środka i zabiło. Zarówno Ewa, jak i Michał nie wspomnieli słowem o swoim ojcu, którego Ania znalazła martwego na jego ulubionym fotelu bujanym, ze zsuniętymi okularami do czytania na czubek nosa i gazetą w rękach. W chwili śmierci miał 95 lat, a Ania opłakiwała go do dziś. Można z nią było rozmawiać o wszystkich, którzy odeszli, o Broni, braciach, nawet Pawle. Imienia Michała nie można było wymówić, bo Ania natychmiast zaczynała płakać i mówić, że niedługo się do niego wybiera, żeby był jeszcze przez chwilę cierpliwy, a Michałowi i Ewie zdawało się, że ojciec stoi w drzwiach i czeka, aż Ania przekroczy z nim próg.

– Będziemy się zbierać, ciociu. – Kasia i Janina podeszły do Ani. – Wspaniałe urodziny. – Jedna i druga ucałowały Anię, każda w jeden policzek.

Ania wzięła za rękę Katarzynę. Siostrzenica spojrzała na nią czujnie i uciekła wzrokiem w bok. Ewa i Michał wstali z krzeseł i podeszli do stołu. Michał, żeby nie przeszkadzać ciotce, a Ewa, żeby przykryć torty, do których zleciały się osy.

– Oglądam, moja droga, każdy odcinek. – Uśmiechnęła się do niej, a Janinę ścisnęła za rękę. Wnuczka była nieco blada, spowita w szale i szerokie bluzy. Spodnie miały szew nisko, w połowie drogi między krokiem a kolanami. Wyglądało to nieco dziwnie, ale Lenka przyzwyczaiła już Anię do większości ekstrawagancji, więc przyjmowała pewne niezrozumiałe dla niej zachowanie czy sposób ubierania się z łagodną rezygnacją i bez komentarzy.

– Babcia wymiata – powiedziała Janina.

– Serial bardzo się ludziom podoba, a ja gram ciepłą i dobrą nestorkę rodu mieszkającego na wsi... No cóż, po rolach w kultowych filmach z lat sześćdziesiątych to może nie jest szczyt ambicji...

– Żartujesz chyba, moja droga – Ania jej przerwała. – Opowiadacie o czymś dobrym. Jak na ciebie patrzę w tym filmie, to mi się przypomina babcia Bronka.

– Bo babcia tak gra, babuniu – powiedziała Janina z satysfakcją. – Gra babcię Bronkę. Sama mi to powiedziała.

Kasia poprawiła włosy, wciąż czerwone dzięki kontraktowi z firmą kosmetyczną, dotknęła czoła pooranego zmarszczkami i uśmiechnęła się. Ania pomyślała, że Basia i Mania stoczyły tytaniczną walkę, żeby wydrzeć ją ze szponów alkoholu. Całe szczęście, że Kasia znów jest aktorką i gra, chociażby w telewizji, w takim serialu, którego akcja rozgrywa się na wsi, ludzie są mili i dobrzy, tacy podobni do tych, którzy już odeszli. Sama Kasia uważała, że po rolach jakie zagrała w teatrze, te telewizyjne nie są napisane na miarę jej talentu, ale brała, co dają. Była trzeźwa od lat. Nie brakowało jej pokus ani los nie szczędził jej ciosów, ale nie napiła się nawet wtedy, kiedy dowiedziała się, że jej przyjaciel, powiernik i spowiednik ksiądz Roman z parafii tworkowskiej zginął w Smoleńsku. Nawet wtedy odwróciła oczy od butelki i poczuła, że wreszcie jest wolna.

– Wszystkiego dobrego, babuniu i Ewciu, jeszcze raz. – Uśmiechnęła się Kasia. – Janinka, pójdziemy?

– Może ja zostanę i pomogę Lence sprzątać? – Po oczach dziewczyny Ania poznała, że Janina chciałaby jeszcze porozmawiać z kuzynkami.

– Przydałaby się pomoc. – Lenka znalazła się przy nich nie wiadomo kiedy. Ania pomyślała, że wnuczka jest stworzona do tego, żeby przejąć po niej pałeczkę i utrzymywać rodzinę blisko siebie. – Zostań, Janina.

W końcu Kasia pojechała z Basią i Karolem oraz jego trzymającym się nieco na uboczu przyjacielem. Ania wraz z całą rodziną bardzo chciała go oswoić, powiedziała nawet Karolowi, że on i Marcin są tu mile widziani, ale chłopak był tak zamknięty w sobie, że postanowiła dać mu czas i nie naciskała. Miło jej jednak było, że Karol z Marcinem przyjechali do niej na urodziny, zwłaszcza że wnuk mieszkał w Krakowie, tam pracował i spokojnie mógł się wykręcić od wizyty u stuletniej ciotecznej babki.

– Ja też zostanę jeszcze trochę. – Julia pomachała siostrze, która pożegnawszy się, razem z Konradem pakowała się do samochodu. Konrad pomagał Basi i Tomkowi wsiąść do wysokiego, terenowego land rovera. – Bogaty kawaler się jej trafił. – Uśmiechnęła się do Lenki.

– Popakujcie jedzenie w pojemniki i włóżcie do lodówki, dziewczynki, dobrze? – Ewa przyniosła stos plastikowych pudełek. – Resztę tortów swoich matek chyba zabierzecie?

– Nie, nie – przeraziła się Janina. – Ja na pewno nie.

– Dzieci wstaną, ciociu, to zjedzą. – Lenka ruszyła na odsiecz kuzynce. – Nie ma co zabierać.

– Jak chcecie. – Ewa zrozumiała wybuch Janiny i postanowiła nie naciskać. – Mamy dużą lodówkę. Wszystko się zmieści.

Julia siedziała na krześle obok bujanego fotela babuni i nie chciało jej się ruszyć. Była przepiękna pogoda. Ciepły wiatr rozwiewał łagodnie jej włosy. Przypomniał jej się dzień własnego ślubu. Wtedy pogoda była identyczna.

– Nie martw się. Wszystko będzie dobrze... – Ania nie patrzyła na Julię, tylko gdzieś daleko ponad dęby rosnące przy ogrodzeniu.

Julia nawet się nie zdziwiła, skąd babunia wie o tym, że spodziewa się dziecka, a właściwie dzieci, bo ostatnie USG wykazało, że nosi w sobie bliźniaki.

– Ale tak mówisz, babuniu, ku pokrzepieniu, czy to widzisz?

– Widzę, więc mówię, żeby cię pokrzepić, bo przejmujesz się tym, że będziesz miała pierwsze dzieci w tak późnym wieku, boisz się powikłań. Ale wszystko będzie dobrze.

– Wiesz nawet, że to będą bliźniaki? – Julia wzięła jabłko ze stołu i odgryzła potężny kęs.

– Tak, bliźniaczki, dziewczynki. – Ania podsunęła jej pod nos sałatkę śledziową. – Jedz, u was w tej Francji nie ma porządnych śledzi.

– Żebyś wiedziała. – Julia nałożyła sobie kilka łyżek sałatki, a na wierzch położyła dwa rolmopsy. – Nie mówiłam jeszcze Ulce ani mamie.

– Nie wydamy cię, spokojnie. – Lenka trzymała w ręku słoik rolmopsów i pakowała Julii do torby. – A mama, kiedy zauważyła, że nie pijesz szampana ani wina, to pomyślała, że ci się podniebienie całkiem przewróciło w tej Francji i nie chcesz pić naszych poczciwych trunków z porzeczek ani wina z Almy, ani tym bardziej pseudoszampana z Piotra i Pawła. Do głowy jej nie przyszło, że może chodzić o coś innego, więc spoko…

– Ale z ciebie spryciara. – Roześmiała się Julia i schowała słoik. – Wszystkich byś nas sprzedała z zyskiem.

– Aż tak to nie. – Lenka skromnie spuściła głowę. – Mam zmysł obserwacji… Ale powiesz im przed wyjazdem? – upewniła się.

– Powiem, powiem… – zapewniła Julia, chociaż bała się, że matka zechce przyjechać do nich do Francji, co w sumie byłoby naturalne i w tajemniczym Pawle Malinowskim rozpozna Jeremiego. Wtedy on, jako świadek koronny, byłby narażony na niebezpieczeństwo. Przez te lata udało się im się ukrywać pod dachem coraz bardziej sędziwej Adeli. Początkowo nieufna, z czasem zaakceptowała Jeremiego i uczyła kulinarnej sztuki. Stała się mentorką obojga, nauczycielką smaków i zapachów, a oni byli pojętnymi i wdzięcznymi uczniami. Julia tylko Ulce wyznała, w jaki sposób domyśliła się, że Jeremi podczas ich dramatycznego spotkania mówi o wyjeździe do Falaise. Tylko siostra znała szczegóły przyjazdu ich obojga do Francji i budowania od podstaw zaufania i związku. Historia Jeremiego miała niebawem ujrzeć światło dzienne, gdyż niezmordowana Michele pisała książkę o mafii w Polsce i sobie tylko znanymi sposobami znalazła Jeremiego w swoim rodzinnym domu. Kiedy Julia odkryła, że jest w ciąży, początkowo przestraszyła się wszelkich konsekwencji rodzenia dzieci w tak późnym wieku. Jeremi nie chciał jej puścić do Polski, ale uparła się, że musi przyjechać i zobaczyć babunię, bo kto wie, ile Ani jeszcze czasu zostało.

– Czegoś ci potrzeba, babuniu? – spytała Ani.

Ania pokręciła z uśmiechem głową i spojrzała na siedzące przy stole dzieci. Starała się skupić na tym, czy w przyszłości będą szczęśliwymi i spełnionymi ludźmi. Ale poza tym, że bliźniaczki Julii urodzą się zdrowo, a jej towarzyszowi życia i jej samej nic nie będzie groziło, sama nie widziała nic więcej.

– Chcesz się zdrzemnąć, mamo? – spytała Ewa. – Może chciałabyś wejść do środka i położyć się u siebie?

– Nie, nie, kochana. Zostanę tutaj. Popatrzę na was, jak się krzątacie.

Ewa i Lenka skinęły głowami i zaczęły sprzątać ze stołu, umawiając się, która będzie zmywała naczynia, a która popakuje kawałki tortów i resztę sałatek na wynos.

– Jesteś szczęśliwa? – spytał Paweł.

– Tak, jestem bardzo szczęśliwa – powiedziała szczerze. – Chociaż przyszedłeś tak nagle… Mam już iść?

Paweł miał znów dwadzieścia lat, stał boso obok niej, jakby zapraszał, żeby wykąpali się razem w magicznym jeziorku.

– Może… – Odwrócił wzrok. – Tak chciałem, żeby takie życie stało się moim udziałem…

– Kochany… – powiedziała i wzięła go za rękę. – Przecież, przecież…

– Coś mnie ominęło?– spytał Michał.

Ania i jego rękę wzięła w swoją dłoń.

– Jeśli chcecie, żebym z wami poszła, musicie mi pomóc. Wy znów jesteście młodzi, ja niedołężna…

– Tak ci się tylko wydaje, kochanie. – Michał podał jej duże lustro.

Wzięła je w dwie młode ręce i spojrzała w przejrzystą taflę. Znów miała czerwone, proste włosy zaplecione w dwa warkocze, a te z kolei zwinięte na karku w oryginalny węzeł. Uśmiechnęła się i wokoło oczu pojawiło się kilka zmarszczek, od śmiechu. Nie pokazała się ani jedna od płaczu.

– Ładna byłam kiedyś. – Uśmiechnęła się najpierw do Pawła, potem do Michała.

– Teraz też jesteś ładna. – Pospieszyli obaj z zapewnieniem.

– Właściwie macie rację. – Przyjrzała się sobie jeszcze raz. – Znów jestem ładna.

Ogród opustoszał. Dzieci najwyraźniej schowały się do wnętrza domu albo pojechały ze swoimi rodzicami. Drugie pokolenie Winnych sprzątało po ceremonii. Siedzieli tylko we trójkę, z Michałem i Pawłem.

– A mnie nie zaproszono – powiedziała Mania z udawaną pretensją w głosie.

– Manieczko, ani przez chwilę nie wątpiłam, że tu przyjdziesz – przekomarzała się Ania.

– Moja droga – powiedziała Mania z godnością, ledwie omiatając spojrzeniem Pawła. – Kogo jak kogo, ale mnie nie mogło zabraknąć na tej ceremonii.

Paweł odsunął krzesło i Mania łaskawie kiwnąwszy głową, usiadła na nim.

– Ryszard też przyjdzie? – Ania była ogromnie ciekawa, kogo też Pan Bóg wysłał, żeby ją na tamten świat zabrać.

Mania pokiwała głową i spojrzała wyzywająco na Pawła. Ten uśmiechnął się delikatnie i pogłaskał ją po głowie.

– Moja żona obrażona… – powiedział.

– Paweł, ja cię bardzo proszę… – Mania uniosła się i chwyciła ręką kant stołu.

– Ja was bardzo proszę – z naciskiem powiedziała Ania. – W takiej chwili moglibyście się nie kłócić.

Mania usiadła i spuściła wzrok.

– Babuniu, babuniu!… – Coś lub ktoś szarpał Anię za ramię. Otworzyła oczy i zobaczyła swoją cioteczną prawnuczkę Lenkę, która stała z siatką pełną pudełek z jedzeniem w ręku i patrzyła na nią z niepokojem. – Niech babunia tak nie śpi!

– Dziecko, ja często w dzień drzemię, bo przecież mam sto lat – przypomniała jej Ania. Spojrzała na swoje ręce, stare i sękate jak dawniej i poczuła lekkie rozczarowanie. Po co smarkata ją budziła? Jej zmarli bliscy przyszli na urodziny i nie zdążyła z nimi porozmawiać.

– Niech babunia sobie drzemie, tylko teraz wyglądało to dziwnie i kot się jeżył. – Pokazała palcem na Ciapka, który od dziesięciu lat mieszkał z Anią po tym, jak został przygarnięty przez Kasiną Małgosię, a potem okazało się, że mała Janinka ma uczulenie na jego sierść.

– Kot jest po to, żeby się jeżyć. – Ania machnęła ręką tym samym gestem, co kiedyś Bronia i wpatrzyła się w prawnuczkę. – Naprawdę wierzysz w to, że umarłabym na własnych setnych urodzinach?

– Kto tam babunię wie. – Lenka położyła reklamówkę na stole i wzięła Anię za rękę. Wcześniej tę samą dłoń trzymał Paweł. – Wierzę, że babunia mogłaby wykręcić taki numer. To do babuni podobne…

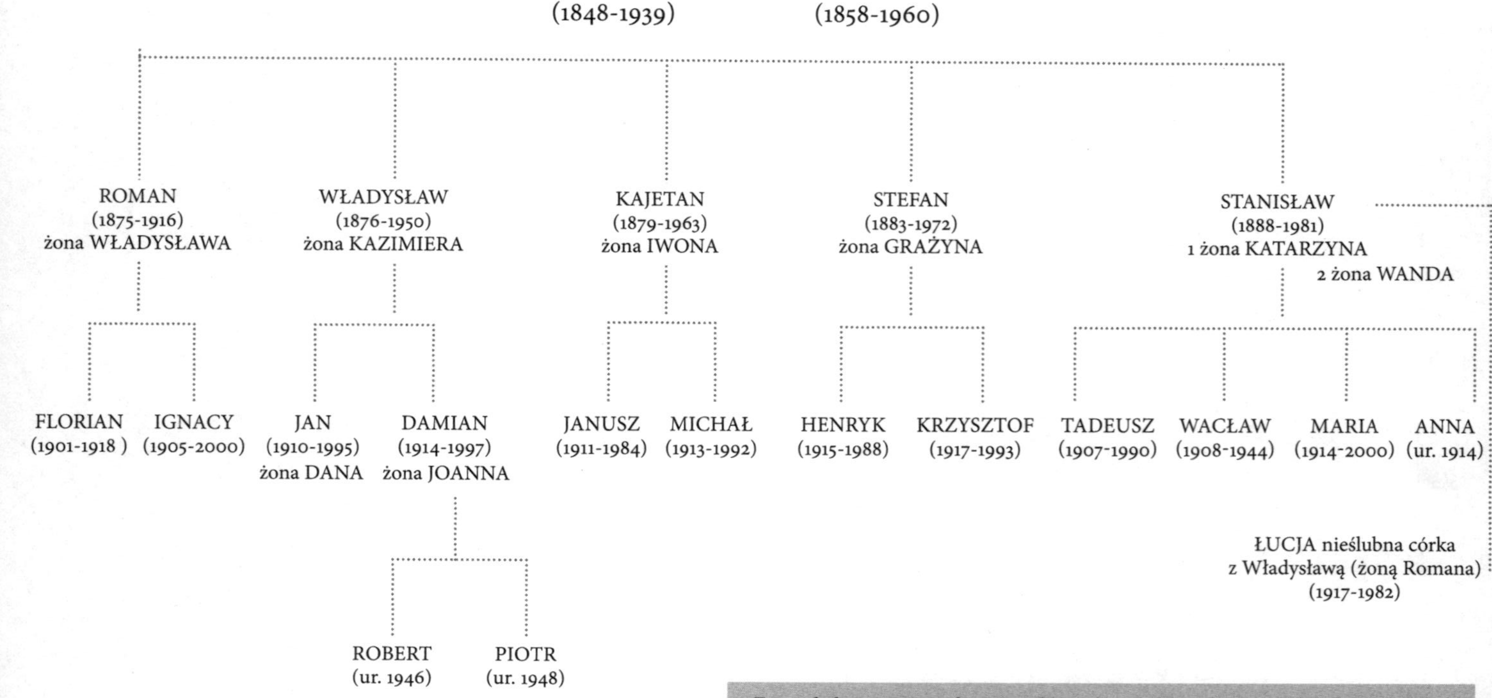

Ze względu na to, że trylogia przybliża głównie losy jednej z gałęzi rodu Winnych, w zamieszczonych drzewach genealogicznych zostały uwzględnione osoby, o których jest mowa w powieści.